CW00410544

COMPTES À REBOURS

DU MÊME AUTEUR

Les Mondes de François Mitterrand : À l'Élysée, 1981-1995, Fayard, 1996.

Les cartes de la France à l'heure de la mondialisation, avec Dominique Moïsi, Fayard, 2000.

Face à l'hyperpuissance, Fayard, 2003.

Rapport pour le président de la République sur la France et la mondialisation, Fayard, 2007.

Continuer l'histoire, Fayard, 2008.

Le Temps des chimères (2003-2009), Fayard, 2009.

François Mitterrand : un dessein, un destin, Gallimard, 2010.

Dans la mêlée mondiale (2009-2012), Fayard, 2012.

Atlas du monde global, avec Pascal Boniface, Fayard/Armand Colin, 2008, 2012, 2015.

Atlas de la France, avec Pascal Boniface, Fayard/Armand Colin, 2010.

Atlas des crises et des conflits, avec Pascal Boniface, Fayard/ Armand Colin, 2013-2016.

Un partenariat pour l'avenir, dir., Pluriel, 2014.

La France au défi, Fayard, 2015.

Les Mondes de François Mitterrand : À l'Élysée, 1981-1995 (Nouvelle édition), Fayard, 2016.

Sauver l'Europe !, Liana Levi, 2016.

Le Monde au défi, Fayard, 2016.

Hubert Védrine

Comptes à rebours

Fayard

Ouverture

Se défaire des chimères

Il devrait être évident pour tous, en 2018, que les Occidentaux se sont fait des illusions après l'implosion de l'URSS à la fin de l'année 1991, il y a déjà vingt-six ans. L'Histoire n'est pas achevée ; au contraire, elle s'est remise en marche et il n'y a toujours pas de « communauté internationale », en tout cas entre les peuples.

Samuel Huntington n'avait pas entièrement tort en alertant sur un possible « choc des civilisations ». Le concept même de civilisation et le fait de chercher à les classer pouvaient être contestés, et les conflits actuels traversent autant les civilisations qu'ils les opposent les unes aux autres. Il n'empêche qu'on a perdu trop de temps à dénoncer la prétendue « théorie » du choc comme choquante, et qu'il eût mieux valu en combattre le risque. Quand Jacques Chirac me disait lorsque j'étais ministre : « Ce n'est pas un choc de cultures, mais d'incultures », je lui répondais : « C'est vrai, et c'est bien pire ! »

Nul ne conteste aujourd'hui que les Occidentaux, à commencer par les États-Unis, se sont lourdement trompés quand ils ont cru, au cours des années 1990, avec Francis Fukuyama, que la démocratie libérale – la démocratie de marché, disait Bill Clinton – avait gagné, grâce à eux et avec eux, la bataille de l'Histoire. Le très raisonnable président George H. Bush avait même cru pouvoir annoncer l'avènement d'un « nouvel ordre international sous la conduite éclairée des États-Unis ». Ces derniers s'apprêtaient à devenir les shérifs du monde, mais à leur corps défendant, les « *reluctant sheriffs* » selon le diplomate Charles Haas. Et c'est en 1997 que j'ai qualifié les États-Unis « d'hyperpuissance ». Or, on voit bien maintenant que c'est dans ce moment de myopie triomphaliste que les États-Unis ont commencé à perdre le quasi-monopole de la puissance et de l'influence qu'ils avaient exercées au XXe siècle, après trois siècles de domination du monde par les Européens.

Dans ces années 1990, ces mêmes Européens ont vraiment cru, avec ferveur, entrer dans un monde post-tragique, ce qui s'est révélé une illusoire espérance de Bisounours dans un monde plus proche de *Jurassik Park*.

*
*   *

Les Occidentaux ont été si perturbés par cette évolution du monde contraire à leurs croyances, à leurs convictions et à leurs attentes, que les élites mondialisatrices et européistes l'ont longtemps niée. Elles ont préféré la fuite en avant et l'imposition d'un fait accompli économique global, consumériste, technologique, post-identitaire. Elles sont allées jusqu'à affirmer, en tout cas au sein de l'Union européenne, que les élections ne pourraient plus remettre en cause le cap fixé, celui de la démocratie libérale et de l'ouverture des marchés, faisant le pari de la dissolution des résistances populaires dans la croissance. En Occident cependant, les peuples l'entendent de moins en moins de cette oreille : au fur et à mesure que poussent les années 1990, 2000, 2010, ils ne considèrent pas, ou plus, que la mondialisation dérégulée et financiarisée soit automatiquement bonne pour eux. Et même l'annonce, en 2018, de la relance de la croissance globale ne corrige pas le sentiment général de perturbation. Les classes populaires, et même moyennes, ont plus ou moins décroché, menaçant les « élites » de devenir des locomotives sans wagons. C'est alors, quand les peuples ne votent plus comme les élites le voudraient, que, des référendum ratés de 2005 avant les élections à l'Est en passant par Donald Trump et le Brexit, celles-ci rebrandissent l'épouvantail du populisme. Mais, ce faisant, elles se dénoncent elles-mêmes : cette fièvre populiste est le symptôme de leur propre échec à convaincre, et elle a de beaux jours devant elle. En témoigne la succession d'insurrections électorales. N'obtenant pas de réponses à leurs demandes – en fait banales – de préservation d'une certaine identité, d'une certaine souveraineté et d'une meilleure sécurité dans un monde de plus en plus riche, mais en même temps inégal et aussi – l'économie n'est pas tout – angoissant et culturellement insécurisant, les électeurs votent de façon de plus en plus protestataire : à l'extrême droite, à l'extrême gauche ou ailleurs, laminant les partis de gouvernement, de droite comme de gauche. La condamnation de leurs votes par des élites détestées ne fait que conforter ces électeurs dans leur rejet.

Pour comprendre notre monde, il faut se défaire de nos chimères, rejeter nos œillères et l'analyser avec un œil réaliste, non idéologique, ni occidentalo-centré, ni occidentalo-expiateur, saisir les tendances de fond, les déplacements des « plaques tectoniques », sans tomber non plus dans une futurologie fantaisiste dissertant sur le monde de 2070 ou de 2100.

Trois comptes à rebours

Sous l'angle de la géopolitique classique, récapitulons quelques données. Il n'y a donc pas encore de « communauté internationale », malgré la concertation globale et permanente entre dirigeants. Les États-Unis ne retrouveront pas l'hégémonie qu'ils ont exercée, après 1945, sur la moitié du monde, ni celle qu'ils ont crue détenir, globalement, dans les années 1990. Il est peu probable que Donald Trump interrompe leur déclin relatif et tendanciel. Même ensemble, les Occidentaux ne contrôleront pas à nouveau le monde. La Chine, qui a explosé depuis son entrée à l'OMC en 2001, occupe déjà la place de numéro 1bis et l'Inde dépassera la France et le Royaume-Uni dès 2018 – si on se réfère au PIB, ce qui est bien sûr un peu frustre. Pour autant, les nations dites émergentes ne sont pas unies. Le monde « multipolaire » n'est pas une certitude établie ni une panacée : quelle serait la liste de ces pôles ? Quels rapports entretiendraient-ils entre eux ? Les Européens veulent-ils vraiment en constituer un ? La Russie est revenue dans le jeu, depuis le troisième mandat de Vladimir Poutine, mais son pouvoir reste limité, faute de puissance économique et démographique. L'Islam est déchiré. Le monde est instable, semi-chaotique, voire chaotique, *dixit* Antonio Guterres, le secrétaire général des Nations unies, en raison de la décomposition ou de la remise en cause de l'ordre mondial de 1945 ou des années 1990 par des puissances révisionnistes. Certes, les puissances de toute nature s'organisent ou coopèrent dans des *enceintes* variées, mais en même temps elles s'affrontent sur le terrain physique – le contrôle des mers, des îlots, des missiles –, sur les marchés ou dans le monde numérique. C'est un système baroque.

Comment chacune de ces puissances va-t-elle réagir à ces remises en cause ou exploiter ces bouleversements ? Que donnera globalement la poursuite par chacune d'elles de ses propres objectifs ? Avant de chercher des réponses à cette question géopolitique, il faut avoir en tête un certain nombre de paramètres, ou de crises, qui surgissent en même temps, s'entrechoquent et se télescopent en interagissant, comme dans des réactions chimiques plus ou moins incontrôlées et dont la solution demeure aléatoire.

L'urgence écologique

Prenons un instant de recul par rapport à la fournaise géopolitique, et considérons d'abord le compte à rebours *écologique*. Il commande tout le reste, même si ce sujet ennuie au plus haut point tous ceux qui ne vivent que de, et pour, « la politique ». Les décideurs politiques, journalistes et *think tanks* géopolitiques feignent de juger cela important (en France, on multiplie ainsi les références obligées à la COP21, à l'action mobilisatrice de Laurent Fabius ou au *leadership* climatique du président Macron), puis s'en désintéressent aussitôt. Heureusement, l'économie et la finance ont commencé à changer sans les attendre. Redisons-le : la vie sur la Terre – car il ne s'agit pas de « Sauver la planète », mais bien de sauver *la vie* sur la planète – serait réellement compromise par la généralisation à dix milliards d'habitants du mode de vie occidental actuel, prédateur et destructeur. Cela ne concerne pas uniquement ce qui cause ou aggrave le changement climatique et fait s'effondrer la biodiversité, mais les effets néfastes de toutes les activités humaines polluantes et perturbatrices conjuguées, renforcés par la croissance démographique, sur l'air, l'eau, les océans, les forêts, les zones non construites, les zones humides, les sous-sols, les pôles, etc. À moins qu'une *écologisation* de toutes les activités productives et des modes de vie jusqu'à ce qu'ils deviennent tous durables et recyclables ne soit menée de façon urgente et systématique et ne l'emporte sur d'immenses résistances et une colossale force d'inertie. C'est la fameuse *transition*. Cette question surplombe, ou plutôt devrait surplomber toutes les autres et orienter tous les choix.

L'explosion démographique

En matière *démographique*, les données sont connues : selon les prévisions actuelles, en 2050, l'Afrique compterait 1,3 milliard d'habitants en plus (dont 130 pour l'Afrique du Nord et 240 millions au Sahel). L'Inde, 400 millions de plus, mais la Chine, le Japon et la Russie perdraient chacun 38, 20 et 15 millions d'habitants. Les Africains seraient donc 2,4 milliards en 2050 et représenteraient ainsi un quart de l'humanité, alors que les Européens, leurs voisins au nord, seraient restés environ 500 millions, dans un monde de 10 milliards d'hommes. D'où le spectre du « suicide démographique européen[1] » et celui d'un débordement brutal des zones de haute pression démographique des pays en expansion, voire en explosion, démographique, l'ancien « Sud », sur les zones de basse pression, d'une sorte d'invasion moderne, lente mais inéluctable, impossible à endiguer comme une montée des eaux.

Jacques Chirac m'avait rapporté cette observation de Deng Xiaoping en 1975 : « La Sibérie est vide… » Certes, il se trouve encore certains démographes européens pour qui, par anti-malthusianisme, cette évolution inéluctable n'est pas un problème ou, à l'inverse, des nationalistes ou des idéologues religieux de l'ancien Sud pour se réjouir

---

1. « Europe 2050 : suicide démographique », rapport publié par la Fondation Schuman, 12 février 2018.

de l'accroissement de la population, comme s'il fallait préparer d'immenses revanches militaires à coups d'infanteries ou fournir des armées de fidèles pour remporter la guerre des civilisations ! Tout cela fait craindre une succession d'affrontements.

Le choc numérique

Comme si cela ne suffisait pas, s'ajoute à ces deux comptes à rebours angoissants, écologique et démographique, le choc numérique. Tout le monde proclame : « Cela va tout changer. » Tout, mais quoi exactement ? Avec quelles conséquences ? On prend conscience des possibilités technologiques presque illimitées pour perfectionner la vie quotidienne, les transports, l'éducation, la santé, etc. En revanche, les controverses sont vives sur les conséquences de cette mutation technologique sur l'emploi : ces nouvelles technologies numériques vont-elles faire disparaître des centaines de millions d'emplois non qualifiés ou susciter la création d'autant de nouveaux jobs, nécessitant juste une meilleure formation ? Le débat est plus aigu encore sur « l'intelligence artificielle », l'IA, entre les techno-optimistes (Mark Zuckerberg pour Facebook ou Roy Kurzweil, futurologue américain qui fixe à 2045 le moment où l'intelligence des machines deviendra supérieure à celle des hommes, ce qu'il juge positif) et les alarmistes, notamment Elon Musk (créateur de SpaceX et de Tesla), le physicien et théoricien britannique Stephen Hawking, qui réclamait une régulation beaucoup plus stricte de l'IA, mais aussi Laurent Alexandre et d'autres sceptiques ou opposants moins radicaux, tel Luc Ferry, pour qui le transhumanisme recèle les germes du pire comme du meilleur[1]. Dans un essai ré-

---

1. Luc Ferry, *La Révolution transhumaniste*, Plon, 2016.

cent[1], Thierry de Montbrial combine une analyse réaliste du monde à une évaluation fine des effets des révolutions numériques et quantiques. Que cela doive bouleverser toute la vie sociale et économique, le travail, l'entreprise, la vie administrative, la vie quotidienne, semble acquis. En France, la CNIL réclame la transparence et l'intelligibilité des algorithmes pour que le contrôle et la protection de nos libertés demeurent possibles. Ces possibilités numériques illimitées vont-elles rendre irrépressible la demande de démocratie directe instantanée et achever la démocratie représentative – plus besoin de « représentants » pour décider –, ou permettre à celle-ci de se régénérer par un recours accru à des consultations et à la démocratie participative ? La question reste pendante.

Sur le plan des relations internationales, la question est : que restera-t-il du pouvoir des États ou même des organisations internationales dans le monde numérisé ? Qu'en sera-t-il du multilatéralisme souhaitable dans un monde horizontal de plus en plus individualiste, connecté, numérisé, court-termiste, réactif et viral – même si l'excès d'impuissance publique peut à la longue recréer çà et là un désir de verticalité, comme on l'a vu en France en 2017 avec l'élection d'Emmanuel Macron ? Quelles entités seront demain chargées des choix publics ou les feront *de facto* ? Qui prendra en charge ce que l'on appelait naguère l'intérêt général ou, dans le jargon de l'OMC, les « préférences collectives » ? Les réseaux sociaux ? Les GAFAM[2] californiennes maintenant bien connues ? Les NATU[3], acronyme créé pour désigner les sociétés symboliques du phénomène d'« uberisation » ? Leurs équivalents chinois,

---

1. Thierry de Montbrial, *Vivre au temps des troubles*, Albin Michel, 2017.
2. Google, Amazon, Facebook, Apple, Microsoft.
3. Netflix, Airbnb, Tesla, Uber.

les BATX[1], qui combinent la force du capitalisme, de la technologie et du despotisme modernisateur ? Ou toujours les gouvernements ? La Commission européenne, dans l'esprit de ce que fait Margrethe Vestager, commissaire à la concurrence depuis 2014, qui entend faire rembourser par Apple 13 millions d'euros d'aides abusivement consentis par l'Irlande ? C'est une bataille dont l'issue est incertaine.

Pèserons-nous ?

Le décor écologique, démographique et numérique – comptes à rebours et chocs assurés – étant campé, revenons aux questions géopolitiques classiques.

D'abord, la Chine. Depuis 2012 et l'arrivée au pouvoir du président Xi Jinping, elle a abandonné le profil bas prescrit par Deng Xiaping depuis 1979 et respecté pendant une trentaine d'années. Elle est déjà numéro 1bis (mais 40e si on prend en compte le revenu par tête). Jusqu'où ira-t-elle ? Au-delà de son affirmation classique de puissance grandissante – à ses yeux un rétablissement de sa situation antérieure de première puissance mondiale au Moyen Âge, mais ce qui n'avait pas du tout le même sens dans un monde non globalisé –, voudra-t-elle inventer et propager des « valeurs chinoises universelles » ? Rien dans son histoire ni dans sa vision du monde ne la porte à un prosélytisme missionnaire comparable à celui des chrétiens occidentaux ou des musulmans. Mais sa puissance est déjà considérable, et ses nouvelles « routes de la Soie », *One Belt, One Road* (OBOR), gigantesque projet d'infrastructures lancé par Xi Jinping en 2014, vont concerner, si l'on y ajoute sa politique sur les pôles et en Afrique, au moins 70 pays. Sa capacité d'impressionner, d'entraîner, de subjuguer, voire d'inhiber, comme au jeu de go, des

---

1. Baidu, Alibaba, Tencent, Xiani.

dizaines de pays n'équivaut-elle pas déjà à une hégémonie classique en formation ? Va-t-elle continuer à pouvoir empêcher que se constitue une coalition des pays inquiets ou menacés par cette puissance ascendante : Japon, Inde, ASEAN – en tout cas Vietnam et Australie –, Russie, peut-être Europe et États-Unis ? Et les États-Unis réussiront-ils mieux à l'endiguer en invoquant, comme Donald Trump pour la contourner, le concept de zone « indo-pacifique » (en fait Inde/Japon) qu'avec le *pivot* vers l'Asie d'Obama, soit le regroupement des États-Unis et des pays d'Asie inquiets de la montée en puissance de la Chine ? La réponse à ces questions ne sera pas que chinoise, mais résultera de l'interaction entre la Chine et l'extérieur, et donc de la cohésion de « l'extérieur ». Pour le moment, ce que fait Donald Trump – l'abandon du grand accord commercial en Asie Pacifique – profite à la Chine et on voit qu'il hésite à affronter trop directement le mastodonte chinois. Et nous, pèserons-nous ? Lors de son premier voyage à Pékin en janvier 2018, Emmanuel Macron a réintroduit la notion de réciprocité dans nos échanges. Il a raison. Mais, pour y parvenir, il faudrait que les Européens s'accordent fermement sur cette ligne, ce qui est loin d'être acquis.

*

* *

Venons-en à l'affrontement au sein de l'Islam. Combien de temps faudra-t-il aux musulmans « normaux » (selon l'expression de Rached Ghanouchi, le *leader* islamiste tunisien lui-même, pour les opposer aux extrémistes), soit l'immense majorité, pour venir à bout de la puissante vague islamiste radicale sunnite, wahhabite, salafiste, djihadiste et, pour une infime minorité, finalement terroriste, qui vise d'abord les musulmans « impies », presque tous, avant de s'en prendre aux hérétiques (les chiites, les yazidis, etc.), et aux « croisés » (les coptes, nous) de façon collatérale ? Certainement encore longtemps. Car il faudra d'abord qu'ils se protègent contre la violence sanguinaire des terroristes et extrémistes, qu'ils corrigent une interprétation violente des enseignements du Coran, qu'ils enseignent au plus grand nombre un islam modéré et tolérant, et qu'ils traitent en profondeur les frustrations sociales et autres dont se nourrit l'islamisme. Vaste programme.

*

* *

Quant à la Russie, où va-t-elle ? Pouvons-nous l'influencer ? Traitée de façon inintelligente depuis la fin de l'URSS par les Occidentaux, qui lui reprochent en quelque sorte d'être restée… russe et de ne pas être devenue une gentille démocratie de type social-démocrate scandinave, la Russie sous Poutine III, à partir de 2012, a agi en Ukraine, en Géorgie, en Syrie, ou en Europe de façon détestable et, face à l'OTAN dont elle n'a jamais admis l'extension, provocatrice. Ce qui n'aurait pas dû nous surprendre et va se poursuivre sous Poutine IV, après sa réélection en mars 2018. La Russie a ainsi suscité des réactions occidentalistes vengeresses, notamment américaines (quelle aubaine pour beaucoup d'Américains du puissant parti antirusse de retrouver un ennemi mobilisateur et de pouvoir rejouer à la guerre froide), que les Européens ont suivies et dont la France, sous les quinquennats de Nicolas Sarkozy et de François Hollande, n'a pas su assez se dégager. En tout cas, sans être redevenue une grande puissance (elle a le PIB de l'Italie), la Russie a redémontré son pouvoir de nuisance dans son voisinage. Elle a réagi à l'ostracisme et aux sanctions occidentales par une réaffirmation nationaliste/slavophile et un resserrement de ses liens avec la Chine, ce qu'elle fait en traînant les pieds et devrait nous faire réfléchir sur notre politique russe à long terme. Tout cela est à courte vue. L'Europe, et d'abord la France, devrait, tout en restant vigilante, exigeante et dissuasive, proposer à la Russie, sous une forme ou une autre, un partenariat culturel, économique, énergétique et de sécurité avec l'Europe. Cela suppose de s'affranchir des États-Unis, réengagés dans une escalade avec la Russie.

*
* *

L'Afrique. Ne parlons plus de « l'Afrique » au singulier. Il y a *des* Afriques, 53 pays très différents, une dizaine d'organisations régionales (les « sous-régions ») et au moins huit entités : Afrique du Nord, Égypte, Sahel, Afrique de l'Ouest, Afrique centrale, Afrique de l'Est, Sud de l'Afrique, Angola, Mozambique, Madagascar. Toutes les puissances, anciennes et nouvelles, y compris africaines, s'intéressent à « l'Afrique » pour diverses raisons. Elles n'ont pas pour autant (comme Emmanuel Macron l'a dit à Ouagadougou pour la France) une politique africaine *globale* concernant tout le continent, trop vaste, trop divers, mais plutôt une politique *en Afrique*, régionale ou sectorielle, qui s'adapte constamment. Les pays africains, dans leur diversité, comportent autant de potentialités et d'atouts que de handicaps et de risques.

Notre rôle, et notre intérêt, sont d'être leur partenaire dans les deux cas, aussi bien pour tirer parti de ces potentialités que pour réduire ces risques quand les Africains le souhaitent, ce qui est le plus fréquent. Pour gérer avec eux la sécurité (le Sahel), le développement économique et urbain, la transition écologique, la vitale modernisation de l'agriculture pour que les agriculteurs africains puissent vivre décemment de leur travail, etc. La cogestion des flux migratoires devrait être une priorité !

Un *leadership* américain relatif

Mais revenons aux convulsions et contradictions occidentales et à ce que peuvent faire les Américains, les Européens, les Français.

Comme je l'ai rappelé, les Américains sont humiliés, mais surtout inquiets de ne plus contrôler totalement le monde et donc de ne plus pouvoir s'en protéger. Pourtant, succédant au siècle de Hollywood, deux formes d'influence américaine sont encore à leur paroxysme, sans toutefois apaiser cette angoisse, peut-être parce qu'elles n'émanent pas de l'Amérique de Donald Trump, de cet électorat populaire des classes moyennes blanches : d'abord, l'influence des GAFAM (et autres), qui a déjà refaçonné le mode de vie de la presque totalité des habitants de la planète en les connectant en permanence, en créant et en satisfaisant des besoins nouveaux toujours attisés. Et d'autre part, le retour vers l'Europe, notamment à l'envoyeur français, depuis les universités américaines, des thèses inspirées de la « French Theory » des déconstructeurs français (Foucault, Lacan, Derrida, etc.) et portées à l'extrême contre toutes les formes supposées de la domination blanche, masculine, hétérosexuelle des derniers siècles sur les femmes, sur les minorités diverses et sur les peuples opprimés. Cette influence du politiquement correct américain sur une partie de l'opinion « progressiste » en Europe et au Canada est frappante, et pas seulement chez les gauchistes et les activistes dans ces divers groupes. Curieusement, l'Amérique ne s'en vante pas ! Quoi qu'il en soit, les Américains, angoissés par ce monde, se livrent à de véritables embardées électorales en votant à chaque élection pour le contraire exact du président sortant : George W. Bush après Bill Clinton, Barack Obama après Bush Jr., Donald Trump après Barack Obama ! Leur désarroi est patent. Comment se résigner à un *leadership* seulement « relatif » ? En se repliant sur une base nationale solidement défendue ? En essayant de garder, ou de retrouver, le contrôle de « *the rest* », comme disent les Américains de tout ce qui n'est pas nord-américain, européen ou australien ? Mais comment ? George W. Bush n'y était pas parvenu. En proclamant que l'Amérique est « *great again* » ? En pariant, comme l'Europe sur son nuage, sur le rayonnement des valeurs occidentales/européennes/universelles et la force des normes qu'on imposerait à tout le monde ? Mais c'est déjà ce que l'on a fait pendant des siècles. Croit-on vraiment que cela va continuer ou recommencer ? Comment ignorer les bouleversements du monde ?

Il se peut que les « valeurs » démocratiques finissent par triompher, un jour, partout, malgré l'étiolement actuel de la démocratie libérale et l'affirmation décomplexée des régions autoritaires, mais cela n'arrivera pas forcément sous l'effet de nos pressions et sanctions, et cela ne nous renforcera pas forcément : l'Inde est démocratique, mais pas soumise à l'Occident.

Les soubresauts et batailles de lignes au sein des diplomaties américaine et française, au cours des vingt dernières années, sont la traduction de ce conflit. Doit-on traiter avec le monde extérieur ? Le convertir ? Le soumettre ? En France, par exemple, l'idée que notre pays ait (par nature ? par héritage ? par ambition ? par prédestination ? par mégalomanie ?) une vocation spéciale, *universelle*, qu'il ait pour mission de « droits-de-l'hommiser » après avoir eu celle d'évangéliser (le contenu est différent, mais la démarche prosélyte est la même), reste prégnante dans le monde médiatique, une partie de la classe politique, une partie de la diplomatie, les écoles de journalisme, de nombreuses ONG. L'opposition entre « gaullo-mitterrandistes », oxymore syncrétique qui a eu un sens et une utilité, et « néo-conservateurs », ou plutôt occidentalistes, qui ont eu pendant dix ans le vent en poupe sans vouloir le reconnaître et qui voudraient garder leur influence, est certes trop schématique, mais, en tout cas, il n'y a plus consensus[1]. Même plus sur le fait d'affirmer qu'il y a consensus, ce qui était commode. Sauf si Emmanuel Macron réussit à en reconstruire un, réaliste et ambitieux, ce qui n'est pas impossible. Pour l'Occident, à qui le prosélytisme missionnaire est consubstantiel depuis saint Paul (« Allez évangéliser toutes les nations »), c'est presque impossible d'admettre de ne plus être le phare de l'Humanité, son pédagogue, son mentor, son pygmalion.

Les élites à l'épreuve des attentes populaires

Au total, les États-Unis se retrouvent face à deux tentations : se replier complètement sur eux-mêmes ou tenter de recontrôler le monde extérieur. On se tromperait en considérant l'ubuesque épisode Trump comme une simple parenthèse. Ce président nous choque, mais il révèle et s'appuie sur une Amérique oubliée, négligée, méprisée, caricaturale certes, mais bien réelle, galvanisée par ses provocations. Le mouvement de balancier électoral portera-t-il au pouvoir un futur président revenant au centre, à l'optimisme wilsonien, mâtiné de réalisme, et au *mainstream* ? À une hégémonie supportable ? À la solidarité transatlantique de l'époque de la guerre froide ? Un président qui renoncerait à demander aux pays protégés depuis l'après-guerre (une quarantaine en Europe et en Asie) de mieux partager ce fardeau, comme l'ont fait tous ses prédécesseurs ? Rien n'est moins sûr, même si ce futur successeur ne joue pas à nouveau les éléphants dans le magasin mondial de porcelaines, déjà bien brisées. Le plus probable est que les deux rives de l'Atlantique, que ne soude plus l'une à l'autre

---

1. Voir le numéro de la revue *Esprit* « Démocratiser l'Europe », mars 2018.

une menace réelle, massive et *spécifique*, comme du temps de Staline, divergeront doucement, tout en conservant un lien civilisationnel global, comme des cousins issus de germains. Quant à l'idéalisme wilsonien, le démenti brutal et périodique de la réalité ne le fera pas disparaître complètement tant il est enraciné dans la psyché américaine dont il anoblit la volonté de puissance.

Si la puissance publique américaine ne s'affaisse pas tout à fait, les États-Unis resteront malgré tout le numéro 1, ou 1bis ou 1 *ex aequo* du monde (mais sans G2 coopératif avec la Chine), et la Californie, la base de rattachement, la domiciliation, des GAFAM. À moins que ceux-ci n'arrachent une complète autonomie (si du moins le régulateur anti-trust américain ne s'est pas réveillé entre-temps) ou ne s'établissent sur une île artificielle en haute mer, et partagent avec leurs homologues/concurrents chinois le façonnage du monde, la surveillance des troupeaux humains numérisés, et le contrôle du *big data*. Mais c'est une autre histoire...

*
* *

L'équation est encore plus difficile à résoudre pour les Européens, confrontés en plus au dilemme Trump. Les fameux « pères fondateurs » avaient bâti le projet européen et prométhéen de dépassement des identités nationales en Europe, à l'abri des fusées nucléaires américaines. Ils ne songeaient pas du tout à une « Europe puissance ». Les populations européennes ont voulu croire à ce monde post-tragique idéal. Mais les identités ont résisté et ne disparaîtront pas ; et le monde réel est si loin de former une « communauté internationale » que les élites (ceux qui ont accès à la parole publique) sont tentées de nier cette pénible réalité et de se réfugier dans les songes déjà évoqués, en comptant sur les effets euphorisants de la croissance qui re-vient. Cependant, les pro-européens classiques, et même les européistes, sont devenus un peu plus réalistes. Les peuples européens se sentent menacés par les mouvements migra-toires, par le terrorisme islamiste, par les provocations menaçantes de Vladimir Poutine, par le « Janus américain, ami/ennemi » (Christophe Chabert), par les mafias et les trafiquants, par les concurrents émergents. Sans parler des fractures et exaspérations internes. Les pro-européens espèrent que la synthèse macronienne (profession de foi européenne, Europe qui protège, projets nombreux à géo-métrie variable, consultations démocratiques, ambition, autorité) va réveiller et « relancer l'Europe ». Mais cette ex-pression peut avoir des significations très diverses : incan-tatoire, utopique, magique ou opérationnelle. Si les *leaders* européens réussissent à convaincre les peuples européens récalcitrants que l'Europe doit devenir une « puissance » pour ne pas devenir… impuissante, et dépendante de toutes les autres plus encore qu'elle ne l'est déjà et que son rayon-nement normatif, auquel elle croit tant, même s'il n'est pas négligeable, ne suffira pas à corriger cette tendance, alors tout peut changer. Surtout si ces mêmes élites parviennent enfin à répondre aux attentes populaires élémentaires déjà évoquées. Faute de quoi, le projet européen sera en perma-nence contesté, et finalement dépérira.

*
* *

Quels scénarios pouvons-nous envisager pour l'Europe ?
1) En 2018, le scénario de l'éclatement ou de la désin-tégration de l'Union, redouté par certains, espéré par d'autres, après le vote du Brexit, paraît écarté. Le départ de la Grande-Bretagne, s'il a vraiment lieu, ne sera une bonne chose ni pour elle, ni pour l'Europe. En tout cas,

il ne sera pas contagieux. La fragmentation régionale (Catalogne, Écosse, Corse, etc.) affaiblirait plus gravement l'Europe. Mais elle n'est pas inéluctable. Et aucun pays de la zone euro ne veut la quitter.

2) Le « saut fédéral », réclamé encore par les militants très minoritaires de l'Union sans cesse plus étroite et de l'intégration sans cesse renforcée, est très peu crédible. De toute façon, un traité sur cette base ne serait pas ratifié par l'ensemble des États-membres ni même par la seule zone euro ou un introuvable noyau dur.

3) En revanche, des avancées importantes mais pragmatiques et à la carte, sur la base d'une partie des propositions d'Emmanuel Macron, en synergie avec le nouveau gouvernement allemand, pour perfectionner la zone euro et la capacité protectrice de l'Europe (Schengen) sont tout à fait possibles en 2018-2019.

Ce scénario réduirait à la marge, grâce aussi au retour de croissance, le pourcentage des déçus ou des allergiques à l'Europe, mais ne suffira pas à faire complètement disparaître l'euro-scepticisme ni l'euro-hostilité, tout ce que l'on englobe dans le terme de « populisme ». Il faudrait pour cela surmonter une contradiction fatale à l'Europe : on trouve qu'elle se mêle de tout et de rien, abusivement. En même temps, on attend tout d'elle, on promet en son nom, on finit par tout lui reprocher. Il faut clarifier. Cela s'appelle la subsidiarité, principe selon lequel on ne décide au niveau européen ou national que ce que l'on ne peut pas décider aussi bien, ou mieux, en dessous.

Les tourments de l'Occident

D'autres caractéristiques de l'Occident actuel (j'emploie ce terme par commodité en en connaissant les ambiguïtés) le fragilisent, spécifiquement.

D'abord, en Occident, vaste espace démocratique prosélyte et fier de ses « valeurs », le fossé élites/populations est très profond, comme plusieurs votes des dernières années l'ont montré. C'est dans les plus vieilles démocraties représentatives que l'usure est la plus sensible. Que la république était belle sous l'Empire ! Dès lors que les populations informées en continu, connectées, fébriles et impatientes ne se reconnaissent plus dans les représentants qu'elles ont choisis, une revendication vindicative de démocratie directe permanente s'exprime chaque jour dans cette époque « d'individualisme de masse ». Cette utopie devient technologiquement possible : tout le monde pourrait être consulté chaque matin sur son portable (voulez-vous rétablir la peine de mort : oui ? non ?) et alors une sorte de dictature sans dictateur, de tous sur chacun, pourrait s'établir.

Seuls remèdes : d'une part, une réhabilitation de la démocratie représentative, à condition que son utilité et son efficacité soient redémontrées à chaque pas, ce à quoi l'acharnement moralisateur et la transformation des élus en nouvelles vestales ne suffiront pas et, d'autre part, le recours régulier à la démocratie participative, à condition que des règles précises l'encadrent (qui vote, sur quoi ?), qu'elle soit déconnectée des enjeux nationaux, et que ses résultats soient respectés. Cela reste à démontrer.

Les pays émergents autoritaires et les démocraties débutantes ne sont pas encore confrontés à ces problèmes, et les démocraties « illibérales », les « démocratures » – mots inventés pour désigner des régimes à élections mais autoritaires (Russie, Turquie) – pensent pouvoir les neutraliser et y échapper. On verra…

*
* *

Un autre élément est à prendre en compte dans le fonctionnement actuel et futur des démocraties. Elles sont devenues depuis longtemps des régimes d'opinion, au sens où Tocqueville prédisait, et déplorait, que les démocraties traiteraient des questions extérieures sur la base de considérations intérieures. Et au sein de ces opinions puissantes, des groupes d'origines diverses interviennent de façon de plus en plus active, aux États-Unis, en Europe, en France, défendent leurs propres intérêts sur le plan international et se réclament même parfois d'une double allégeance, ce qui n'est pas le cas en revanche des mouvements féministes américanisés, ni des minorités sexuelles. Ces groupes qui en Amérique s'assument comme des lobbies ethniques ou nationaux pèsent de plus en plus, voire intimident, menacent ou exigent. Leur influence est très visible s'agissant de la politique américaine ou française au Proche-Orient, de la politique du Premier ministre canadien Justin Trudeau sur presque tous les sujets, de la politique française au Maghreb ou en Afrique, de la politique allemande envers la Turquie, de la politique des Européens face à l'islamisme, etc. Cela ne se limite pas à la politique étrangère, comme on l'a vu avec les débats sur les lois mémorielles ou les programmes scolaires. Dans beaucoup d'universités prestigieuses américaines ou canadiennes prises en otage, il devient de plus en plus difficile d'enseigner les « humanités », ou d'inviter des conférenciers qui déplaisent, par exemple aux sponsors étrangers, chinois, ce qui va jeter à la longue une ombre sur leur prestige international. Il est devenu impossible de comprendre les mécanismes de la décision publique dans le monde actuel sans étudier, au carrefour des politiques étrangères et intérieures, le jeu des diasporas et les lobbies. Nulle part ailleurs qu'en Occident cette imbrication n'est poussée aussi loin, avec les dépendances que cela accroît.

Ouverture

*

* *

D'autant que la repentance y est la plus forte, et y trouve peut-être même son terrain privilégié. L'Occident a dominé le monde, c'est un fait. Le temps n'est sans doute pas venu où l'on pourra essayer de comprendre sereinement et objectivement comment quelques pays d'Europe, en compétition entre eux, ont été capables, durant deux ou trois siècles, de coloniser tant de pays ou futurs pays d'Afrique, d'Amérique, du monde arabe et d'Asie. Est-ce grâce à une force des armes et des techniques supérieure, à la violence, à la ruse ? Et encore moins pourquoi tant de pays ont été colonisables : par infériorité technique ? Par divisions internes ? Du fait de croyances paralysantes ? Par manque d'État ? À court terme, l'intérêt de l'instrumentalisation de la victimisation dans les démocraties d'opinion occidentales est trop fort pour tolérer de telles interrogations. Et les pays autrefois colonisés hésitent à se priver des leviers de ces réquisitoires et de ces créances historiques. En attendant ce temps, l'Occident d'aujourd'hui devrait expier, devant une sorte de tribunal de l'Histoire auto-proclamé, comme s'il y avait, au mépris des principes modernes et libérateurs de l'État de droit, une responsabilité *collective* et *transmissible*… ? Cette aberration conceptuelle et juridique est entretenue et attisée dans nos démocraties par la lâcheté ordinaire des dirigeants face à la force électorale de nombreux groupes déjà évoqués et qui ont intérêt à cette mise en accusation. Il est frappant de constater combien d'Occidentaux, d'Européens, et particulièrement de Français, en tout cas d'organisations, confondent, à propos de leur passé, Histoire et mémoire (pis encore, mémoire collective reconstruite[1]),

---

1. David Rieff, *Éloge de l'oubli*, Premier Parallèle, 2018.

lucidité et culpabilité, honnêteté et repentance, analyse et déconstruction, et se complaisent dans ce passé réécrit. Sans profit pour personne. Or ce phénomène ne s'observe qu'au sein du seul monde occidental. Quand Darwin a fait paraître en 1859 *De l'origine des espèces*, beaucoup d'Anglais se sont indignés en déclarant impossible d'admettre qu'ils « descendaient du singe » (en fait d'un ancêtre commun, mais peu importe). Aujourd'hui, beaucoup d'Occidentaux voudraient ne pas descendre des... Occidentaux. Il ne suffit plus de faire du passé table rase, il faut le nier ! Ou alors expions-le, en nous flagellant. Serait-ce une rémanence du concept de péché originel qui aurait survécu et cheminé souterrainement malgré les Lumières, la laïcité, la modernité, dans les profondeurs mentales de ce monde occidental issu de la chrétienté ?

Cet Occident, en tout cas l'Europe, travaillé par une rhétorique sermonneuse et moralisatrice, fondée sur le remords instrumentalisé de la colonisation, sur « l'Autre » à ne pas rejeter, est conduit à la compassion, à l'auto-accusation ou à l'aide, pas à l'échange partenarial sur un pied d'égalité. Cet Occident tourmenté croit-il pouvoir continuer à régner par d'autres moyens, la combinaison de ses valeurs, de la volonté d'expiation et de ses technologies ? Mais est-ce encore « l'Occident » ? Et cela rassurera-t-il les peuples occidentaux, de plus en plus minoritaires dans le monde de demain, et parmi ces peuples, les décrocheurs, sur leur place future ? En tout cas, face aux autres ensembles, cette attitude peut faire notre fierté, mais elle fonde aussi notre vulnérabilité et notre handicap. Les forces « progressistes » en Occident n'ont pas résolu, on le voit aux États-Unis avec les démocrates, cette tension croissante opposant une majorité délaissée et les minorités maximalistes.

Les défis de l'*écologisation*

Ni les Occidentaux en général, ni même les Européens, n'abordent clairement, de manière concentrée et homogène, l'imbrication et l'interconnexion potentiellement explosives de ces crises qui se télescopent. Et c'est un handicap. Il faut essayer d'en prévoir les conséquences pour nous et réfléchir à comment réagir.

L'inquiétude croissante sur le compte à rebours écologique va faire monter la pression pour *l'écologisation* sur tous les pays, sur les entreprises et les organismes qui continuent encore de surexploiter la planète ou simplement d'être indifférents à ces risques par addiction à la croissance, quel que soit son contenu, et qui compromettent ainsi la vie de nos descendants. Cela entraînera au sein de chaque pays des conflits permanents entre les plus conscients, alarmés, alarmistes, impatients, et les autres, qui vivent de pratiques vouées à disparaître ou à reculer, mais chercheront à différer les échéances. Et cette transition fera éclater les contradictions. Par exemple : peut-on sortir du nucléaire et en même temps réduire les émissions de CO_2 ? Évidemment non. Les Occidentaux, et même les Européens, ne parlent pas du tout d'une voix à ce sujet. Mais il aura fallu l'exemple allemand, preuve par l'absurde, pour démontrer que non. Nicolas Hulot a su admettre de ce fait, courageusement. Pour préparer la sortie du charbon, pour parvenir dès que ce sera possible à réduire progressivement la part du nucléaire, il faut que les énergies renouvelables deviennent rentables sans subventions publiques. Impossible sans des percées scientifiques majeures sur le stockage de l'électricité produite de façon intermittente (solaire, éolien). Sans un prix du carbone élevé (de l'ordre de 20 à 30 $ la tonne de CO_2), cela prendra trop de temps. Le président Macron a été très clair[1].

Autre exemple d'urgence sanitaire et écologique : amener l'humanité à consommer moins de protéines animales, compte tenu des conséquences catastrophiques en chaîne provoquées par cette surconsommation. Là aussi, que de combats, que d'étapes à prévoir pour réussir cette reconversion ! Chaque Américain mange plus de 108 kg de viande par an, et ce chiffre augmente. Les pratiques multiples qui font s'effondrer la biodiversité auxquelles il faudra mettre fin sont connues. En peu d'années, prise de conscience et inquiétude aidant, une inéluctable mutation va bouleverser la définition des pays forts ou faibles, celle des pays matures ou en retard, comme les hiérarchies de l'attractivité et de la compétitivité, ou la définition des pays « voyous », qui seront de plus en plus les pays *écologiquement* voyous, catégorie appelée à gagner en importance. Les pays « écologiquement voyous » sont ceux qui ne respecteront pas les accords de Paris, qui n'accepteront pas un prix carbone suffisamment élevé, ceux qui ne fermeront pas ou pas assez vite (voire pire, qui rouvriront !) les mines et les centrales de charbon ou de lignite, qui continueront à admettre l'importation, légale ou non, de trophées de chasse d'espèces menacées en Afrique, à fermer les yeux sur les trafics d'animaux sauvages, qui continueront à détruire les forêts des trois grands massifs équatoriaux qui jouent un rôle vital d'absorption du CO_2 et de préservation de la biodiversité quand elles ne sont pas perturbées, les pays dont les flottes de pêche continueront à dévaster les grands fonds ou à pratiquer la pêche électrique, etc. L'opinion internationale de plus en plus inquiète, même chez les émergents, ne supportera

---

1. Entretien accordé au *Monde* le 13 décembre 2017 : « Emmanuel Macron : *"Il faut un choc dans nos modes de production."* »

plus ces égoïsmes à court terme. Que de reconversions, de calendriers contraignants à prévoir, d'inventions à faire, de flux financiers à réorienter !

Rattraper des décennies d'insouciance

Crise après crise, cette évolution va définir une nouvelle hiérarchie internationale patrimoniale (par exemple, par la dévalorisation progressive de la valeur des gisements d'énergies renouvelables – pétrole et gaz encore non extraits du sol), de nouvelles alliances, encadrées par un nouveau droit (le projet de « pacte mondial pour l'environnement » proposé par Laurent Fabius en 2017). Dans le domaine industriel, des critères de compétitivité écologique seront exigés. Cette *écologisation* s'imposera à l'agro-industrie, à la chimie, à la construction, aux transports, etc. Mais l'époque du dialogue de sourds entre pays développés et la plupart des émergents est déjà révolue. Tout cela va aller très vite. Les Européens peuvent encore se placer en tête de ce mouvement. Une chambre des « générations futures » composée de scientifiques incontestables, idée lancée depuis longtemps, nous y aiderait.

*
*   *

En matière de flux migratoires massifs, l'Europe dispose avec Schengen de tous les éléments de réponse et d'un cadre pour les gérer, mais elle n'a pas encore rattrapé des décennies d'insouciance et le résultat – la maîtrise des flux – n'est pas encore visible pour les opinions.

Il est évident que ces mouvements de populations, que le développement ne réduira pas, sont gérables et peuvent même être bénéfiques, s'ils sont de faible ampleur, étalés dans le temps, et que les populations arrivantes ont des modes de vie pas trop différents des populations des pays d'arrivée et, encore mieux, si celles-ci veulent s'assimiler et s'intégrer. Une situation inverse de celle que connaît l'Europe aujourd'hui. Or aucun peuple au monde, pas plus en Europe qu'ailleurs, n'accepte volontiers l'immigration de « masse » (différente de celle des élites artistiques intellectuelles ou économiques, ou encore de l'arrivée des réfugiés)[1].

À cela s'ajoute le mouvement de re-islamisation des populations arabes ou turques installées en Europe, quel que soit leur statut juridique, effet de l'immense affrontement interne à l'Islam, dont les Européens ne maîtrisent pas l'issue, et de plusieurs décennies de prosélytisme wahhabite et, de fil en aiguille, salafiste. Et le Pew Research Center prévoit qu'il y aura en Europe entre 7,4 % et 14 % de musulmans en 2050, contre 4,9 % en 2016, soit en moyenne 25,8 millions. La seule solution serait non pas une illusoire gestion mondiale par une filiale des Nations unies telle que l'OIM, l'Organisation internationale pour les migrations créée en 1951, mais une co-gestion régionalisée des flux migratoires, dans un esprit de partenariat au sein d'ensembles géographiquement liés et économiquement interdépendants : un partenariat qui réunirait en priorité un espace Schengen réformé, unifié à l'intérieur et enfin efficace à ses frontières extérieures, les pays de départ (Afrique de l'Ouest) et de transit (Maghreb). Les tentatives de discussions entre pays du Nord et du Sud faites depuis deux ans vont dans le bon sens, mais ne suffisent pas : il faut aller plus loin. Le gigantesque et urgent travail d'harmonisation des législations et des procédures sur l'immigration et l'asile nécessitera beaucoup de courage politique. La gestion coordonnée des frontières exté-

---

1. Sauf là où il a fallu repeupler après avoir exterminé les premiers occupants (Amériques, Australie), ce qui a façonné une mémoire collective différente.

rieures de Schengen devrait être opérationnelle en 2020. Cogérer, cela veut dire aussi avoir le courage de *fixer ensemble* chaque année un quota d'immigrants légaux, par métiers. Bien sûr, cela suppose que les entités concernées aient de part et d'autre la volonté et les moyens de mettre en œuvre une telle politique et de ne pas se soustraire à leurs responsabilités. La question des réfugiés n'est pas du même ordre : il faut traiter avec plus d'humanité aussi bien ceux à qui l'on accorde l'asile que ceux à qui on le refuse et qui deviendront des candidats à l'immigration légale. Il faudra aussi arrêter une politique envers les étrangers présents en France entrés régulièrement, mais restés au-delà des limites imparties et devenus irréguliers, reliquat de l'incurie des décennies passées, qui seraient aujourd'hui environ 200 000. Régularisation ? Retour dans leur pays d'origine ? Dans des pays tiers sûrs ? Dans quelles proportions ? En tout cas, ces mesures de rigueur, de contrôle, d'accueil, d'humanité, d'intégration ne doivent pas être présentées isolément, mais être intégrées dans un plan d'ensemble, car, point par point, elles seront toujours critiquées. Cela s'applique à toutes les autres zones concernées dans le monde, y compris au sein de l'Afrique, et plus particulièrement l'Afrique de l'Ouest, la Côte d'Ivoire, l'Afrique du Sud. En absence d'une cogestion rigoureuse et visible des flux, les réactions de panique et de rejet s'aggraveront. Elle s'imposera donc.

Sortir du déni

Face à l'islamisme radical et a fortiori au terrorisme islamiste, que faire ? Pour les Européens, comme pour les autres, se protéger mieux encore, aussi longtemps qu'il le faudra, par une coopération policière renforcée ; par la prévention, l'information, le renseignement ; si nécessaire, par la neutralisation des bases arrière par des actions militaires, parfois indispensables, mais toujours insuffisantes, comme au Mali, en Irak, en Syrie, au Sahel ; bien sûr aussi par des actions politiques et sociales résolues pour combattre les injustices, les inégalités, les discriminations et les frustrations variées, dans tous les pays concernés, tout en se rappelant que l'islamisme leur préexiste, mais qu'il s'en nourrit. Mais rien de tout cela ne suffira si une action théologique et religieuse vigoureuse n'est pas menée *de l'intérieur du monde musulman* pour délégitimer et proscrire l'instrumentalisation du Coran par les islamistes et donc, chaque fois qu'il le faut, l'expliquer, le conceptualiser, l'interpréter contre les fondamentalistes, proscrire bien sûr le terrorisme, mais lutter même contre la *salafisation* des esprits. Le roi du Maroc, commandeur des croyants, le président égyptien et même maintenant le prince héritier saoudien, Mohammed Ben Salman, pour l'Arabie, ont ce courage, mais aussi de très nombreux musulmans modernistes et courageux, politiques, ministres de l'Éducation, écrivains, intellectuels, romanciers (algériens entre autres), avocats, imams, associations de femmes (en Tunisie, par exemple). Nous ne les soutenons pas assez, tant nous avons du mal, surtout les Européens de l'Europe de l'Ouest, Belges, Espagnols, Italiens, Français etc., à nous éveiller d'un déni très profond, qui est une des manifestations de la léthargie stratégique de l'Europe. Quelles sont les raisons de ce long aveuglement sur l'islamisme en France ? En premier lieu, pour beaucoup de laïcs ou marxistes français, la question religieuse était devenue si secondaire qu'elle ne pouvait que masquer d'autres réalités, sociales ou économiques, et ne constituait plus en soi une source spécifique de menace. Pour la partie de la gauche venue à la politique par la guerre d'Algérie, ensuite, la France n'aurait pas le droit, de toute façon, de critiquer des Français musulmans d'origine maghrébine, un peu comme certains, emboîtant le pas aux nationalistes israéliens, qui assimilent toute critique de la politique israélienne à de l'antisémitisme. Ensuite, dans certains milieux « cathos de gauche », on estime que la France ayant colonisé et pratiqué l'esclavage (ils semblent oublier que son originalité n'est pas de l'avoir pratiqué comme les Romains, les autres Européens, les Africains et les musulmans eux-mêmes depuis des siècles, mais de l'avoir aboli), elle est disqualifiée pour critiquer l'islam, et même l'islamisme. Des intellectuels de gauche restent si révoltés par l'américanisation du monde qu'ils ne peuvent pas admettre que l'islamisation soit un danger pour les non-musulmans. À la repentance paralysante s'ajoute le calcul cynique de certains gauchistes, qui espèrent trouver dans les immigrés, forcément exploités et donc révoltés, un prolétariat de remplacement puisque le prolétariat ouvrier vote Front national ou s'abstient. Ceux-là dénoncent de façon intéressée la prétendue « islamophobie », en l'assimilant à un « racisme », ce qui n'a rien à voir.

Et pour finir, il faut ajouter la crainte des responsables politiques, depuis plus de dix ans, de mettre le feu aux poudres dans les banlieues en appelant les choses par leur nom : le terrorisme *islamiste*, et en s'opposant frontalement à l'islamisation et à la *salafisation* par le bas (les provocations à l'école, à l'hôpital, au travail, dans les lieux publics, etc.) comme cela devrait être fait.

Cet ensemble de dénis, qui nous ont fait abandonner lâchement les musulmans réformateurs modernistes et démocrates se battant en première ligne, a dû reculer sous l'effet du terrorisme islamiste[1]. Il n'a pas entièrement disparu des esprits, mais il devrait permettre de mieux travailler, ici en Europe, à l'alliance des musulmans modérés et des démocrates contre l'extrémisme islamiste si

---

1. Lire par exemple « Libérer l'islam de l'islamisme » de Mohamed Louizi, Fondation pour l'innovation politique, janvier 2018.

les musulmans en Europe prennent leurs responsabilités. Mais dans le monde musulman au sens large, sur au moins trois continents, la partie est loin d'être gagnée.

La gouvernance mondiale

Reste le serpent de mer de la « gouvernance mondiale », qui existe déjà sans exister. Il y a une « gouvernance », les institutions fondées par les vainqueurs à la sortie de la Seconde Guerre mondiale et celles des années 1990, des sommets incessants, des dizaines d'organisations, et pourtant cette gouvernance ne semble pas fonctionner ou alors de façon entropique. Cela fait maintenant longtemps qu'un discours optimiste sur la mondialisation, à la fois wilsonien, technocratique et managérial, celui que tenaient, par exemple, Barack Obama ou Bill Gates, domine le monde des médias, de la technologie, de la communication, avec son jargon en *globish*, les tics de la novlangue des sommets où tout se doit d'être *durable* et *inclusif*, et où les démons du « protectionnisme » et du repli sur soi sont condamnés à chaque paragraphe. Le monde que chacun observe sur ses écrans, celui de l'économie globale dérégulée et financiarisée, continue d'être une foire d'empoigne où la compétition entre les intérêts, les idéologies et les égoïsmes est féroce.

L'américano-globalisation des dernières décennies a longtemps été contestée par *l'anti*-mondialisation, puis par son avatar, *l'alter*-mondialisme. Les mécanismes de l'économie globale de marché dérégulée, illégaux ou simplement choquants, sont volontairement dénoncés par des consortiums de journalistes d'investigation[1]. Il n'empêche que la mondialisation se poursuit et se poursuivra, plus ou moins régulée, sous l'effet des forces mondiali-

---

1. Panama Papers en 2016 ; mise en scène en 2017 des accusations par 400 journalistes à l'encontre de 65 pays à partir de 13 millions de documents.

satrices, de la numérisation et de l'interconnexion. *Quid* alors de la gouvernance mondiale ?

Le commerce redeviendra en partie régional plutôt que mondial du fait de la prise en compte inéluctable des coûts écologiques et du prix du carbone. Au-delà, les enceintes de négociation et de coopération, telles que l'ONU et ses très nombreuses organisations ou agences (OMS, FAO par exemple), le FMI, la Banque mondiale, l'OMC, le G20, le G7, sont des *cadres*, précieux et utiles, pas des pouvoirs, ou alors limités et spécialisés, et devraient tous être réformés. À cet égard, le plaidoyer français pour le multilatéralisme est en partie irénique, car l'égoïsme brutal de Donald Trump et son unilatéralisme à courte vue ne font pas du multilatéralisme une panacée. La France est cependant bien placée pour s'exprimer et proposer, car, au-delà même de sa qualité de membre permanent du Conseil de sécurité, elle a joué, de 1945 à aujourd'hui, un rôle actif et inventif dans le système multilatéral. Toutefois aucune puissance ne peut agir de façon uniquement multilatérale. C'est une approche à privilégier, mais elle ne peut être exclusive. Même Emmanuel Macron prend beaucoup d'initiatives au nom de la France, sans attendre l'accord de tous ses partenaires, et c'est heureux.

*
* *

La gouvernance mondiale est aussi réalisée *de facto* par d'innombrables autorégulations techniques et professionnelles dans les secteurs des transports aériens (l'ATA), maritimes, des télécommunications, de l'énergie, de l'Internet etc. Des milliers d'accords spécialisés sont négociés et signés pour former un maillage dense mais non homogène, encore largement façonné au cours des dernières décennies par la puissance mondialisatrice incomparable des États-Unis.

En même temps, ces efforts sont contredits par ces mêmes États-Unis. Depuis des décennies, ils donnent unilatéralement et abusivement une portée extraterritoriale à leurs lois, par exemple contre la Russie ou l'Iran. Ils s'arrogent ainsi un pouvoir de sanction et de chantage sur une grande partie du monde, jusqu'ici enduré sans réaction. D'autres pays occidentaux avaient cru pouvoir décréter que leur justice avait une compétence universelle ; la France a été tentée et dans les années 1990 la Belgique a voulu la mettre en place.

Pire : après avoir imposé la libéralisation systématique des échanges tant qu'elle leur profitait, les États-Unis semblent prêts, en 2018, à relancer la guerre commerciale !

Tout cela ne fait pas une « gouvernance » globale, encore moins un gouvernement. Ne le regrettons d'ailleurs pas : où fuirions-nous s'il était mauvais ?

Pour le moment, la façon dont le monde fonctionne est donc le résultat aléatoire de décisions publiques plus ou moins coordonnées, du jeu de rapports de force classiques politiques et militaires, d'influences et d'opérations entrecroisées d'intimidation ou de paralysie de l'action de forces économiques, des poussées technologiques et numériques, des marchés, des désirs des individus aiguisés par la démocratie de l'immédiat et le marché, de la jungle des réglementations concurrentes, et de l'économie illégale[1].

Nous n'avons pas le choix : c'est dans ce maquis qu'il nous faut agir, préserver notre souveraineté, reconstruire notre autonomie de décision en réduisant nos dépendances excessives, affirmer nos valeurs, nos idées. Nous,

---

1. Le chiffre d'affaires du crime organisé transnational approcherait 10 % du PNB mondial : production et trafic de stupéfiants ; vols à main armée ; cambriolages ; fraudes financières aux paris sportifs et jeux en ligne ; trafic d'êtres humains, d'armes légères, de munitions, de tabac, d'espèces naturelles protégées animales et végétales, contrefaçon, extorsion et chantage, corruption.

la France, l'Europe ? Le choix du meilleur niveau d'action n'est pas à faire, de façon binaire, une fois pour toutes. Il faut agir aux deux niveaux, à chaque instant. Tout cela dans un monde où l'Occident et les démocraties sont spécifiquement vulnérabilisés, resoulignons-le, par la revendication de démocratie directe et la pression de l'opinion, et donc par la fragilisation de nos vieux mécanismes démocratiques, sommés en plus par certains de se livrer à une repentance masochiste qui les place sur la défensive. Aucun mouvement en cours n'est automatiquement favorable à l'Europe, ou à la France. Le désordre mondial impose des initiatives à la hauteur des enjeux.

Il faut nous ressaisir pour être en mesure d'affronter et de renégocier au mieux de nos idées et de nos intérêts les termes de la coexistence mondiale entre puissances anciennes et nouvelles, entités publiques et acteurs d'un nouveau type. Sans attendre un improbable nouveau Bretton Woods, il faudrait prendre les devants et faire des propositions aux puissances nouvelles qui aillent au-delà d'un replâtrage. On devrait améliorer et réformer le système des Nations unies, celui de Bretton Woods, de l'OMC et les « G » (G7, G8, G20). Les propositions sont nombreuses. Mais il faut bâtir des consensus, et c'est très laborieux. Pendant ce temps-là, la Chine et quelques autres poussent leurs pions[1]. Ne croyons pas que l'organisation du monde est acquise !

L'éveil de la puissance européenne

Il faut à la fois mettre en place une meilleure gouvernance, accélérer *l'écologisation*, inclure dans une croissance écologisée l'ensemble du monde, y compris les 900 millions d'habitants des bidonvilles (l'urbanisation massive ne créant pas des « villes »), utiliser au mieux

---

1. Pour une vision chinoise de l'ordre du monde, lire *Tianxia, tous sous un même ciel*, du philosophe Zhao Tingyang, Cerf, 2018.

le numérique et les nouvelles technologies en contrôlant leur pouvoir asservissant, entendre, canaliser et apaiser les demandes d'identité, redonner un sens et une légitimité à la démocratie, par l'efficacité, préserver la diversité linguistique et donc le français chez nous et à l'extérieur.

Mais comment croire que « l'Occident » – les Européens *et* Trump, est-ce cohérent ? – parviennent à relever ensemble ces défis sur une base harmonieuse ? Ou même seulement les Européens, si divisés entre Nord, Sud, Est et Ouest, et entre élites et populations, quoiqu'attachés aux commodités de la zone euro ? Des solutions aux problèmes du monde seront peut-être trouvées, pour certaines d'entre elles, mais elles risquent de l'être sans nous, par-dessus nos têtes, et l'histoire peut se poursuivre sans les Européens. Or c'est la pérennité et l'avenir du mode de vie européen qui est en jeu. Sans réveil, ou éveil, de l'idée de puissance dans l'esprit des Européens, une puissance pacifique, mais respectée, prête à défendre ses intérêts et ses valeurs et pas uniquement dans le domaine commercial, ces risques ne seront pas conjurés.

Or, ce n'est pas une intégration plus poussée qui y conduira automatiquement. Cela nécessite plutôt de briser un envoûtement et d'accepter la nécessité d'une pensée stratégique européenne pour affronter les enjeux de l'avenir. La France est en position de le proposer, peut-être avec l'Allemagne. Mais ce n'est pas l'ADN de l'Union européenne, qui n'a pas été conçue pour cela. Cela ne se fera donc pas sans une crise entre Européens. Une crise clarificatrice et salvatrice pour placer chaque pays d'Europe devant ses responsabilités.

C'est peut-être la dernière occasion.

Hubert Védrine
mars 2018

Textes

Dans cette seconde partie de *Comptes à rebours* sont réunis des textes d'Hubert Védrine, préfaces, interviews, articles parus entre 2013 et 2018 depuis la publication de *Dans la mêlée mondiale* en 2012.

Ces textes portent sur l'évolution du monde, de l'Europe et de la France dans une période de mondialisation contestée, d'émergence de puissances nouvelles et de crises multiformes.

2013

Lettre ouverte
de Régis Debray à Hubert Védrine
sur la place de la France dans l'OTAN

Chargé par le président François Hollande de tirer le bilan du retour de la France dans le commandement intégré de l'Organisation du traité de l'Atlantique Nord (OTAN), Hubert Védrine conclut que revenir sur la décision prise par Nicolas Sarkozy en 2009 « ne donnerait à la France aucun nouveau levier d'influence », mais fait d'autres propositions. Dans cette lettre ouverte, Régis Debray conteste cette analyse et estime que « la France doit quitter l'OTAN[1] ».

Cher Hubert,

Les avis rendus par un « gaullo-mitterrandien » – intrépide oxymore – connu pour son aptitude à dégonfler les baudruches pèsent lourd. Ainsi de ton rapport sur le retour de la France dans l'Organisation du traité de l'Atlantique Nord (OTAN), que t'avait demandé en 2012 le président François Hollande, confiant – et qui ne le serait ? – en ton expertise et en ton expérience. Le bruit médiatique étant inversement proportionnel à l'importance du sujet, il n'y a pas de quoi s'étonner de la relative discrétion qui l'a entouré. Les problèmes de défense ne mobilisent guère l'opinion, et la place de la France

---

1. Ce texte est paru dans *Le Monde diplomatique*, mars 2013.

dans le monde ne saurait faire autant de buzz que Baby et Népal, les éléphantes tuberculeuses du zoo de Lyon. Sauf quand une bataille d'Austerlitz nous emplit de fierté, comme récemment avec cette héroïque avancée dans le désert malien qui, sans trop de morts ni coups de feu, fit reculer dans la montagne des bandes errantes de djihadistes odieux.

Ce rapport m'a beaucoup appris, tout en me laissant perplexe. Tu donnes indirectement quitus à M. Nicolas Sarkozy, avec une sorte de *oui mais*, d'avoir fait retour au bercail atlantique. Réintégration que tu n'aurais pas approuvée en son temps, mais qu'il y aurait plus d'inconvénients à remettre en cause qu'à entériner. Dans l'Union européenne, personne ne nous suivrait. Resterait pour la France à y reprendre fermement l'initiative, sans quoi il y aurait « normalisation et banalisation » du pays. Voilà qui me donne l'envie de poursuivre avec toi un dialogue ininterrompu depuis mai 1981, quand nous nous sommes retrouvés à l'Élysée dans deux bureaux voisins et heureusement communicants[1].

Le système pyramidal serait devenu un forum qui n'engage plus à grand-chose, un champ de manœuvres où chaque membre a ses chances, pourvu qu'il sache parler fort. Bref, cette OTAN affaiblie ne mériterait plus l'opprobre d'antan. Je la jugeais, de loin, plus florissante que cela. Considérablement étendue. Douze pays en 1949, vingt-huit en 2013 (avec 910 millions d'habitants). Le pasteur a doublé son troupeau. L'Alliance était atlantique, on la retrouve en Irak, dans le Golfe, au large de la Somalie, en Asie centrale, en Libye (où elle a pris

---

1. En 1981, Régis Debray devient chargé de mission pour les relations internationales auprès du président François Mitterrand. La même année, M. Hubert Védrine est nommé conseiller diplomatique de l'Élysée.

en charge les frappes aériennes). Militaire au départ, elle est devenue politico-militaire. Elle était défensive, la voilà privée d'ennemi mais à l'offensive. C'est le nouveau *benign neglect* des États-Unis qui aurait à tes yeux changé la donne. Washington a viré de bord, vers le Pacifique, avec Pékin et non Moscou pour adversaire-partenaire. Changement de portage général. D'où des jeux de scène à la Marivaux : X aime Y, qui aime Z. L'Europe énamourée fixe ses regards vers l'Américain, qui, fasciné, tourne les siens vers l'Asie.

Le Vieux Continent a l'air fin, mais le cocu ne s'en fait pas trop. Il demande seulement quelques égards. Nous, Français, devrions nous satisfaire de quelques postes honorifiques ou techniques dans les états-majors, à Norfolk (États-Unis), à Mons (Belgique), de vagues espoirs de contrats pour notre industrie, et de quelques centaines d'officiers dans les bureaux, réunions et raouts à foison.

La relation transatlantique a sa dynamique. Évident est le déclin relatif de la puissance américaine dans le système international, mais le nôtre semble être allé encore plus vite. L'OTAN n'est plus ce qu'elle était en 1966[1] ? Peut-être, mais la France non plus.

Nos compatriotes broient déjà assez du noir pour leur éviter la cruauté d'un avant/après en termes de puissance, de rayonnement international et d'indépendance d'allure (« indépendance », le leitmotiv d'hier, étant désormais gommée par « démocratie »). Emploi, services publics, armée, industrie, francophonie, indice des traductions, grands projets : les chiffres sont connus, mais passons. En taille et en volume, le rapport reste ce qu'il était : de un à cinq. En termes de tonus et de vitalité, il est devenu de un à dix.

---

1. En 1966, la France annonce son retrait du commandement intégré de l'OTAN.

Une nation normalisée et renfrognée

États-Unis : une nation convaincue de son exception-nalité, où la bannière étoilée est hissée chaque matin dans les écoles et se promène en pin's au revers des vestons, et dont le président proclame haut et fort que son seul but est de rétablir le *leadership* mondial de son pays. « Boosté » par la révolution informatique qui porte ses couleurs et parle sa langue, au cœur, grâce à ses entre-prises, du nouvel écosystème numérique, il n'est pas près d'en rabattre. Sans doute, avec ses Latinos et ses Asia-tiques, peut-on parler d'un pays posteuropéen dans un monde postoccidental, mais s'il n'est plus seul en piste, avec la moitié des dépenses militaires du monde, il peut garder la tête haute. Et mettre en œuvre sa nouvelle doc-trine : *leading from behind* (« diriger sans se montrer »).

France : une nation normalisée et renfrognée, dont les beaux frontons – État, République, justice, armée, univer-sité, école – se sont évidés de l'intérieur comme ces nobles édifices délabrés dont on ne garde que la façade. Où la dérégulation libérale a rongé les bases de la puissance pu-blique qui faisait notre force. Où le président doit dérou-ler le tapis rouge devant le président-directeur général de Google, acteur privé qui jadis eût été reçu par un secré-taire d'État. Sidérante *diminutio capitis*[1]. Nous avons sau-vé notre cinéma, par bonheur, mais le reste, le régalien...

Le Français de 1963[2], s'il était de gauche, espérait en des lendemains chanteurs ; et s'il était de droite, il avait quelque

---

1. En droit romain, réduction de capacité civique pouvant aller jusqu'à la perte de liberté et de citoyenneté.
2. En 1963, le général de Gaulle s'oppose à l'entrée du Royaume-Uni dans la Communauté économique européenne (CEE), le jugeant trop proche des États-Unis (vis-à-vis desquels le président français sou-ligne l'autonomie de la défense nucléaire nationale).

raison de se croire le pivot de la construction européenne, avec les maisons de la culture et la bombe thermonucléaire en plus. Celui de 2013 ne croit en rien ni en personne, bat sa coulpe et a peur autant de son voisin que de lui-même. Son avenir l'angoisse, son passé lui fait honte. Morose, le Français moyen ? C'est sa résilience qui devrait étonner. Pas de suicide collectif : un miracle. Garder une capacité propre de réflexion et de prévision ? Indispensable, en effet. Quand notre ministre de la Défense vient invoquer, pour expliquer l'intervention au Mali, la « lutte contre le terrorisme international », absurdité qui n'a même plus cours outre-Atlantique, force est de constater un état de phagocytose avancé, quoique retardataire. Loger dans le fourre-tout « terrorisme » (un mode d'action universel) les salafistes wahhabites que nous pourchassons au Mali, courtisons en Arabie saoudite et secourons en Syrie conduit à se demander si, à force d'être interopérable, on ne va pas devenir interimbécile. Le défi que tu lances – agir de l'intérieur – exige et des capacités et une volonté.

1. Pour montrer « exigence, vigilance et influence », il faut des moyens financiers et des *think tanks* compétitifs. Il faut surtout des esprits originaux, avec d'autres sources d'inspiration et lieux de rencontre que le Center for Strategic and International Studies (CSIS) de Washington ou l'International Institute for Strategic Studies (IISS) de Londres. Où sont passés les équivalents des maîtres d'œuvre de la stratégie nucléaire française, les généraux Charles Ailleret, André Beaufre, Pierre Marie Gallois ou Lucien Poirier ? Ces stratèges indépendants, s'ils existent, ont apparemment du mal à se faire connaître.

2. Il faut une volonté. Elle peut parfois tirer parti de l'insouciance générale, qui n'a pas que des mauvais côtés. Elle a permis à Pierre Mendès France, dès 1954, et à ses successeurs de lancer et de poursuivre en sous-main la fabrication d'une force de frappe nucléaire. Or l'actuelle

démocratie d'opinion porte en première ligne, gauche ou droite, des hommes-baromètres plus sensibles que la moyenne aux pressions atmosphériques. On gouverne à la godille, le dernier sondage en boussole et cap sur les cantonales. En découdre dans les sables avec des gueux isolés et dépourvus d'État-sanctuaire, avec un bain de foule à la clef, tous nos présidents, après Georges Pompidou, se sont offert une chevauchée fantastique de ce genre (hausse de la cote garantie). Heurter en revanche la première puissance économique, financière, militaire et médiatique du monde reviendrait à prendre le taureau par les cornes, ce n'est pas dans les habitudes de la maison. La croyance dans le droit et dans la bonté des hommes n'entraîne pas à la *virtu*, mais débouche régulièrement sur l'obéissance à la loi du plus fort. Le socialiste de 2013 prend l'attache du département d'État aussi spontanément qu'en 1936 celui du Foreign Office. Le pli a la vie dure. WikiLeaks nous a appris que, peu après la seconde guerre d'Irak, l'actuel ministre de l'Économie et des Finances M. Pierre Moscovici, alors chargé des relations internationales au Parti socialiste, s'en est allé rassurer les représentants de l'OTAN sur les bons sentiments de son parti envers les États-Unis, jurant que, s'il remportait les élections, il ne se conduirait pas comme un Jacques Chirac. M. Michel Rocard avait déjà manifesté auprès de l'ambassadeur américain à Paris, le 24 octobre 2005, sa colère contre le discours de M. Dominique de Villepin à l'Organisation des Nations unies (ONU) en 2003, en précisant que, lui président, il serait resté silencieux[1]. Demander à l'ex-« gauche américaine » de ruer dans les brancards est un pari hasardeux. Napoléon en 1813 n'a pas demandé à ses Saxons de reprendre leur poste sous la mitraille.

---

1. *Le Monde*, 2 décembre 2010.

L'« embêteuse du monde »

Dans l'ADN de nos amis socialistes, il y a un gène colonial et un gène atlantiste. Personne n'est parfait. On peut échapper à la génétique, bien sûr, mais à sa génération ? On a les valeurs de ses épreuves. François Mitterrand et Gaston Defferre, MM. Pierre Joxe et Jean-Pierre Chevènement avaient l'expérience de la guerre, de la Résistance, de l'Algérie. L'Amgot[1], Robert Murphy[2] à Vichy et les crocs-en-jambe de Franklin Delano Roosevelt flottaient encore dans les têtes, à côté du débarquement et des libérateurs de 1944. La génération actuelle a la mémoire courte et n'a jamais pris de coups sur la figure. Grandie dans une bulle, elle traverse dans les clous. Et subit l'obligation d'être sympa. Ceux qui cassent la baraque ne sont jamais sympas. Chaque fois que la France fut « l'embêteuse du monde », elle s'est mis à dos tout ce qui compte chez elle, grands patrons, grands corps et grande presse *[lire « Les lobbyistes de Washington », dans « Citations et extraits »]*. Le sursaut que tu préconises exigerait une mise sous tension des appareils d'État et des habitudes, avec sortie du placard, des mal-pensants, qu'on taxera soit de folie, soit de félonie (les nouveaux chiens de garde étant mieux introduits que les anciens). Il jure avec le « passer entre les gouttes » qui fait loi dans un milieu où tout « anaméricain » est baptisé antiaméricain. D'autant que « les Américains, ça leur fait l'effet d'une insulte dès que nous n'acceptons pas d'être leurs satellites » (de Gaulle,

---

1. L'Allied Military Government of Occupied Territories (AMGOT), ou « Gouvernement militaire des territoires occupés », piloté par des officiers américains et britanniques, était chargé d'administrer les territoires libérés au cours de la Seconde Guerre mondiale.

2. Chargé d'affaires américain auprès du régime de Vichy (1940-1944).

encore). Surtout quand le rapport de force se noie dans la décontraction, prénom, tutoiement et tapes dans le dos.

« Clarifier, dis-tu, notre conception de l'Alliance » ? Oui, et ce qui se conçoit bien s'énonce clairement. Tu parles clair, avec faits et chiffres. Mais c'est la langue de coton qui règne, mélasse d'euphémismes où nous enlisent les technostructures atlantique et bruxelloise, avec leurs prétendus experts. Nous parlons par exemple de commandement intégré, quand c'est le *leader* qui intègre les autres, mais garde, lui, sa liberté pleine et entière. L'intégration n'a rien de réciproque. Aussi les États-Unis sont-ils en droit d'espionner (soudoyer, intercepter, écouter, désinformer) leurs alliés qui, eux, se l'interdisent ; leurs soldats et leurs officiers ne sauraient avoir de comptes à rendre devant la justice internationale, dont seuls leurs alliés seront passibles ; et nos compagnies aériennes sont tenues de livrer toutes informations sur leurs passagers à des autorités américaines qui trouveraient la réciproque insupportable. Chaque stéréotype est ainsi à traduire. « Apporter sa contribution à l'effort commun » : fournir les supplétifs requis sur des théâtres choisis par d'autres. « Supprimer les duplications inutiles dans les programmes d'équipement » : Européens, achetez nos armes et nos équipements, et ne développez pas les vôtres. C'est nous qui fixons les standards. « Mieux partager le fardeau » : financer des systèmes de communication et de contrôle conçus et fabriqués par la métropole. « L'Union européenne, ce partenaire stratégique avec une place unique aux yeux de l'administration américaine » – alors que l'hypopuissance européenne n'est pas un partenaire, mais un client et un instrument de l'hyperpuissance. Il n'y a qu'une et non deux chaînes de commandement dans l'OTAN. Le commandant suprême des forces alliées en Europe (Saceur) est américain ; et américaine, la présidente du groupe de réflexion chargé de la prospective

(Mme Madeleine Albright, ancienne ministre des Affaires étrangères). Cette novlangue poisseuse est indigne d'une diplomatie française qui, de Chateaubriand à Romain Gary, a eu le culte du mot juste et le goût de la littérature, qui est l'art d'appeler un chat un chat. Le premier temps d'une action extérieure, c'est la parole. La formule qui réveille. Le mot cru. De Gaulle et Mitterrand les pratiquaient allègrement. Tu as connu le second de près. Et le premier, en privé et dès 1965 en public, qualifiait l'OTAN de protectorat, hégémonie, tutelle, subordination. « Allié, non aligné » veut dire d'abord : retrouver sa langue, ses traces et ses valeurs. « Sécurité » accolé à « défense », fétichisme technologique et aspiration à dominer le monde (d'origine théologique) jurent avec notre personnalité laïque et républicaine. Pourquoi donc la gauche au gouvernement devrait-elle entériner ce qu'elle a condamné dans l'opposition ?

Pour ma part, je m'en tiens à l'appréciation de M. Gabriel Robin, ambassadeur de France, notre représentant permanent auprès de l'OTAN et du Conseil de l'Atlantique Nord de 1987 à 1993. Je le cite : « L'OTAN pollue le paysage international dans toutes les dimensions. Elle complique la construction de l'Europe. Elle complique les rapports avec l'OSCE [Organisation pour la sécurité et la coopération en Europe] (mais ce n'est pas le plus important). Elle complique les rapports avec la Russie, ce qui n'est pas négligeable. Elle complique même le fonctionnement du système international parce que, incapable de signer une convention renonçant au droit d'utiliser la force, l'OTAN ne se conforme pas au droit international. Le non-recours à la force est impossible à l'OTAN, car elle est précisément faite pour recourir à la force quand bon lui semble. Elle ne s'en est d'ailleurs pas privée, sans consulter le Conseil de sécurité des Nations unies. Par conséquent, je ne vois pas très bien ce qu'un pays comme la France peut espérer de l'OTAN, une organisation inutile et nuisible, sinon qu'elle disparaisse[1]. » Inutile, parce qu'anachronique. À l'heure où chaque grand pays joue son propre jeu (comme on le voit dans les conférences sur le climat, par exemple), où s'affirment et s'exaspèrent fiertés religieuses et identités culturelles, ce n'est pas bâtir l'avenir que de s'enrôler. Sont à l'ordre du jour des coalitions ad hoc, des coopérations bilatérales, des arrangements pratiques, et non un monde bichrome et manichéen. L'OTAN est une survivance d'une ère révolue. Les guerres classiques entre États tendent à disparaître au bénéfice de conflits non conventionnels, sans déclarations de guerre ni lignes de front. Au moment où les puissances du Sud s'affranchissent de l'hégémonie intellectuelle et stratégique du Nord (Brésil, Afrique du Sud, Argentine, Chine, Inde), nous tournons le dos à l'évolution du monde.

Pourquoi nocive ? Parce que déresponsabilisante et anesthésiante. Trois fois nuisible. À l'ONU d'abord, et au respect du droit international, parce que l'OTAN soit détourne à son profit, soit contourne et ignore les résolutions du Conseil de sécurité. Nuisible à la France, ensuite, dont elle tend à annuler les avantages comparatifs chèrement acquis, en l'incitant à faire siens par toutes sortes d'automatismes des ennemis qui ne sont pas les nôtres, en diminuant notre liberté de parler directement avec tous, sans veto extérieur, en ruinant son capital de sympathie auprès de nombreux pays du Sud. Nous sommes fiers d'avoir obtenu d'obligeantes déclarations sur le maintien de la dissuasion nucléaire à côté de la défense antimissile balistique dont le déploiement, en réalité, ne peut que marginaliser à terme la dissuasion

---

1. « Sécurité européenne : OTAN, OSCE, pacte de sécurité », colloque de la fondation ResPublica, 30 mars 2009.

du faible au fort, dont nous avons les outils et la maîtrise. Mais peut-être va-t-on nous convaincre que nous vivons, à Paris, Londres et Berlin, sous la terrible menace de l'Iran et de la Corée du Nord...

Nuisible, enfin, à tout projet d'Europe puissance, dont l'OTAN entérine l'adieu aux armes, la baisse des budgets de défense et le rétrécissement des horizons. Si l'Europe veut avoir un destin, elle devra prendre une autre route que celle qui la rive à son statut de dominion (l'État indépendant dont la politique extérieure et la défense dépendent d'une capitale étrangère). On comprend que cela soit un bien pour l'Europe centrale et balkanique (notre Amérique de l'Est), car de deux grands frères mieux vaut le plus lointain, et ne pas rester seul face à la Russie. Pourquoi oublier que tout État a la politique de sa géographie et que nous n'avons pas la même que celle de nos amis ?

La « famille occidentale », une mystification

Rentrer dans le rang pour viabiliser une défense européenne, la grande pensée du règne précédent, témoigne d'un curieux penchant pour les cercles carrés. Neuf Européens sur dix ont pour stratégie l'absence de stratégie. Il n'y a plus d'argent et on ne veut plus risquer sa peau (on a déjà donné). D'où la fumisterie d'un « pilier européen » ou d'un « état-major européen au sein de l'OTAN ». Le seul État apte à des accords de défense conséquents avec la France, le Royaume-Uni, conditionne ceux-ci à leur approbation par Washington. Il vient d'ailleurs d'abandonner le porte-avions commun. L'Alliance atlantique ne supplée pas à la faiblesse de l'Union européenne (sa « politique de sécurité et de défense commune »), elle l'entretient et l'accentue. En attendant Godot, nos jeunes et brillants diplomates filent vers un « service diplomatique européen » richement doté, mais chargé d'une tâche surhumaine : assumer l'action extérieure d'une Union sans positions communes, sans armée, sans ambition et sans idéal. Sous l'égide d'une non-personnalité.

Quant au langage de l'« influence », il fleure bon la IVe République. « Ceux qui acceptent de devenir piétaille détestent dire qu'ils sont piétaille » (de Gaulle encore, à l'époque). Ils assurent qu'ils ont de l'influence, ou qu'ils en auront demain. Produire des effets sans disposer des causes relève de la pensée magique. Influer veut dire peser sur une décision. Quand avons-nous pesé sur une décision américaine ? Je ne sache pas que M. Barack Obama ait jamais consulté nos influentes autorités nationales avant de décider d'un changement de stratégie ou de tactique en Afghanistan, où nous n'avions rien à faire. Il décide, on aménage.

La place du brillant second étant très logiquement occupée par le Royaume-Uni, et l'Allemagne, malgré l'absence d'un siège permanent au Conseil de sécurité, faisant désormais le troisième, nous serons donc le souffleur n° 4 de notre allié n° 1 (et en Afghanistan, nous fûmes bien, avec notre contingent, le quatrième pays contributeur). Évoquer, dans ces conditions, « une influence de *premier plan* au sein de l'Alliance » revient à faire cocorico sous la table.

Nous glissions depuis longtemps le long du toit, me diras-tu, et M. Sarkozy n'a fait que parachever un abandon commencé sous ses prédécesseurs. Certes, mais il lui a donné son point d'orgue symbolique avec cette phrase : « Nous rejoignons notre famille occidentale. » Ce n'est pas d'aujourd'hui qu'un champ clos de rivalités ou un système de domination se déguise en famille. Vieille mystification qu'on croyait réservée à la « grande famille des États socialistes ». D'où l'intérêt d'en avoir plusieurs, des familles naturelles et des électives, pour compenser l'une par l'autre.

Sentimentalement, j'appartiens à la famille franco-phone, et me sens autant et plus d'affinités avec un Algérien, un Marocain, un Vietnamien ou un Malgache qu'avec un Albanais, un Danois ou un Turc (tous trois membres de l'OTAN). Culturellement, j'appartiens à la famille latine (Méditerranée et Amérique du Sud). Philosophiquement, à la famille humaine. Pourquoi devrais-je m'enfermer dans une seule ? Pourquoi sortir de la naphtaline la notion chérie de la culture ultraconservatrice (Oswald Spengler, Henri Massis, Maurice Bardèche, les nervis d'Occident[1]) qui ne figure pas, d'ailleurs, dans le traité de l'Atlantique Nord de 1949, qui n'apparaît presque jamais sous la plume de De Gaulle et que je ne me souviens pas avoir entendue dans la bouche de Mitterrand ?

En réalité, si l'Occident doit aux yeux du monde s'identifier à l'Empire américain, il récoltera plus de haines que d'amour, et suscitera plus de rejet que de respect. Il revenait à la France d'animer un autre Occident, de lui donner un autre visage que Guantánamo, le drone sur les villages, la peine de mort et l'arrogance. Y renoncer, c'est à fois compromettre l'avenir de ce que l'Occident a de meilleur, et déjuger son propre passé. Bref, nous avons raté la marche.

Mais au fond, pourquoi monter sur ses grands chevaux ? Il se pourrait bien que la métamorphose de l'ex-« grande nation » en « belle province » vers quoi on se dirige – sans tourner les yeux vers le Québec, hélas, où des stages de formation seraient les bienvenus – serve

---

1. Respectivement philosophe allemand, auteur de l'essai *Le Déclin de l'Occident* (1918), associé à la « révolution conservatrice » allemande ; essayiste et critique littéraire français ayant participé au régime de Vichy ; écrivain français ayant soutenu la Collaboration et dénoncé la Résistance comme « illégale » ; et groupuscule français d'extrême droite (ayant compté parmi ses membres MM. Patrick Devedjian, Gérard Longuet et Alain Madelin).

finalement notre bonheur et notre prospérité. De quoi se plaint-on ? Intervenir manu militari dans l'ancien Soudan [Mali], sans concours européen notable, avec une aide technique américaine (dont les satellites d'observation militaires, contrairement aux nôtres, ne sont pas repérables et traçables sur la Toile), n'est-ce pas, pour un pays très moyen (1 % de la population et 3 % du produit intérieur brut de la planète), amplement suffisant pour l'amour propre national ? Que demander de plus, au-delà d'un retrait rapide de nos troupes pour éviter l'ensablement ?

Je n'ignore pas qu'un disciple de Raymond Aron, l'ex-procureur de la « force de frappe » et chef de l'école euro-atlantique, puisse saluer comme un beau geste envers notre vieil allié le fait de rallier sa bannière au mauvais moment. Ce juste retour de gratitude, après 1917 et 1944, a pu tourner la tête d'un enfant de la télé et de John Wayne fier de pouvoir jogger dans les rues de Manhattan avec un tee-shirt NYPD.

Et si on prend un peu plus de hauteur, toujours derrière Hegel, il se pourrait bien que l'américanisation des modes de vie et de penser (rouleau compresseur qui n'a pas besoin de l'OTAN pour poursuivre sa course) ne soit que l'autre nom d'une marche en avant de l'individu commencée avec l'avènement du christianisme. Et donc une extension du domaine de la douceur, une bonne nouvelle pour les minorités et dissidences de toutes espèces, sexuelles, religieuses, ethniques et culturelles. Une étape de plus dans le processus de civilisation, comme passage du brut au raffiné, de la rareté à l'abondance, du groupe à la personne, qui vaut bien qu'on en rabatte localement sur la gloriole. Ce qui peut nous rester d'une vision épique de l'histoire, ne devrions-nous pas l'enterrer au plus vite si l'on veut vivre heureux au XXIe siècle de notre ère, et non au XIXe ?

Verdun, Stalingrad, Hiroshima... Alger, Hanoï, Cara-
cas... Des millions de morts, des déluges de souffrances
indicibles, dans quel but, finalement ? Il m'arrive de penser que notre indifférence au destin collectif, le repli sur
la sphère privée, notre lente sortie de scène ne sont pas
qu'un lâche soulagement mais l'épanouissement de la pro-
phétie de Saint-Just, « le bonheur est une idée neuve en
Europe ». En conséquence de quoi il y a plus de sens et de
dignité dans des luttes pour la qualité de l'air, l'égalité des
droits entre homos et hétéros, la sauvegarde des espaces
verts et les recherches sur le cancer que dans de sottes et
vaines querelles de tabouret sur un théâtre d'ombres.

Affres et atouts mêlés de la virilité

Vénus après Mars. Vénus supérieure à Mars ? Après
tout, si la femme est l'avenir de l'homme, l'effémination
des valeurs et des mœurs qui caractérisera le mieux l'Europe d'aujourd'hui aux yeux des historiens de demain est
une bonne nouvelle. Se rangeront sous cette rubrique,
au-delà des belles victoires du féminisme et de la parité,
le dépérissement du nom du père dans la dévolution du
nom de famille, le remplacement du militaire par l'humanitaire, du héros par la victime, de la conviction par la
compassion, du chirurgien social par l'infirmière, du *cure*
par le *care* cher à Mme Martine Aubry. Adieu faucille et
marteau, bonjour pincettes et compresses.

« Ce n'est pas avec l'école, ce n'est pas avec le sport
que nous avons un problème, c'est avec l'amour. » Ainsi
parlait non Zarathoustra mais M. Sarkozy, chef d'État
(à Montpellier, le 3 mai 2007). Nietzsche aurait hurlé,
mais Ibn Khaldoun lui aurait tiré la manche. Tu sais que,
dans son *Discours sur l'Histoire universelle*, ce philosophe
arabe et perspicace (1332-1406) observe que les États
voient le jour grâce aux vertus viriles et disparaissent

avec leur abandon. Puritanisme de Bédouin on ne peut plus incorrect, mais description intéressante de l'entropie des civilisations. « Comme le ver file sa soie, puis trouve sa fin en s'empêtrant dans ses fils... »

Un Ibn Khaldoun saluerait peut-être le talent des États-Unis d'Amérique pour freiner le processus et retarder la fin. Tout en poussant hors périmètre, par leurs technologies et leurs images, aux joies de l'hyperindividualisme et du quant-à-soi festif, ils conservent par-devers eux les affres et les atouts mêlés de la virilité : culte des armes, gaz de schiste, budget militaire écrasant, massacres dans les écoles, patriotisme exacerbé. Phallocrates et souverainistes pour ce qui les concerne, mais soutenant ailleurs ce qu'on pourrait appeler la féminisation des cadres et des valeurs. Les derricks pour eux, les éoliennes pour nous. D'où une Europe plus écologique et pacifique et paradoxalement moins traditionaliste que l'Amérique elle-même. Pendant que notre littérature et notre cinéma cultivent l'intime, les leurs cultivent la fresque historique et sociale. Steven Spielberg élève une statue à Lincoln, la Central Intelligence Agency (CIA) nous met la larme à l'œil avec ses agents – voir *Argo*. *OSS 117*, avec Jean Dujardin, nous fait pleurer, mais de rire.

Bref, si le problème c'est Hegel, et la solution Bouddha, mes objections tombent à l'eau. Je ne l'exclus pas a priori. Mais c'est une autre discussion. En attendant, je me félicite de te savoir en réserve de la République et me réjouis pour ma part, spectateur dégagé, de revenir à mes chères études. Sans rapport avec l'actualité, elles me préservent de toute mauvaise humeur. Chacun ses défenses.

Bien amicalement à toi.

Régis Debray

Réponse de Hubert Védrine
à Régis Debray
sur la place de la France dans l'OTAN

Dans sa réponse à Régis Debray, Hubert Védrine ré-
affirme sa conviction que la nouvelle position de la
France dans l'OTAN, qu'il n'avait pas recommandée,
n'empêche nullement la France de développer une
réflexion stratégique autonome à la fois ambitieuse
et claire[1].

Cher Régis,

J'ai lu avec l'attention que tu devines la lettre que tu
m'as adressée, directement et via *Le Monde diplomatique*,
après avoir lu le rapport sur les conséquences du retour
de la France dans le commandement de l'OTAN et sur
les perspectives de l'Europe de la défense que j'ai remis
au président François Hollande, qui en a approuvé les
conclusions. Je suis heureux de poursuivre, avec toi, sous
cette forme originale, publique, un dialogue entamé il y a
plus de trente ans sous l'égide de François Mitterrand et
jamais interrompu depuis. Dialogue stimulant, enrichis-
sant, quelquefois troublant, et toujours amical et confiant.

Ton texte dépasse souvent, au point de parfois le perdre
de vue, le sujet exact que j'ai eu à traiter. C'est une belle mé-
ditation mélancolique au soleil couchant sur la disparition

---

1. Texte paru dans *Le Monde diplomatique*, avril 2014.

progressive de la politique étrangère « française », sur le triomphe contemporain de l'individualisme, dont le christianisme, exsangue aujourd'hui en Europe, aurait été, il y a 2 000 ans, la matrice et qui rendrait vain tout projet historique collectif ; sur l'hypothèse de la suprématie finale de Vénus sur Mars, version debrayiste de la fin de l'Histoire qui te fait revenir à Saint-Just : le bonheur (individuel) aurait été en effet une idée neuve, bouleversante, et plus de deux siècles après, bientôt mondiale. À quoi bon, alors, étudier encore les relations internationales, les rapports de force et les politiques étrangères ? En fait, s'il m'arrive de m'en affliger comme toi, je n'y crois pas trop : il y a, et aura encore longtemps, dans ce monde de plus en plus peuplé, trop de compétitions pour l'espace, les ressources, les marchés, la richesse, le pouvoir, les idées, les croyances, trop de clashs possibles entre différences irréconciliables, sur fond de compte à rebours écologique, sans gouvernance globale effective ni, jamais, de président mondial du peuple mondial, pour que l'utopie kantienne se réalise vraiment. Raison de plus pour nous inquiéter, ensemble, de voir les Européens d'aujourd'hui plongés dans un sommeil stratégique, incapables de penser l'histoire réelle qui se fait et se poursuivra pourtant, avec ou sans eux.

Mais je reviens à mon sujet et te rappelle que la question qui m'était posée par le président Hollande n'était pas de savoir s'il fallait revenir ou non dans le commandement intégré de l'OTAN, mais d'évaluer les conséquences de ce retour. Quand François Hollande me confie ce rapport, après une tentative inaboutie de Jacques Chirac entre 1995 et 1997, ce retour a déjà été décidé, et mis en œuvre, par Nicolas Sarkozy, en 2009. J'ai donc eu à examiner les conséquences de cette décision. Le recul pour en juger est faible, d'où mon évaluation : des conséquences mitigées, et pas encore très nettes : influence réelle sur la réduction du format bureaucratique de l'OTAN, sur la répartition des postes, sur l'affirmation de la comptabilité stratégique dissuasion/défense. Aucune influence en revanche sur la stratégie générale en Afghanistan. Sur le plan industriel, rien de décisif : de bons résultats (mais c'était déjà le cas avant), des perspectives, mais aussi de vrais risques pour l'avenir. Il y a donc des effets potentiellement positifs, d'autres négatifs.

Les conséquences positives (influence accrue) ne l'emporteront sur les conséquences négatives (phagocytage) que si la France développe sans complexe dans l'OTAN (comme au sein de l'Europe, sans opposer les deux enceintes) une politique ambitieuse et claire, fondée sur sa réflexion stratégique propre. Tu doutes que la France en soit capable (mais alors elle en serait également incapable « dehors »). Je crois qu'elle l'est encore, tout en reconnaissant les risques de banalisation qui existaient déjà presque autant avant la réintégration.

J'ai quand même abordé le sujet d'une éventuelle nouvelle sortie. Elle ouvrirait une crise aiguë, et stérile, avec les États-Unis, et plus encore avec tous les Européens au pire moment, à commencer par l'Allemagne, sans motif explicable. Dans quel but la France ferait-elle cela ? Seuls quelques rares pays applaudiraient. Mais à quoi serviraient à la France de 2013 les félicitations de Poutine, ou du Brésil, qui soigne ses relations avec les États-Unis, mais verrait bien, par attachement rhétorique au tiers-mondisme des années 1970, la France cantonnée à sa posture des années 1960 ? Plus important, à mes yeux : nous ne sommes pas du tout dans les conditions qui avaient amené de Gaulle à sortir – à juste titre – de l'OTAN en 1966 : le verrouillage par le Pentagone, l'inflexibilité de Johnson, la guerre du Vietnam, la riposte graduée. Bref ce n'est pas une option valable pour la France en 2013. Tu vois l'Alliance « florissante », je la vois incertaine de son avenir. Tu ne dis d'ailleurs pas ce qu'il faudrait faire, en

2013, après être ressorti de l'OTAN, mis à part se soucier des émergents, ce qui est évident mais n'a rien à voir avec être dedans ou en dehors de l'OTAN. L'Allemagne, dont la politique étrangère se redéploye, le démontre.

De toute façon, il ne faut pas figer de Gaulle, que j'admire et respecte autant que toi, en saint de vitrail, ni à un instant donné de son évolution. Sa politique étrangère des années 1966-1967 (deux années sur onze) fait l'objet chez certains d'un culte rétrospectif dont je ne me moque pas. Mais son génie (outre ses prémonitions : sur le rôle de l'arme blindée, sur l'issue de la Deuxième Guerre mondiale sur la persistance des nations) était tissé de réalisme, de mobilité, de pragmatisme ; il suffit de considérer ses politiques européennes et allemandes successives, le traité de l'Élysée de 1963, aussitôt bridé par le Bundestag avec un préambule atlantiste, étant lui-même un plan B ; et même sa politique envers l'OTAN : son objectif initial était un directoire à trois, y compris la France, pas la sortie. Il n'a d'ailleurs quitté le commandement intégré de l'OTAN (pas l'Alliance) qu'au bout de huit ans ! Il ne faut donc pas mythifier, ni fétichiser, cette décision de retrait de 1966. Ce serait injuste de ramener toute la grande politique étrangère gaulliste à cette seule rupture, opérée dans un moment bien particulier de la guerre froide. Rappelons qu'il a été, sans faux-semblant, solidaire « de nos alliés » dans toutes les grandes crises Est/Ouest, et que Nixon et Kissinger, même après son retrait de l'OTAN, l'admiraient. À mon avis, il n'aurait peut-être pas eu à sortir du commandement intégré de l'OTAN s'il avait eu en face de lui ces derniers, plutôt que Kennedy et Johnson. Et personne ne sait ce qu'il aurait fait trente ou quarante ans après. Quant à l'effet d'entraînement d'une sortie de la France, rappelons qu'en plus de quarante ans aucun pays européen n'a rejoint la France dans sa posture singulière (dans l'Alliance, pas dans l'OTAN) entre 1996 et 2010, pas même l'Allemagne de l'époque du « couple » franco-allemand, alors que cela aurait fait naître, *ipso facto*, le pilier européen de l'Alliance. On peut avoir une vraie politique étrangère en étant dans l'OTAN, et ne pas en avoir en étant dehors (les anciens neutres).

La « lente sortie de scène » de la France que tu déplores, comme moi, même s'il ne faut pas l'exagérer, a commencé il y a longtemps, alors même que la France était en dehors du commandement intégré. C'est bien la preuve que cette extériorité n'est pas une panacée pour l'existence et la puissance ni la garantie d'une ambition, et qu'y être ou non n'était pas, et est moins que jamais, le problème. Ce n'est pas en reconstituant maintenant une fière posture en trompe-l'œil, en même temps qu'un abri mental confortable, que nous réveillerons en France et en Europe le sens de l'Histoire et la nécessité de la stratégie. Ni en sortant sans savoir pourquoi que nous retrouverions volonté et capacité. Il n'y a pas d'alliance « francophone » de substitution !

Je reconnais que notre position à part était devenue un symbole politique commode autour duquel s'était construit, au sein des milieux dirigeants français, une sorte de consensus, avec pas mal de malentendus, comme dans tout consensus. Et d'ailleurs, moi-même, je n'avais pas approuvé la décision de réintégration de Nicolas Sarkozy. Parce qu'elle était prise pour complaire à George W. Bush, et argumentée de façon contestable (la « famille occidentale ») alors que les Américains, mis à part les néo-conservateurs, n'en demandaient pas tant ; ou illusoire (cela allait débloquer la défense européenne, comme si sa stagnation s'expliquait par la méfiance inspirée par la position singulière de la France, et non pas par le fait que, tout simplement, les Européens ne sont pas demandeurs de défense ! On a vu le résultat...). Il n'empêche qu'une décision a été prise en 2009, et qu'elle a créé une situation nouvelle. La France de 2013 ne va pas ressortir. Mais ce n'est pour moi qu'un point de départ, pas une conclusion. Dès lors que nous sommes revenus dans l'OTAN, à tort ou à raison, et que nous allons y rester, la pire des choses serait d'y être passifs. C'est pourquoi je préconise une politique française très ambitieuse pour et dans l'OTAN, que nous sachions ce que nous voulons en faire et ce que doit être sa stratégie. En même temps, il nous faut une approche plus lucide et plus exigeante à l'égard de nos partenaires de l'éventuelle « Europe de la défense » (j'avais écrit en novembre à ce sujet : le Sahel sera un test). Je crois que c'est possible. C'est sur ce point que je me sépare le plus de ton analyse. Inutile de faire de l'OTAN d'aujourd'hui un croquemitaine, alors que tout indique que c'est pour nous un terrain possible d'influence accrue. Autre rappel historique éclairant : ce sont les Européens de l'Ouest qui ont tout fait pour que les États-Unis restent en Europe après la guerre pour contenir l'URSS (et même reviennent, alors que Roosevelt avait imprudemment assuré à Staline que les forces américaines auraient quitté l'Europe dans les deux ans, ce qui était à peu près le cas en 1948). Et quand le Sénat américain a accepté en 1948, grâce à Truman, Marshall, Acheson, Kennan, Vandenberg, etc., les États-Unis ont accepté de conclure un traité (certes avec un article 5) et de lancer le plan Marshall (matrice de l'Europe), mais pas encore une organisation militaire (le futur « O » de l'OTAN). Il faudra attendre pour cela la guerre de Corée. Après, bien sûr, obligés de se réinstaller en Europe, ils voudront garder le contrôle intégré de toute l'organisation (deux guerres mondiales, du fait des Européens, cela suffit), et c'est à ce mur que se heurtera de Gaulle, d'où ses remarques acerbes que tu cites. Mais l'OTAN n'explique pas l'hégémonie culturelle américaine sur le monde, Coca-Cola, Hollywood, Apple, Google, Microsoft, les séries télévisées, leurs universités, le globish etc., dont nous avons connu le paroxysme. Et il y a d'ailleurs toujours eu un puissant courant aux États-Unis pour le désengagement militaire de l'Europe (amendement Mansfield) qui va renaître maintenant.

Encore aujourd'hui les Européens craignent le pourtant très logique « pivot » d'Obama vers l'Asie et ses défis, au lieu d'y voir une opportunité ! S'ils s'en sont remis aux Américains à partir de 1949-1951 pour leur sécurité, et ont abdiqué, à partir de là, toute pensée stratégique (sauf encore un peu en France et en Grande-Bretagne), il n'y a pas à le reprocher aux Américains mais plutôt à eux, les Européens ! Ce qui se passe dans l'OTAN est une conséquence, un symptôme, pas une cause. D'ailleurs même s'il est assuré que le traité de 1949 perdurera, il n'est pas impossible que l'OTAN périclite après l'Afghanistan. À quoi servira-t-elle ? Elle reste une assurance vitale face à la Russie pour la Pologne et les pays baltes. Les cas légitimes et justifiés d'intervention au loin seront rares. Comment justifier le système antimissile quand la question iranienne ne se posera plus ? En outre, le Pentagone trouve compliqué, pas indispensable, d'utiliser l'OTAN. Certes il y a de nouveaux sujets comme les cybermenaces, mais cela ne justifie pas une aussi grosse « Organisation militaire permanente ». Tu conclus, te référant à des propos d'il y a quelques années de Gabriel Robin, que l'OTAN « doit disparaître » (et non pas que la France doit sortir, contrairement à ce que *Le Monde diplomatique* te fait dire en titre). Mais si tous ses membres veulent que l'OTAN continue ? Ce ne sont pas les Américains que la disparition de l'OTAN gênerait le plus, eux qui n'ont pas besoin de l'OTAN pour mener leurs opérations ni pour exercer une influence militaire durable et maintenir leur *leadership* relatif sur le monde. D'ailleurs, Robert Gates a dit, avant de quitter ses fonctions de secrétaire à la Défense, que le temps n'est pas loin où de nouvelles générations de dirigeants politiques américains ne verront plus l'intérêt de maintenir ce lien militaire particulier avec l'Europe, si les Européens ne font plus aucun effort de défense. Ce serait pour les États-Unis, toujours tentés par un certain isolationnisme par rapport à l'Europe, la fin de la parenthèse allant de 1941 (Pearl Harbor) jusqu'à Obama II, ou son futur successeur. Ce sont les Européens qui, se sachant politiquement incapables de restaurer leur effort de défense, sont terrorisés à l'idée de voir s'éloigner les États-Unis ; ce sont eux qui demanderont aux États-Unis de maintenir une OTAN, même réduite, pour préserver un engagement américain mécanique dans la défense de l'Europe et, pour les plus allants d'entre eux, pour fournir la logistique indispensable aux interventions européennes. Les États-Unis sont plus motivés par le grand accord de libre-échange États-Unis/Union européenne, problème plus sérieux pour nous.

C'est en tenant compte de ce contexte, radicalement nouveau, bien illustré par la priorité, donnée par Obama II, au redressement domestique des États-Unis, que je pense que notre intérêt est d'affirmer beaucoup plus nos conceptions dans et sur l'OTAN à propos de la dissuasion et de la défense, de l'industrie européenne et des interventions extérieures, et que c'est parfaitement faisable. Ne gaspillons plus notre énergie à nous demander si nous devons être dehors ou dedans (comme les Britanniques à propos de l'Europe), mais ce qu'on y fait, ce qu'on en fait, au moment où s'accélère la gigantesque redistribution des cartes en cours dans notre monde instable, en mutation rapide, avec la montée de dizaines d'émergents.

Voici pourquoi la question américaine (franco-américaine), ni celle de l'OTAN, n'est pas obsédante, ni même centrale, dans mon analyse. Ce serait trop facile et trop daté. L'hyperpuissance n'aura duré finalement

qu'une décennie, celle des années 1990. Je trouve plus per-
nicieuses les croyances iréniques et les illusions des Européens modernes. Ce sont les États-Unis qui ne cessent
d'appeler les Européens à interrompre l'effondrement
de leur effort de défense – qui conduit tout droit à une
Europe désarmée – et qui sont même prêts à accepter que
la France et la Grande-Bretagne (sous Obama I, en Lybie)
ou la France (sous Obama II, au Mali) jouent un rôle moteur, aidées par l'OTAN en Libye, par les États-Unis au
Mali. Les Européens sortiront-ils enfin de leur léthargie
stratégique – ce serait le moment – ou rateront-ils l'opportunité Obama II, d'ailleurs absente de ton analyse ? Face à
cette interrogation, c'est nous le problème, OTAN ou pas,
pas Washington ! Je peux comprendre que tu veuilles par
compassion protéger la France, tellement « normalisée et
renfrognée », du choc des défis d'aujourd'hui et demain.
Je crois, moi, que nous n'avons pas le choix. Notre fragile abri conceptuel a été désintégré. Nous devons nous
battre dans l'OTAN, comme dans l'Union européenne, le
G7, le G8, le G20 et partout. De toute façon, l'essentiel de
notre avenir se joue sur d'autres terrains. On ne peut plus
séparer le grand jeu stratégique de la compétitivité économique, technologique, industrielle (y compris dans la
défense) et maintenant écologique, des diverses nations
dans l'économie globale de marché en train d'être un peu
re-régulée, mais qui restera une compétition, voire une
mêlée. Si la France ne se redresse pas, si elle ne va pas au
bout de la logique du rapport Gallois, et même au-delà,
sa perte d'influence, y compris diplomatique, va s'accélérer... Mais je crois qu'elle le peut encore, et qu'elle finira
par retrouver le ressort nécessaire.

En amitié, toujours...

Hubert Védrine

Sur l'effondrement du bloc communiste

En juillet 2013, Hubert Védrine est interrogé par *Libération* (Marc Sémo) en tant qu'ancien secrétaire général de l'Élysée de François Mitterrand de 1991 à 1995, sur l'effondrement du bloc communiste[1].

La chute du mur de Berlin était-elle inévitable ?

Oui, bien sûr, mais cela aurait pu arriver après la fin de la RDA et pas forcément avant. Le mot de « chute », d'ailleurs, est impropre. Le Mur a été ouvert par des autorités est-allemandes exsangues. On confond l'ouverture du passage vers Berlin-Ouest, le 9 novembre 1989, avec la ruée le lendemain de gens cassant avec des pioches des morceaux de mur pour les conserver comme souvenirs. Tout cela était l'aboutissement d'un processus de décomposition de la RDA engagé depuis des années. Dès l'été 1989, les Allemands de l'Est quittaient par milliers leur pays en passant par la Tchécoslovaquie, et par la Hongrie, où le rideau de fer avait été retiré. Ce mouvement de fond traversait toutes les « démocraties populaires ». En Pologne, grâce à Solidarnosc, il était très avancé. Dans d'autres, beaucoup moins, ou pas du tout. De toute façon, Mikhaïl Gorbatchev, qui espérait sauver le communisme en URSS grâce à des réformes économiques et un peu de démocratisation – c'était la « perestroïka » –, avait déjà passé

---

1. Article paru dans *Libération,* juillet 2013.

71

le glacis stalinien d'Europe de l'Est par pertes et profits. Dès 1986-1987, il n'avait pas caché à ses dirigeants que jamais il n'utiliserait la force pour défendre ces régimes. Même s'il y avait encore en 1989 quelque 300 000 soldats de l'Armée rouge en RDA, et même si ces régimes ne s'en rendaient pas compte, ils étaient déjà des zombies.

La réunification allemande était-elle inévitable ?

Elle était inéluctable, mais aurait pu se produire plus tard. Réformée plus tôt, la RDA aurait pu survivre un certain temps. D'ailleurs, le 22 novembre encore, juste après le Mur, Helmut Kohl lui-même évoquait encore un rapprochement graduel entre les deux Allemagnes. Bonn continuait à négocier des accords de coopération avec Berlin-Est, comme si l'Allemagne de l'Est était destinée à survivre quelques années ! Kohl parlait d'étapes : coopération, confédération, fédération, unification. Puis tout s'est précipité début 1990 sous la pression populaire en l'Allemagne de l'Est. Quant aux Alliés, vainqueurs de 1945, les Britanniques étaient contre la réunification et contre une relance européenne. François Mitterrand avait compris déjà quelques années auparavant que c'était une tendance historique irréversible, mais il voulait que cela se passe dans de bonnes conditions pour la France et pour l'Europe. Les Américains, eux, étaient à fond pour, à condition que cela ne remette pas en cause l'OTAN. Gorbatchev, lui, l'avait rendue possible, mais la redoutait.

L'effondrement de l'URSS était-il inévitable ?

Oui. Mais quand ? Le rôle de Gorbatchev dans la réunification allemande fut fondamental, mais, une fois le processus permis par lui, il comprend qu'il a joué à l'apprenti sorcier. Il demande à Bush, Kohl et Mitterrand de ne pas aller trop vite arguant du risque qu'il soit renversé par des conservateurs nationalistes durs. Il sollicite des aides économiques pour tenir et c'est pour cela qu'à l'initiative de Mitterrand et de Kohl est instauré le G8, un G7 élargi à Moscou. Mais George Bush père et Major restèrent intransigeants dans leur refus d'aider le vaincu de la guerre froide. L'effondrement de l'URSS, qui était en survie depuis la stagnation brejnévienne, était dès lors inévitable, car le communisme soviétique fut un fiasco économique, éthique, politique. C'est la fin de l'URSS (en 1991) qui marque le vrai changement d'époque plus que la « chute » du Mur.

La situation en Syrie

En septembre 2013, Hubert Védrine analyse le dilemme syrien auquel la France est confrontée[1]. En 2012, au tout début de la guerre civile, il avait déclaré au quotidien libanais *L'Orient le Jour* : 1) qu'il ne fallait pas ignorer les avertissements des chrétiens syriens et libanais sur les conséquences d'une éventuelle chute du régime de Damas ; 2) que la Russie ne laisserait pas tomber son plus vieil allié arabe.

Déjà avant l'emploi des armes chimiques, la guerre civile syrienne, qui ne se ramène pas à la seule martyrisation d'un peuple par un dictateur, plaçait les Occidentaux dans une contradiction infernale. Horrifiés, ils s'avéraient impuissants face aux déjà 100 000 morts. Impuissance programmée puisque l'obsession affichée de Barack Obama est de se dégager du bourbier moyen-oriental. Impuissance frustrante, car les Occidentaux étaient partis du postulat que ce régime allait tomber, comme les régimes tunisien, libyen et égyptien, mais que les insurgés laïques et démocrates qu'ils soutiennent ne parviennent pas à s'imposer sur le terrain face aux insurgés islamistes, qui annoncent le futur massacre des alaouites. Impuissance révoltée enfin quand il se confirme que des centaines de personnes au moins sont mortes de l'emploi de

---

1. Article paru dans *Le Monde*, septembre 2013.

75

gaz sarin, le 20 août, dans un faubourg stratégique de Damas. Tout en y allant à reculons, sans aucune pression de son opinion, au contraire, Barack Obama s'était mis cependant par ses déclarations sur les « lignes rouges » dans l'obligation d'agir un jour ou l'autre par la force. La France a été sur la même ligne. Pas pour renverser le régime, ce que regrettent certains, mais pour « punir », « sanctionner », en espérant, sans en être sûre, « dissuader », et même ébranler assez le régime pour modifier le rapport de forces et la donne politique. Les États-Unis, la Grande-Bretagne et la France étaient donc prêts à intervenir sans résolution du Conseil de sécurité au titre du chapitre VII, estimant cette intervention, à défaut d'être légale, puisque le Conseil est paralysé par les vetos russes et chinois, légitimée par l'horreur des faits. Ce qui pourrait faire précédent. La comparaison avec le Kossovo n'est qu'à moitié probante. Le recours aux forces de l'OTAN pour stopper les exactions serbes au Kossovo n'avait pas été prescrit formellement par une résolution du Conseil de sécurité au titre du chapitre VII, mais nous avions obtenu auparavant deux résolutions chapitre VII (donc sans veto russe) pour condamner les agissements serbes (et, on l'oublie, les provocations de l'UCK kosovare). Il y avait eu dix-huit mois de négociations du Groupe de contact des ministres, suivis de la conférence de Rambouillet et de Paris, qui avait achoppé sur l'obstination de Milosevic, ce qui avait permis d'obtenir le soutien de tous les Européens. Enfin l'objectif militaire était plus simple que de « punir » un camp fautif dans une féroce et inextricable guerre civile. On le voit, chaque cas est particulier.

Néanmoins, au point où nous en sommes, et quelles que soient les failles de l'argumentation, après de telles annonces, ne rien faire serait adresser un message d'impunité aux utilisateurs possibles de l'arme chimique, et porter un coup terrible à la crédibilité occidentale. Même ceux qui jugent que l'Occident s'est exposé imprudemment devraient être sensibles à cet aspect. Mais cela impose tout un accompagnement politique et diplomatique.

Le raisonnement reste le même après la défection de la Grande-Bretagne et la décision déconcertante du président Obama de solliciter, alors qu'il n'y est pas obligé, un vote périlleux du Congrès, ce qui contraint la France, très engagée, à attendre le vote du Congrès américain, et le président à décider de solliciter, ou non, lui aussi, un vote préalable. Il peut le faire, même si selon la constitution il n'y est pas tenu. Sur le fond, le dilemme franco-américain reste inchangé : discrédit si rien ne se passe, risque d'un coup d'épée dans l'eau en cas de frappe, sauf si elles ébranlent le régime.

Si frappe il y a, les Américains et les Français devront démontrer vite au reste du monde, très attentif à cette crise et à son futur dénouement, qu'il ne s'agit pas de l'acte de naissance d'un unilatéralisme franco-américain auto-légitimé par des raisons de *leadership* (États-Unis) ou de morale et de surveillance par un seul pays du respect des traités qui interdisent le recours aux armes chimiques (France), mais d'une action exceptionnelle, justifiée par l'horreur particulière des faits, décidée par deux pays qui se veulent l'avant-garde d'une communauté internationale en formation (presque tous les pays du monde ont ratifié le protocole contre l'usage de l'arme chimique), momentanément empêchée.

S'il n'y a pas de frappe, une relance politique réaliste française et européenne s'impose. En fait, c'est vrai dans tous les cas. Tout en aidant plus concrètement la coalition. Dès le G20 ? Mais solution politique signifie conférence internationale, comme John Kerry l'a proposé, avec un régime de Damas (que l'on espère ébranlé), ce que récuse la coalition, avec aussi la Russie – le président Hollande et Laurent Fabius ont déjà essayé de convaincre

Poutine qu'une solution politique est dans son intérêt –, et sans exclure l'Iran. Si on n'y est pas prêt, que signifiera le discours sur une solution politique ?

Dans tous les cas, les États-Unis, la Grande-Bretagne et la France (les autres Occidentaux sont en général non interventionnistes) devront clarifier leur politique : légalité internationale stricte (comme au Koweït en 1991, en Libye en 2012, au Mali en 2013). Ou pensent-ils, pensons-nous, sous l'inspiration des néo-conservateurs et des « faucons libéraux », que nous sommes assez légitimes pour nous en passer, quand nous le décidons ? Là, et maintenant, en Syrie, sauf renoncement américain qui aurait de profondes répercussions, nous ne pouvons plus rester sans réaction. Mais à l'avenir, avec la fin du monopole occidental, la puissance croissante des émergents/émergés, la montée des autres, etc., ce ne sera plus tenable. Nous devrons donc reconstruire, avec tous, un ordre international à la place de celui, bringuebalant, dont nous estimons avoir le droit et le devoir aujourd'hui de nous affranchir.

L'Iran pourrait passer de pays étranglé à État pré-émergent

En décembre 2013, pour *Libération*, Hubert Védrine revient sur la nouvelle donne créée par la signature à Genève, dans la nuit du 23 au 24 novembre entre l'Iran et les pays du « 5+1 » (les cinq membres permanents du Conseil de sécurité de l'ONU, plus l'Allemagne), de l'accord sur le nucléaire iranien[1].

L'accord intérimaire de Genève sur le nucléaire marque-t-il le retour de l'Iran ?

L'engagement de ce processus est un événement considérable. Il peut conduire, un jour, à la réinsertion de l'Iran dans le jeu international dont il s'est exclu – ou a été exclu – depuis la révolution islamique de 1979. L'enjeu est énorme, l'acceptation et la normalisation de l'Iran islamiste. La question des projets nucléaires iraniens a, en plus, aggravé les tensions internationales, notamment au Moyen-Orient, depuis plus de dix ans. Des occasions ont été perdues, par exemple après l'élection de Mohammad Khatami en 1998 (j'avais été le voir, mis en garde par Jacques Chirac). Et surtout en 2004-2005, quand des négociations étaient peut-être possibles. Mais les États-Unis ne voulaient sans doute pas relégitimer ce régime, même

---

1. Article paru dans *Libération Idées Grand Format*, 14-15 décembre 2013. Propos recueillis par Jean-Pierre Perrin et Marc Sémo.

via un éventuel bon accord sur le nucléaire. Cela me rappelle les désaccords entre les Occidentaux qui voulaient aider Gorbatchev – Kohl, Mitterrand, Delors – et ceux – Bush père, John Major, Mulroney – qui ne voulaient rien faire qui compromette la chute de l'URSS.

Jusqu'où peut aller cette dynamique ?

Si les engagements pris (arrêts, contrôles) sont tenus pendant la période intermédiaire, on ira en principe vers une levée des sanctions par étapes, à décider à New York, Washington et Bruxelles. Pour les durs du régime iranien, les pasdarans, qui ont vécu de la tension, c'est une menace à terme sur leur pouvoir.

Les pasdarans, qui contrôlent l'ossature économique du pays, pourraient être les premiers bénéficiaires d'un allégement des sanctions...

Oui, s'ils se convertissent à l'économie ouverte ! Si les obstacles sont surmontés, si la ligne Rohani, qui semble ratifiée par le Guide, s'impose, l'Iran pourrait passer en quelques années de pays étranglé par les sanctions à un État pré-émergent, avec un potentiel énorme. Sous le couvercle du régime, la société iranienne est déjà plus moderne que la société saoudienne. La diaspora iranienne des États-Unis soutiendra ce mouvement. Si les durs s'en convainquent, le processus avancera. Ils se diviseront peut être. Il faut donc être à la fois vigilant sur l'application loyale par les Iraniens de l'accord intérimaire, comme le dit Laurent Fabius, mais aussi très vigilant avec les groupes qui voudront torpiller l'accord. Je serais étonné que, pendant la période intérimaire, aucune tentative n'ait lieu pour faire avorter le processus.

Venant d'où ?

Beaucoup de forces vont essayer de faire dérailler ce processus. En Iran bien sûr, mais aussi en Arabie saoudite, en Israël et surtout aux États-Unis. Les Saoudiens sont obsédés par l'encerclement chiite – c'est pourquoi ils veulent faire tomber à tout prix le maillon alaouite syrien. Mais que peuvent-ils faire ? Les Israéliens, c'est plus important, car ils ont une influence importante aux États-Unis, notamment sur le Congrès, qui détient la clef des sanctions. Autant sur le dossier palestinien Nétanyahou n'est pas représentatif de toute l'opinion israélienne, plus ouverte que lui, autant sur l'Iran il exprime une inquiétude générale. Nous allons voir si Obama sera capable de contenir ces forces et de faire primer l'intérêt des États-Unis à long terme contre un Parti républicain déchaîné et déterminé à ce qu'il ne remporte aucun succès. Il devra batailler fermement et habilement pour faire lever les sanctions.

N'y a-t-il pas aussi l'idée que l'Iran puisse être à long terme un partenaire fiable et remplacer l'Arabie saoudite ?

Vous allez un peu vite ! Mais il est possible qu'il y ait déjà, à Washington comme à Téhéran, des stratèges qui caressent cette hypothèse, d'où la crainte des Saoudiens. Mais si l'Iran rentre dans le jeu, ce ne sera pas le même Iran, et l'Arabie ne sera pas exclue ! Quant aux Israéliens, s'ils avaient des gouvernants visionnaires, des hommes d'État à la Rabin, ils pourraient jouer cette dynamique à long terme. Il faut sortir par le haut, et en sécurité pour tous, de cet affrontement stérile et sans fin où le monde était censé ne se préoccuper que de l'éventuelle bombe iranienne ! Il y a eu de ce fait une stérilisation de la pensée géopolitique, y compris à Paris. Il faudra par ailleurs éviter aussi que ce nouveau processus se paye d'un abandon cynique et dangereux de la question palestinienne à des négociations bilatérales vouées d'avance à l'échec.

Cela va aussi dans le sens d'une participation de l'Iran à des négociations sur la Syrie ?

Si Genève II a réellement lieu et progresse, il faut évidemment y impliquer tous les protagonistes, y compris l'Iran. Ce serait dangereux de le laisser en dehors.

Barack Obama se montre-t-il finalement visionnaire en politique étrangère après avoir déçu ?

Les attentes hors du commun liées à sa personne, à ses origines, à son parcours, étaient irrationnelles. Sur la Syrie ou ailleurs, sa ligne diplomatique peut paraître hésitante ou déconcertante. Mais sa vision stratégique globale est claire : plus une « hyperpuissance », mais le n° 1 quand même, dans un monde d'émergents où les États-Unis restent le « hub ». Il ne se « replie » pas sur l'Amérique, il redéploie logiquement ses forces ; presque plus en Europe (mais en gardant l'OTAN), le moins possible au Moyen-Orient (mais il y aura toujours la garantie à Israël), une stratégie nouvelle sur l'Iran et une stratégie commerciale offensive en Asie, plus la maîtrise des technologies civiles et militaires les plus avancées, et de la haute mer. Cela a un sens.

Cet accord ne marque-t-il pas aussi le grand retour de la Russie ?

Les Occidentaux, qui avaient misé sur Dimitri Medvedev, ont fait de Vladimir Poutine un épouvantail, oubliant qu'il est le résultat direct des années Eltsine et du chaos créé par la libéralisation économique sauvage imposée notamment par les conseillers américains après l'effondrement de l'URSS. Nous avons la chance que cette politique aveugle n'ait pas donné pire que Poutine. Bien sûr, ce dernier est très choquant du point de vue des critères européens et de ce fait, depuis des années, nombre de pays occidentaux – mais pas l'Allemagne – n'ont plus de politique russe, sinon celle de le détester. C'est un peu court. Il veut interrompre cette marginalisation méprisante de la Russie. Il use d'un pouvoir de nuisance. Mais en aidant Obama à se dégager des engagements qu'il avait lui-même pris sur les armes chimiques en Syrie, en étant constructif sur le nucléaire iranien, Poutine a peut-être commencé à transformer ce pouvoir de nuisance en autre chose de plus constructif. Cela ne veut pas dire pour autant qu'il a changé sur le fond : l'extension vers l'Est de l'OTAN, comme de l'Union européenne, l'insupporte toujours autant, comme on le voit avec la crise ukrainienne, où il faudrait une pause et une neutralisation du problème pour quelques années, pour que ce pays ne soit pas écartelé et se développe sans avoir à faire des choix impossibles.

La France est-elle prise à contre-pied par cette nouvelle donne ?

Cela dépend qui ! Tout le monde est maintenant conscient de la nouvelle donne. Ceux qui sont devenus « néo-conversateurs » croient être dans la bonne ligne occidentaliste. C'est peut-être une illusion. Il n'y a plus vraiment de consensus en France. À vrai dire, il y a toujours eu un débat entre d'un côté gaullistes, puis gaullo-mitterrandiens, et de l'autre, atlantistes et néo-conservateurs, européistes ou non. La ligne traditionnelle de la Ve République en politique étrangère avait déjà été mise à mal par Nicolas Sarkozy. Dans les endroits où l'on pense la politique étrangère française – l'Élysée, le

Quai d'Orsay, un peu la Défense, les *think tanks* –, l'idée qu'il faut sortir des vieux schémas gaullo-mitterrandiens était devenue ces dernières années une mode. Sur l'Iran, il y a plusieurs groupes inquiets, des pro-israéliens, des anti-iraniens viscéraux rappelant sans cesse ce que fut le rôle de ce régime dans le terrorisme, les missionnaires de l'antiprolifération, qui sont souvent d'ailleurs aussi parmi les plus brillants de nos diplomates. Mais cela ne signifie pas pour autant un isolement de la France. Dans les né-gociations sur le nucléaire iranien, elle n'était pas la seule à estimer que le premier projet d'accord préparé par John Kerry était insuffisant. Pour diverses raisons, Laurent Fa-bius est monté sur le devant de la scène, mais les autres membres du « 5 + 1 » (les cinq membres permanents du Conseil de sécurité plus l'Allemagne) jugeaient aussi l'ac-cord insuffisant. L'accord suivant – intérimaire – est meil-leur. La recomposition intellectuelle de notre diplomatie est loin d'être achevée.

Quel rôle pour l'Europe ?

Vaste question ! Il faudrait réinventer un gaullisme à l'échelle européenne : fidélité aux alliances, liberté de mouvement par rapport aux émergents (l'ancien « Sud »), envers lesquels nous devons être entreprenants et conquérants. Mais il n'y a pas de politique étran-gère ni même d'analyse commune entre Européens. Le simple fait de raisonner en termes de puissance est consi-déré comme mal par nombre d'entre eux. L'Allemagne mène une politique presque isolationniste, comme une « Grande Suisse », sauf en économie, la France est regar-dée comme devant se réformer. Le redéploiement améri-cain nous donne pourtant une opportunité formidable. Ils sont prêts à ce que nous jouions un rôle accru. Ou nous continuons en politique étrangère européenne le moulin à prières des bonnes intentions générales – droits de l'homme, paix, développement, etc. –, sans influence réelle. Ou, pour surmonter nos différences, legs de l'histoire, nous demandons aux États ayant les conceptions les plus divergentes sur tel ou tel point (Pologne et Italie par exemple sur la Russie) de trouver une synthèse acceptable par tous. À plus court terme, l'Europe aura à se déterminer sur la levée des sanctions de l'Iran. Les pays européens peuvent être un moteur du processus.

2014

Tour d'horizon de l'actualité mondiale

Tour d'horizon de l'actualité mondiale avec J. Hubert-Rodier pour *Les Échos*, en février 2014[1].

Après le retrait d'Irak et, d'ici à la fin 2014, d'Afghanistan des troupes américaines, les États-Unis vont-ils se désintéresser du monde et se replier sur eux-mêmes ?

Les États-Unis ne vont pas, ne peuvent pas se « désintéresser » du monde, même si un courant « isolationniste » est réapparu chez eux ! Certes ils ne sont plus *l'hyperpuissance* des années 1990, mais ils sont toujours la première puissance, même si leur *leadership*, face à la Chine et à tous les autres pays, est plus relatif. Militairement, devaient-ils rester engagés de la même façon et aux mêmes endroits que pendant la guerre froide ? Bien sûr que non. Pour autant ils ne remettront pas en cause l'Alliance atlantique, et son article 5. Le Parti républicain est écartelé entre néo-isolationnistes farouches et interventionnistes excités – les « néo-conservateurs », dont les équivalents démocrates sont les « *liberal-hawks* » –, mais l'idée du repliement des États-Unis sur eux-mêmes est une illusion d'optique, et une crainte, européennes. Dans les années à venir, les États-Unis vont rester longtemps la puissance militaire mondiale n° 1 (nucléaire, aérienne, maritime et technologique), mais ne s'engageront à l'extérieur que

---

1. Texte paru dans *Les Échos*, février 2014.

quand cela sera strictement nécessaire et avec plus de parcimonie. D'autant que le bilan des interventions occidentales depuis trente-cinq ans est pour le moins ambivalent ! Il a été de bon ton à Paris (jusqu'à la visite de F. Hollande aux États-Unis et à la mise en évidence de convergences multiples), ou ailleurs, de douter d'Obama, ou de le dénigrer. En réalité, même si sa conduite de la politique étrangère américaine peut parfois déconcerter (sur la Syrie, la colonisation israélienne, l'Iran, la Russie), je pense qu'il a une vue juste du monde multipolaire de demain instable et compétitif, et une vraie stratégie pour les États-Unis, à défaut de tactique (la volte-face sur la Syrie).

Le redéploiement des forces américaines vers l'Asie-Pacifique, notamment navales, signifie-t-il aussi un allègement des dispositifs militaires au Moyen-Orient ?

Barack Obama n'a-t-il pas été élu pour mettre fin aux guerres sans issue de George W. Bush en Irak et en Afghanistan ? Il le fait, inexorablement, quels que soient finalement le bilan de ces guerres et les suites de ce retrait. Il a estimé qu'il n'avait pas été élu pour réengager son pays au Moyen-Orient : en Syrie, en Libye, ni même pour frapper l'Iran, sauf s'il y était absolument contraint, ce qu'il veut clairement éviter. Il agit en conséquence. Il y a chez lui une cohérence d'ensemble. Le reformatage en cours du dispositif et les redéploiements militaires américains traduisent une réactivité et une mobilité certaines des États-Unis à la nouvelle donne mondiale et sont stratégiquement compréhensibles. Pour autant, du fait des liens avec Israël, de la question de l'Iran, de l'importance vitale de la libre circulation en haute mer, y compris dans les détroits et dans le Golfe, les États-Unis ne peuvent pas se permettre de « laisser tomber » le Moyen-Orient.

Quelles conséquences peut avoir la diminution de la dépendance énergétique des États-Unis à l'égard du Moyen-Orient avec la mise en exploitation des gaz de schiste et des autres hydrocarbures non conventionnels ?

C'est important aussi. Le fait que les États-Unis vont devenir indépendants énergétiquement du Moyen-Orient rend moins vital à l'avenir le pacte du *Quincy*[1]. Cet accord n'est plus aussi indispensable. Il y a en effet le gaz de schiste, des sables bitumineux, d'autres énergies potentielles renouvelables, qui vont progresser, même aux États-Unis, d'autres fournisseurs. Et il n'est même pas exclu qu'un jour – rêvons un peu ! – les États-Unis fassent des économies d'énergie et deviennent plus « sobres » ! Au total, ils dépendront moins du Moyen-Orient, mais leur lien avec Israël restera un élément de la politique intérieure américaine, pétrole ou pas. La bonne solution de la crise nucléaire iranienne, puis la relation avec l'Iran de demain et la réinsertion d'un Iran non menaçant dans le jeu international sont un enjeu immense pour le président Obama, et le seront vraisemblablement encore pour son successeur. L'accord de Genève sur un processus intérimaire suppose une levée des sanctions par étapes, prélude à une normalisation plus complète, à condition que divers groupes hostiles à ce processus qui les menacc à terme (en Iran, aux États-Unis, en Arabie saoudite, en Israël et ailleurs) ne parviennent pas à le torpiller. Pour les Américains donc, il sera impossible de se détourner complètement du Moyen-Orient, mais ils

---

1. Du nom du croiseur sur lequel a été conclu en 1945 par Roosevelt, de retour de Yalta, et le roi d'Arabie saoudite, un accord aux termes duquel les États-Unis s'engageaient à assurer la protection et la sécurité du royaume qui en échange devait assurer l'approvisionnement pétrolier de l'Amérique [*ndlr*].

se contenteront souvent du « *leading from behind* » [diriger depuis l'arrière, *ndlr*] qui a tant exaspéré les « durs », faucons et « néo-cons », aux États-Unis. Et cela même si le, ou la, successeur d'Obama tente de revenir en 2017 à un *leadership* américain plus direct.

Tout cela amènera l'Arabie saoudite, le Qatar et d'autres à rechercher d'autres débouchés pour leurs hydrocarbures, et d'abord vers l'Asie. Les pays émergents asiatiques deviendront les clients privilégiés des pays producteurs. Cette évolution aura aussi des conséquences industrielles en rendant à nouveau compétitive l'industrie chimique américaine, qui ne l'était plus, en ravivant la concurrence avec l'industrie chimique allemande, et en créant des problèmes avec des industries naissantes comme en Chine et en Inde.

Mais il est exagéré de prétendre que cette évolution énergétique rebat toutes les cartes du monde. Il faut aussi se méfier des prévisions trop péremptoires, comme on a eu, il y a quelques années, du genre « le Japon troisième grand », « le centre du monde est en Asie », « la fin du nucléaire » après Fukushima ou récemment « la révolution du gaz de schiste ». C'est du simplisme, car il n'y a plus de *centre* du monde, et il existe des pays émergents ailleurs qu'en Asie. Le jeu géopolitique et géoéconomique est multiple, instable, ouvert, entre des pôles montants, ou descendants, sur fond de système multilatéral, et les changements énergétiques sont par nature lents et complexes

La Chine est-elle au bord d'une implosion ? Le Parti communiste chinois prépare-t-il sa mue ?

Je ne crois pas que la Chine soit au bord d'une implosion, même si la situation sociale y est très tendue, et je ne suis pas sûr que le Parti communiste chinois prépare déjà sa « mue », en tout cas pas sur le plan politique. Ce que je vois c'est que la Chine arrive au terme du cycle lancé par Deng Xiaoping. Dans le sang et la cruauté, Mao Zedong avait réinventé la Chine, mais pas refaçonné le monde. Deng l'a fait. Avec lui, puis Jiang Zemin et Hu Jintao, c'est une ligne constante qui a été suivie avec intelligence et persévérance, et a changé le monde. L'idée de Deng a été de garder le contrôle politique, et en même temps de libérer l'économie par un capitalisme Far-west qui ressemble à celui d'un Rockfeller ou de la France de Louis-Philippe et de Napoléon III. Mais toujours sous contrôle politique.

C'est ce cycle qui s'achève, pour plusieurs raisons. D'abord, la Chine connaît des problèmes de maturité qui découlent de ses vingt années de croissance à deux chiffres ; il y a une énorme classe moyenne qui croît et dont les revendications s'affirment, mais encore 300 à 400 millions de paysans pauvres ; les inégalités sont devenues gigantesques, tant l'enrichissement des plus riches est illimité ; la situation écologique, et *donc* de santé publique, est terrifiante. Comme d'autres grands émergents, la Chine va avoir une croissance un peu plus faible, des problèmes de bulles, etc. Elle a d'ailleurs annoncé de nouvelles réformes économiques, dans l'ensemble, libérales.

Mais la Chine a un problème politique que n'ont pas d'autres émergents, comme le Brésil ou l'Inde. Quel sera le régime dans dix ou quinze ans ? Forcément différent. Aura-t-il dû d'ici là lâcher du lest et libéraliser un peu politiquement pour calmer la masse d'internautes qui, sans demander l'établissement d'une démocratie formelle à l'occidentale, réclament de façon de plus en plus virulente le respect des droits des personnes face à l'administration, à la justice, à la police ? Vraisemblablement, même s'il est probable que les dirigeants chinois utiliseront la peur, profonde chez les Chinois, du désordre, du chaos et de l'éclatement pour retarder cette évolution. Mais cela ne suffira pas. Ils ne suivront certainement pas les traces d'un Gorbatchev ou d'un Boris Eltsine, des repoussoirs pour eux. Il ne sera pas question de dissoudre le Parti communiste chinois, qui ne fait qu'un avec l'appareil d'État. Mais ils ne peuvent pas en rester politiquement au statu quo. Leur problème, c'est : quelles concessions politiques minimum faire, sans être balayés...

L'Europe sera-t-elle gouvernable dans un an dans la perspective de la montée des populismes, de la crise morale, politique et économique ?

Vous parlez sans doute du fonctionnement des institutions européennes ? Car personne ne pense que l'Allemagne, la France, etc., ne seront plus gouvernées après le printemps 2014. Après les élections au sein du Parlement européen, les partis hostiles à l'Union européenne seront plus forts. Cela compliquera encore plus ce système européen déjà très compliqué, le fonctionnement de la Commission, le rapport Parlement/Commission, mais ils ne seront pas majoritaires. Il ne faut pas cesser de confondre les *euro-hostiles* minoritaires avec les *eurosceptiques* majoritaires, qui, eux, peuvent encore être convaincus. Le Front national ou le Parti de gauche sont *euro-hostiles*. M. Tout-le-monde est eurosceptique. Ces perspectives ne sont pas idéales. Le score du Front national choquera, mais cela n'empêchera pas les États-membres, ni la Commission, de tourner. Car, au grand désespoir des fédéralistes européistes, la Commission, même si elle est très importante, n'est pas le gouvernement de l'Europe, qui est dirigée par un système hybride, mi-communautaire, mi-gouvernemental, qui marche assez bien. Et des alliances d'élus raisonnables, malgré tout majoritaires, pourront se nouer au Parlement européen. Peut-être même une grande coalition.

L'euro est-il encore menacé ?

Je ne pense pas, même si des voix s'élèvent, un peu plus nombreuses et de moins en moins extrémistes, pour dire que les contradictions de fond sont insurmontables et plaident pour une sortie « ordonnée ». Pour le moment, au sein de la zone euro, c'est en fait la logique d'intégration, de coordination (y compris sur les banques) et d'harmonisation qui avance. C'est la première année, après la révélation de la crise grecque, que la question de l'existence de l'euro a été posée en tant que telle. L'Allemagne a hésité un moment en se demandant si l'euro ne pouvait pas se débarrasser des pays du Sud en difficulté. Puis elle a réalisé que, si elle revenait à un euro-mark, celui-ci grimperait à environ 40 % au-dessus du cours actuel de l'euro, ce qui remettrait en cause tout le système mercantiliste et exportateur allemand. Dès lors, l'Allemagne a décidé de sauver ce système, qui est à son avantage et favorise son industrie de haute gamme, mais à ses conditions, devenues celles du Traité, qui sont en fait, réaffirmées, celles de Maastricht. Même la Cour de Karlsruhe ne cherche plus à remettre en cause les fondements juridiques de la zone euro. Je suis donc prudemment optimiste sur la zone euro, à condition que l'Allemagne (CDU/SPD) se prête à une vraie concertation sur la politique économique que l'on y mène, sur la croissance, et même sur le taux de change euro/dollar.

Après la destitution en Égypte le 3 juillet dernier du président islamiste Mohamed Morsi et les difficultés d'Ennahda en Tunisie, l'islam politique est-il voué à l'échec ?

En tout cas, il n'est pas voué à un succès aisé ! Son ascension a réveillé beaucoup de forces contraires. De toute façon, la démocratisation est un processus long et compliqué, sauf quand il s'agit de *rétablir* la démocratie, et pas de la créer. Dans plusieurs pays arabes, l'affrontement oppose des forces modernisatrices, démocratiques ou non, à des forces obscurantistes de réaction, de régression, parfois arrivées au pouvoir par des élections... Cet affrontement va durer longtemps. Les islamistes vont relever la tête. Au sein de l'islam, une minorité extrémiste essaye d'imposer sa conception littérale de la *charia*, comme c'est arrivé dans l'histoire du catholicisme. Mais les modernistes ne se laisseront pas faire, à preuve le cas exemplaire de la Tunisie et de sa constitution remarquable, et de façon plus expéditive le cas égyptien. Bien sûr, c'est très différent d'un pays à l'autre : monarchie ou non, armée puissante ou non, traumatisme antérieur ou non, tribalisme ou pas, société civile influente ou faible, etc. À long terme, j'ai tendance à penser que dans l'islam les modernistes l'emporteront, mais après encore bien des soubresauts.

Ukraine, Syrie... la Russie est-elle une menace ?

Je ne dirais pas qu'elle est une menace. Je dirais plutôt qu'après une longue phase, à partir de 1992, après la fin de l'URSS où elle semblait sortie du jeu, et une autre, plus récente, où elle paraissait n'avoir gardé qu'un « pouvoir de nuisance résiduel périphérique » (pays baltes, Caucase), on redécouvre que l'on ne peut pas se passer d'elle, ni la traiter avec désinvolture, sur la Syrie, l'Iran ou l'Ukraine, sans oublier le Conseil de sécurité. L'équipe d'Obama a été prise de court au début, car elle avait misé sur Medvedev ! Maintenant John Kerry cherche le mode d'emploi. L'Allemagne est moins gênée, car sa politique étrangère est surtout économique. La France semble l'être plus.

Mais même s'il y a bien des critiques à faire à Poutine – les citadins russes le font de plus en plus – et si celui-ci ne fait rien pour se rendre aimable en Occident (valeurs, provocations), c'était illusoire de penser qu'une démocratie à l'occidentale allait surgir rapidement des décombres de l'URSS et du chaos eltsinien (même si une minorité l'espère). On a eu de la chance que de ces années 1990 ne soit pas surgi un phénomène plus grave que l'autoritarisme poutinien ! Et, même contesté, Poutine a encore en moyenne 60 % à 65 % de popularité ! Détester Poutine ne peut tenir lieu de politique étrangère. Sans être complaisants, les Européens vont devoir se montrer plus réalistes.

La Chine, la Russie et la France

Interview pour *L'Opinion* en mars 2014 sur la Chine, la Russie et les réformes en France[1].

La visite en France du président chinois Xi Jinping est-elle importante ?

Oui. La Chine cherche à être reconnue comme une égale par les États-Unis, mais ne veut pas être enfermée dans un « G2 ». Elle traite avec l'Allemagne, comme avec la France qui a bénéficié longtemps d'une situation d'avant-garde grâce à la décision de De Gaulle en 1964. Mais nous sommes en 2014… et elle commence à prendre en considération l'Union européenne. La politique étrangère chinoise est en cours de reformulation. Pour nous Français, entretenir et même renforcer nos liens dans les deux sens avec la Chine, notamment sur le plan économique, c'est très important.

Diriez-vous que l'Europe et d'abord la France ont besoin d'avoir une « politique russe » ?

Oui. C'est vrai pour les États-Unis, l'Europe, la France. Ils ont besoin d'une politique russe, qui ne peut pas se limiter à l'antipathie pour Vladimir Poutine ! Depuis la fin de l'URSS en 1991, l'Occident n'a jamais cherché à établir

---

1. Texte paru dans *L'Opinion*, mars 2014.

un vrai partenariat avec la Russie. Et Poutine – qui sait user d'un certain pouvoir de nuisance et l'accommode d'un certain degré de tension (il n'est pas le seul !) – ne l'a pas cherché non plus. Cela dit, on a eu la chance que du chaos d'après la chute de l'URSS ne soit pas sorti pire que Poutine. Aujourd'hui, malgré des provocations, tous les torts ne sont pas de son côté. Résultat : sur l'Ukraine, on est en train de s'enliser dans une sorte de bras de fer symétrique. Il faudra en sortir. Si Poutine « se contente de la Crimée », cela va se stabiliser, bien qu'Obama et l'OTAN aient intérêt à camper sur une position inflexible. Il faudrait en sortir par une forme de « finlandisation » de l'Ukraine, dont on aurait déjà dû faire un « pont » entre l'Europe et Moscou, assortie de garanties pour les minorités. Mais si Poutine joue avec le feu avec les minorités russophones, ce sera l'escalade... que certains souhaitent...

Où en est le « couple » franco-allemand ?

Il n'y a plus de « couple » franco-allemand, au sens strict, depuis la réunification et le départ de Mitterrand et Kohl. C'est un fait ! Sans doute, pendant longtemps, a-t-on entendu les perroquets répéter à Paris : « Il faut relancer le couple franco-allemand pour relancer l'Europe. » La vérité, c'est qu'aujourd'hui il n'y a plus de « relation sentimentale » entre la France et l'Allemagne, s'il y en a eu avant, mais cela ne veut pas dire qu'il n'y a rien. L'Allemagne – qui n'entend pas être seule en première ligne, qui ne veut pas paraître gouverner l'Europe – a intérêt à une entente, à un partenariat, c'est le mot juste, avec la France. Et la France y a évidemment intérêt. L'excès de pathos commémoratif a pu donner le sentiment qu'on n'avait plus de projet pour l'avenir. Il faut une vue à long terme, un travail constant pour faire converger nos politiques, pour construire cette entente chaque jour, sur chaque sujet.

Dans votre livre, La France au défi, *vous portez sur l'état de la France – que certains décrivent comme « l'homme malade » de l'Europe – un regard acéré et sans concession. Qu'est-ce qui se passe ?*

Le constat économique, terrible, n'est pas le mien. C'est un fait. En revanche, j'insiste sur le contraste saisissant entre le dynamisme, l'énergie, l'inventivité des Français, et le jugement noir qu'ils portent sur leur propre pays. Ils sont aujourd'hui le peuple le plus pessimiste du monde. Les Français ne croient plus en la France. Notre pessimisme est notre handicap n° 1.

Comment en est-on arrivé là ?

Il y a, bien sûr, le chômage de masse, le poids des dettes, les charges qui pèsent sur les entreprises, l'angoisse des parents pour l'avenir de leurs enfants. Mais à cela s'ajoute une sorte de vexation française. La France – qui a été longtemps présentée comme la « fille aînée de l'Église », qui se veut la « patrie des droits de l'homme », qui revendiquait un message universel à transmettre aux autres et qui adore donner des leçons à la terre entière – vit douloureusement les mutations du monde : son « message » n'est plus entendu comme hier. Notre pays est jugé prétentieux. Je cite Roger Pol-Droit : « La France est un pays qui adore donner des leçons au monde entier sans jamais en recevoir de personne. » Pour les Français – et notamment les élites –, cela ne vaut pas le coup si on n'est pas au centre de tout. On ne souhaite pas s'inspirer de ce qui se passe ailleurs : cela ne nous intéresse pas. C'est dramatique.

Comment sortir de cette impasse psychologique ?

Il y a encore d'autres verrous. C'est une bonne chose d'être historiquement lucide, une autre de verser dans une sorte de repentance expiatoire outrancière, de culpabilité collective. Voyez par exemple l'affaire de l'esclavage : c'est arrivé dans le débat public comme si c'était une monstruosité spécifiquement française. C'est faux : il y a eu d'autres pays européens, une filière esclavagiste intra-africaine, une autre arabe, etc. Cela n'excuse rien mais pourquoi cela alimente-t-il une sorte de détestation de soi ? Il y a là un nœud qu'il faut trancher.

Un « nœud » psychologique ?

Malgré l'effondrement de 1940, ce pays était redevenu fanfaron, prétentieux et n'était pas loin de se considérer comme un peuple élu (l'universalisme). Le voici, à l'inverse, dépité. Aujourd'hui, notre « compétitivité psychologique » est au plus bas. Dans les pays émergents, qui ont pourtant d'énormes problèmes devant eux, les gens ont une énergie formidable, ils pensent que l'avenir sera meilleur. Nous, c'est « *lose-lose* » : on a, il est vrai, tellement menti sur le « *win-win* » [le « gagnant-gagnant », *ndlr*] que cela nous revient en boomerang ! Or nous avons un potentiel géant, si nous trouvons en nous la force de nous adapter, si nous acceptons d'apprendre des autres, de leurs expériences, de leur histoire, de leurs réformes.

La France n'est pas le seul pays à regretter sa grandeur passée...

Bien sûr. Tous les pays hier dominants sont passés par là à un moment ou à un autre. Souvenons-nous de la phrase de Poutine : « Ceux qui ne regrettent pas l'URSS n'ont pas de cœur. Ceux qui rêvent de la reconstituer n'ont pas de tête » (espérons qu'il s'en souvient !). Pas moins lucides, des Britanniques ont dit à l'occasion de la Syrie : « Il faut qu'on admette enfin qu'on n'est ni plus ni moins important que la France. » La Grande-Bretagne, il est vrai, même impériale, ne s'est jamais prétendue universelle : c'est donc, pour elle, moins humiliant. Les peuples ont besoin de mythes, mais quand il n'y a plus que les mythes, et qu'ils dysfonctionnent, c'est asphyxiant. Lionel Jospin vient d'écrire un livre fort sur le bonapartisme : la fascination Napoléon demeure alors que son bilan, en 1815, est négatif pour la France.

La réforme, compte tenu de la « faible compétitivité psychologique » que vous décrivez, est-elle possible en France ?

Oui. Répéter que nous serions un pays qui préfère la révolution à la réforme est, aujourd'hui, stérile. Mais notre pays est quand même, c'est vrai, difficilement réformable. Tout est auto-bloquant, surtout quand le moteur économique tourne au ralenti.

Où est la clef pour débloquer les verrous ?

On a en mains plus de cartes qu'on ne croit. Il faut d'abord surmonter le déni, cesser de raser les murs, en finir avec les chimères et les diversions, cesser d'attendre un scénario mondial – ou européen – magique qui nous dispenserait de faire les réformes nécessaires. Le concept trou noir « d'Europe », positif ou négatif, ne nous aide pas, à cet égard, à faire ce travail-clef et préalable sur nous-mêmes. Ensuite il faut engager pour de bon, et vite, les réformes. La droite, on l'a vu, n'y est pas arrivée. La gauche s'est retrouvée au pouvoir alors que son électorat ne veut pas a priori de ces réformes-là. Ses structures politiques sont moins disponibles que ne l'est l'opinion publique en général. C'est un crève-cœur pour la gauche d'avoir à contredire son ADN.

Que préconisez-vous ?

Pas « l'union nationale » : nous ne sommes pas en guerre ! J'écarte la grande coalition « à l'allemande » : elle existe de l'autre côté du Rhin grâce à des lois électorales qui ont pour but d'éviter des majorités trop nettes. Ce n'est pas non plus la combative cohabitation « à la française » qui nous permettrait d'y arriver. Je propose, en revanche, une coalition d'un type nouveau pour mettre en œuvre quelques réformes-clefs durant une période limitée, pour sortir de l'ornière.

Est-ce crédible ?

Le président de la République s'adresserait aux Français en soulignant la gravité de la situation, en annonçant les réformes qu'il entend faire aboutir et en proclamant non pas « Qui m'aime me suive », mais « Qui aime la France soutienne ces réformes ». Pourquoi il n'y aurait pas un consensus dans ce pays pour réduire la dépense publique tout en préservant l'essentiel de l'État-providence ? Comme l'ont fait tant d'autres pays développés. Qu'est-ce qui empêcherait un *leader* de droite de voter, dans l'intérêt du pays, le pacte de responsabilité ? Je dirais la même chose si la droite était au pouvoir et faisait les réformes vitales.

À quelles « réformes » pensez-vous ?

À la réduction de la dépense publique d'abord. Mais prenez aussi l'immigration. Personne en France ne remet en cause le droit d'asile. Ensuite, sur les flux migratoires, fermer ou ouvrir complètement le pays serait insensé. On parle donc de régulation : fixer des flux et des quotas en fonction des besoins, en concertation avec les partenaires de Schengen, et les pays de départ, et en adaptant les chiffres en fonction de l'économie tous les deux ans. Si cela ne s'est pas déjà imposé, c'est qu'il y a des groupes, aux extrémités de l'échiquier politique, qui hystérisent ce sujet, et que certains en jouent. Les grands partis n'osent pas imposer cette idée évidente et centrale de régulation. Autre exemple : ce que j'appelle « l'écologisation ». Tout le monde serait d'accord pour intégrer la dimension écologique. Il devrait y avoir un programme *de longue durée* pour « écologiser » – sous la houlette d'un vice-Premier ministre – à un rythme gérable l'agriculture, l'industrie, les transports, la construction, etc. Mais de façon progressiste, scientifique (voyez, par exemple, les progrès avec le diesel filtré), encourageante, et non pas angoissante et punitive. Le « principe de précaution » est une ânerie qui bloque tout. Trop d'écologistes politiques vivent des peurs qu'ils exploitent (sur le nucléaire, les OGM, le gaz de schiste), sont anti-progrès, et mélangent cela avec un gauchisme sociétal.

Comment y parvenir dans un pays aussi « clivé » ?

L'inconvénient du décrochage que nous connaissons aujourd'hui, c'est qu'il est indolore et que les lanceurs d'alerte économiques ne sont crus qu'à moitié. Les gens se disent : « Ils exagèrent », « ce n'est pas si grave »… Il n'y a donc pas de mobilisation. Mais au moment de vérité, qui est proche – courant avril –, les responsables au pouvoir devront avoir le courage d'assumer la situation, les mesures, les réformes, de leur donner *un sens*, de fixer un calendrier, de rappeler que c'est une phase. En étant encourageants. Il faudra les aider.

C'est la méthode Coué ?

Pas du tout ! Sur les 200 pays qui existent sur la carte du monde, il y en a bien 180 qui aimeraient être à notre place, avec nos atouts. Il y en a assez de seriner que la réforme, c'est impossible. La réforme est économiquement, et donc socialement, indispensable, mais les autres y sont parvenus avant nous, dans l'intérêt de tous, et nous le pouvons, nous aussi. Cessons d'être prétentieux ou nostalgiques, et finalement attentistes et défaitistes. L'image de la « France » reste prodigieuse. Il y a aujourd'hui dans le monde une attente – forte mais insatisfaite – d'une France redressée.

Sur le débat européen

Dans son interview au *Temps*, Hubert Védrine estime qu'il faut clarifier le débat européen pour rassurer les opinions publiques et que « les élites ont eu tort de faire du souverainisme une injure[1] ».

La campagne européenne ne captive pas les Français, l'abstention s'annonce massive. Pourquoi un tel dédain ?

Le désintérêt ne concerne pas spécifiquement les Français. Le taux d'abstention attendu est de 60 % en moyenne dans les pays de l'Union européenne. Au fil des élections européennes, la participation n'a jamais cessé de baisser : c'est un phénomène général. Il y a quelques mois de cela, à l'ambassade d'Allemagne, l'ancien chancelier Helmut Schmidt et l'ancien président français Valéry Giscard d'Estaing rappelaient que lorsqu'ils ont décidé de l'élection du Parlement européen au suffrage universel [en 1974, *ndlr*], ils pensaient créer un choc, un esprit européen, un sentiment d'appartenance et de citoyenneté. Ils ont reconnu que c'est un échec. L'opinion est moins convaincue que jamais que c'est au Parlement européen que se passe le débat démocratique. Aujourd'hui, la première force en Europe, ce sont les eurosceptiques au sens propre du terme.

---

1. Article paru dans *Le Temps*, mai 2014. Propos recueillis par Catherine Dubouloz.

Vous faites une claire distinction entre eurosceptiques et anti-européens...

Oui, ils n'ont pas les mêmes motivations et, pour lutter contre ces phénomènes, on ne doit pas utiliser les mêmes arguments. Jean-Luc Mélenchon ou Marine Le Pen ne sont pas *sceptiques*, ils sont anti-européens, et ultra-convaincus dans leur hostilité. Les simples sceptiques, eux, sont majoritaires : ce sont des gens qui n'étaient pas contre la construction européenne, mais se sont découragés ; ils restent favorables mais sans enthousiasme, ou sont déçus. Ils sont souvent abstentionnistes.

Observez-vous un clivage entre l'ouest et l'est de l'Europe ?

Non, les chiffres se ressemblent. Il n'y a pas une vieille Europe de l'Ouest désenchantée (la construction européenne n'a d'ailleurs jamais été « enchantée » !) et une Europe de l'Est positive, sauf peut-être la Pologne. En Europe centrale et orientale, les anti-européens sont nombreux, et les opinions assez désabusées aussi.

Comment analysez-vous la poussée des populistes et des souverainistes ?

Les apparences peuvent tromper : comme les extrémistes se mobilisent, tandis que les gens raisonnables votent peu, les pourcentages donnent l'impression d'une progression, même s'il n'y a pas de forte augmentation du nombre de voix. Ensuite, il y a toujours eu des partis protestataires et poujadistes, ne l'oublions pas. En ce qui concerne la « souveraineté », prodigieuse conquête démocratique, les peuples restent très attachés à elle, ainsi qu'à leur identité nationale. Les élites européistes ont eu tort, depuis longtemps, de faire de « souverainisme » une injure. Cela montre à quel point elles sont coupées des gens normaux. Il est vrai aussi qu'il y a un souverainisme raisonnable, qui est prêt à coopérer au niveau européen, tout en conservant des capacités de décision nationales, mais aussi un souverainisme intégral irréaliste qui rêve de revenir à des décisions purement nationales ; il s'agit là d'un souverainisme de souffrance et de contestation.

Comment faut-il le traiter, selon vous ?

Par l'écoute et la réfutation argumentée. Dans les électorats populaires, beaucoup de gens se sentent dépossédés par la mondialisation, par une Europe jugée trop libérale, dérégulatrice, trop multiculturelle, etc. Stigmatiser et mépriser cela est une faute. Et je ne parle même pas de la comparaison avec les années 1930, qui traduit surtout une prodigieuse inculture historique. Les situations n'ont absolument rien à voir, et chaque fois que l'on utilise ces arguments pour convaincre dramatiquement les opinions, on échoue. Le vrai problème, c'est que les élites européistes veulent à chaque occasion faire avancer l'intégration, alors que les peuples voudraient faire une pause. Quel que soit le sujet, les premières réclament « plus d'Europe », alors que, pour les opinions, cela équivaut à « moins de France », « moins d'Allemagne », « moins de Suède », etc. Du coup, les citoyens freinent et votent encore plus contre l'Europe. Tant que le vote protestataire provoquera une réaction indignée des bien-pensants, il prospérera.

Dans ce contexte, quelle serait votre stratégie si vous meniez campagne ?

S'agissant des anti-européens, je laisserais de côté l'indignation et la condamnation moraliste. Je leur dirais que c'est dommage de gaspiller leurs votes, car les partis extrémistes n'ont aucune solution sérieuse de remplacement. Je me concentrerais ensuite sur les eurosceptiques raisonnables, en leur disant qu'on peut bien sûr discuter de l'élargissement ou du degré d'intégration de l'Europe, mais qu'il n'empêche : le Parlement européen existe. Les pouvoirs essentiels demeurent certes au Bundestag ou à l'Assemblée nationale, mais ce parlement dispose aussi de pouvoirs de décision importants, par exemple sur la politique agricole commune, ou le budget européen et bien d'autres. Il s'agit donc de décider si l'on préfère s'y faire représenter par des députés de gauche, de droite, ou laisser le champ libre aux protestataires. En résumé : je circonscris le débat, je le clarifie et le déshystérise. Ni l'avenir de l'Europe, ni la paix ne sont en jeu. Arrêtons avec la grandiloquence et la dramatisation, cela ne marche pas !

Pour vous, cela n'a donc pas de sens de vouloir « réenchanter l'Europe »...

Mais l'Europe n'a jamais fait rêver les peuples, c'est une reconstitution romantique a posteriori ! Après la Seconde Guerre mondiale, si on avait fait des référendums, la construction européenne se serait arrêtée là, les gens ont toujours d'autres soucis, plus prenants. Le projet a été porté par les décisions audacieuses de quelques *leaders*, qui l'ont fait avancer. Et n'oublions pas que la première vraie matrice de la construction européenne, c'est l'organisation mise en place par les États-Unis après la guerre pour gérer les crédits du plan Marshall.

Vous pensez que le fédéralisme européen conduit à une impasse, mais, en même temps, vous écrivez qu'une majorité des opinions incline vers « une Grande Suisse de

Sur le débat européen

500 millions d'habitants » ou vers un modèle allemand, soit « une Grande Suisse allemande ». Expliquez-nous…

Si le « fédéralisme » est défini comme un processus au terme duquel les États-nations disparaissent ou abandonnent presque toutes leurs prérogatives au profit d'une Commission qui devient le gouvernement de l'Europe contrôlé par le Parlement européen, ce n'est ni souhaitable, ni applicable. C'est même une chimère nuisible qui dresse les opinions contre l'Europe, car les peuples restent attachés à leurs identités nationales. Les nations sont là, c'est un fait, et la majorité des gens ne veulent pas les voir disparaître. C'est la phrase de De Gaulle : « On ne fait pas d'omelettes avec des œufs durs. » C'est ce type de pensée fédéraliste défendue par de nombreux journalistes, les milieux économiques et certains *think tanks* qui a mené à l'impasse actuelle. En revanche, si l'on définit le fédéralisme comme une manière de préciser, en se basant sur la subsidiarité, qui fait quoi, ce que sont les compétences de la Commission et celles des États-nations, c'est différent et c'est utile. La formule de Jacques Delors qui parlait de « fédération d'États-nations » reste excellente.

Comment continuer à construire l'Europe à partir de là ?

Il faut rassurer et clarifier les pouvoirs, et la géographie. Dire que l'union fait la force pour être un partenaire de poids face aux États-Unis, dans les négociations commerciales par exemple, face à Vladimir Poutine ou à la Chine. L'Europe n'est pas dans une bulle, hors des rapports de force mondiaux. À part des souverainistes vraiment attardés, personne ne peut s'opposer à l'idée que l'union fait la force. En revanche, si l'on décrit l'Europe comme quelque chose inéluctablement appelé à se substituer à des États-nations devenus trop petits et trop faibles face à la mondialisation, cela décourage. Les peuples refuseront de s'en remettre à la Commission sous le seul prétexte que leurs pays seraient finis, fatigués et discrédités.

En France, l'élargissement et l'Europe à vingt-huit sont souvent critiqués. Est-ce allé trop vite ?

Là aussi, il faut calmer le jeu. Faire une pause de 10 ans dans les modifications des traités, et arrêter la fuite en avant géographique. Dire clairement que l'Union va s'élargir encore un peu plus tard à quelques pays – *quand ils seront prêts et nous aussi –*, mais qu'ensuite cela va s'arrêter et qu'on supprimera donc le commissaire à l'élargissement ! Un tel discours serait rassurant et apaisant.

Quels pays entreraient encore dans l'Union ?

Je ne veux pas entrer dans le détail, pour en rester au message essentiel : l'élargissement ne concernera encore que quatre ou cinq pays, *puis cela s'arrêtera.* L'Union sera constituée. S'agissant de la Roumanie et la Bulgarie, l'adhésion a été bâclée, de même que l'entrée de la Grèce dans la zone euro.

Pensez-vous qu'il faut revenir à un noyau dur de six pays, comme le propose par exemple l'ancien ministre UMP Laurent Wauquiez ?

Il faut en tout cas pouvoir en débattre malgré ceux qui refusent le débat et hurlent à la dérive. Mais le seul noyau dur possible, c'est la zone euro, car personne ne voudra être dans l'écorce molle !

Les Suisses ont montré leur défiance le 9 février dernier en votant contre « l'immigration de masse ». La Commission a-t-elle eu raison de pratiquer des rétorsions immédiates en suspendant la participation de la Suisse aux programmes Erasmus+ et au programme de recherche Horizon 2020 ?

D'abord, je suis persuadé qu'une initiative libellée de la même façon contre « l'immigration de masse » obtiendrait des résultats assez comparables dans presque toute l'Europe. Ensuite, j'ai trouvé choquante la réaction de la Commission. Elle a été étroitement juridique, ne faisant preuve d'aucune compréhension psychologique ou politique. C'est typique de cette arrogance européiste technocratique et de mépris pour les électeurs qui a creusé un gouffre entre les élites et les populations. C'est le contraire de ce qu'il faut faire et dire ! Je ne dis pas que le vote suisse doit être applaudit, il pose des problèmes très compliqués ! Mais la démocratie, c'est la démocratie. Le ton n'était pas tolérable. Après, bien sûr, la Commission et la Suisse doivent discuter et négocier sérieusement, car le vote suisse peut être en contradiction avec les accords passés et remettre en cause certains avantages négociés. Dans ce cadre, la Commission en tant que gardienne des traités serait parfaitement dans son rôle. Mais pas sur ce ton !

Repenser l'interventionnisme

Pour *Le Monde*, Hubert Védrine propose de « repenser l'interventionnisme » à la lumière des interventions occidentales des vingt-cinq dernières années[1].

Au cours des dernières décennies, plusieurs pays non occidentaux sont intervenus militairement : l'Inde ; le Vietnam (au Cambodge) ; la Libye ; la Russie en Géorgie et, de façon indirecte, en Crimée ; le Rwanda (en RDC) et aussi Israël au Liban, en Irak, en Syrie ou à Gaza.

Mais, depuis la fin de l'URSS, dans les années 1989-1991, c'est surtout l'Occident qui, n'ayant plus à craindre un ennemi à sa taille, s'est beaucoup « ingéré », et est intervenu dans d'autres pays, en s'affranchissant, pour des raisons humanitaires ou de droit international, du respect de la souveraineté nationale. Certes les Occidentaux ne sont pas intervenus militairement, ni dans les guerres civiles libanaises ou algériennes, ni en Yougoslavie de 1991 à 1995, ni dans la plupart des guerres civiles ou régionales en Afrique (Angola, Mozambique, Grands Lacs, Somalie, Érythrée, Liberia, Kivu, Soudan, etc.), ni plus récemment en Syrie, ou en Crimée, sans même parler de la Tchétchénie, du Sinkiang, du Tibet ou du Proche-Orient. Mais ils l'ont fait néanmoins plus d'une dizaine de fois, à l'initiative d'un seul pays,

---

1. Article paru dans *Le Monde*, mai 2014.

ou de plusieurs, de façon unilatérale, ou légitimée par le Conseil de sécurité au titre du Chapitre VII : au Rwanda, face à l'Ouganda et au FPR en 1990-1993 (France, Belgique) ; au Koweït contre l'Irak en 1991 (États-Unis et une large coalition occidentale et arabe) ; en Somalie (États-Unis, *Restore Hope*) ; au Rwanda en juin 1994 (la France, pour des raisons humanitaires) ; au Kosovo en 1999 (les Occidentaux contre Milosevic) ; en Sierra Leone en 2000-2002 (la Grande-Bretagne, pour mettre fin à une guerre civile) ; en Afghanistan en 2001 (les États-Unis au début, pour abattre les talibans ; une coalition et l'OTAN après, pour sécuriser et redresser le pays) ; en Irak en 2003 (les États-Unis et la Grande-Bretagne contre Saddam Hussein) ; en Libye en 2011 (la France et la Grande-Bretagne pour prévenir le massacre de Benghazi) ; au Mali en 2013 (la France pour stopper les djihadistes) ; en RCA en 2014 (la France pour prévenir une guerre civile). On peut y ajouter l'opération anti-piraterie Atalante dans l'océan Indien, décidée par le Conseil européen en 2008, quelques opérations européennes ponctuelles sous couvert de l'ONU en Afrique, en particulier en RDC.

Il se trouve que ces interventions ont eu lieu pour l'essentiel dans des pays musulmans, en Afrique ou au Moyen-Orient, accessoirement dans les Balkans, et que leurs initiateurs ont été les États-Unis, la Grande-Bretagne, et/ou la France, même si d'autres pays occidentaux ont pu y participer ponctuellement. La France a été un des pays les plus interventionnistes, peut-être en raison de l'engouement chez elle, pendant longtemps, du concept d'ingérence, et de la croyance de ses élites dans sa « mission universelle ».

Quelques-unes ont été décidées et menées de façon unilatérale, sans que l'accord du Conseil de sécurité ait été sollicité, ou sans qu'il ait été obtenu : États-Unis en

Irak en 2003 et, longtemps avant, la France au Tchad en 1985-1986 (contre Kadhafi) et au Rwanda/Ouganda en mai 1990 (pour prévenir la guerre civile). Cependant, la plupart ont été décidées dans le cadre du Conseil de sécurité, ou ratifiées par lui, à commencer par l'intervention internationale contre l'Irak au Koweït en 1991, jusqu'aux interventions franco-britanniques ou françaises en 2011, 2012, 2013 et en 2014 en Lybie, au Mali et en RCA, sans oublier l'opération Turquoise en RDC/Rwanda en 1994 et celle en Afghanistan en 2001. Cependant, l'intervention occidentale au Kosovo en 1999 fut *hybride* : dix-huit mois de négociations infructueuses, une conférence de la dernière chance, deux résolutions au titre du chapitre VII condamnant l'action de Milosevic (et les provocations albanaises) mais n'autorisant expressément pas que « tous les moyens » – formule sacramentelle pour l'emploi de la force – soient utilisés.

Les dirigeants occidentaux ont toujours présenté ces interventions à leurs opinions comme étant menées *au nom de la « communauté internationale »*, ce qui n'est formellement exact que quand les cinq membres permanents sont d'accord. Pour répondre aux exigences de la partie la plus militante de ces opinions (médias, ONG, intellectuels médiatiques), et convaincre le grand public en général plus réticent, ils ne les justifient pas par des intérêts vitaux, mais par des exigences martiales et éthiques : ne pas accepter l'inacceptable, ni justifier l'injustifiable, punir, sanctionner, quand il ne s'agit pas d'arrêter un « nouvel Hitler » ou de refuser un « nouveau Munich », être fidèle à nos valeurs, etc.

Bien sûr, ni les Russes (Géorgie 2008, Crimée 2014), ni les Israéliens (Plomb durci, 2008-2009, 2012), ni le Tchad chez ses voisins, ni le Rwanda et l'Ouganda (au Kivu, après 1994) n'ont eu recours à ce type de justification.

Avec le recul, peut-on considérer que ces interventions ont atteint leurs objectifs, d'ailleurs variables ?

En 1991, la coalition a expulsé l'Irak du Koweït et rétabli la souveraineté du pays, et l'émir sur son trône. L'intervention au Kosovo en 1999 a mis fin aux exactions serbes, mais a déclenché, au-delà de « l'autonomie substantielle », un processus controversé mais irréversible d'indépendance du Kosovo, largement du fait de l'obstination de Milosevic. La Grande-Bretagne a mis heureusement fin à la guerre civile en Sierra Leone. L'intervention préventive française au Rwanda en 1990 semblait avoir atteint son but : le compromis politique, imposé par les accords d'Arusha de 1993, mais l'assassinat du président Habyarimana le 7 avril 1994 réduisit à néant les efforts des quatre années précédentes, même si l'opération Turquoise lancée en juin 1994 devant la carence de « la communauté internationale » a quand même sauvé beaucoup de vies. L'intervention américaine en Afghanistan en 2001 a atteint son objectif premier : renverser le régime taliban qui avait abrité Al-Qaïda, mais le « *nation building* » de l'Afghanistan, but théorique de l'opération américaine et internationale ultérieure, était sans doute hors de portée.

En 2003, les Américains ont aisément écrasé Saddam Hussein, mais n'ont pu empêcher que le long chaos qui s'en est suivi aboutisse, en 2014, à un Irak chiite, proche de l'Iran et de la Syrie alaouite ! L'intervention en Libye en 2011 a bien empêché le massacre annoncé de Benghazi, mais, du fait du jusqu'au-boutisme de Kadhafi comme de la dynamique des combats, a entraîné, au-delà des termes littéraux de la résolution du Conseil de sécurité, la chute du régime, et aggravé par là la déstabilisation du Sahel. Au Mali, l'intervention militaire française pour stopper la menace djihadiste et restaurer l'intégrité territoriale a été radicale, mais la question politique touareg reste à résoudre. En RCA, l'intervention française a été courageuse, mais la situation est très périlleuse et une sortie par le haut devra être trouvée : une tutelle internationale ?

Dans l'océan Indien, l'opération Atalante contre la piraterie est efficace et n'est pas critiquée. La marine française agit de même, utilement, dans le golfe de Guinée. Au total donc, à part l'intervention de la coalition au Koweït en 1991, l'opération Atalante, et la première phase de celles qui ont eu lieu en Afghanistan et en Libye – mais était-ce séparable de la suite ? –, presque toutes les autres, qu'elles aient ou non entraîné un changement de régime, ont eu des effets contrastés, fragiles, ou contre-productifs.

Ces opérations ont-elles été soutenues par les opinions ?

De moins en moins. On constate deux phénomènes d'usure : le premier se traduit par la contestation croissante par de grands pays émergents, comme la Chine, l'Inde, le Brésil ou l'Afrique du Sud et d'autres, de la légitimité des Occidentaux à déclencher et mener, même légalement, de telles opérations (même si la Chine est aussi gênée par le recours à l'auto-détermination en Crimée). On peut juger leur attitude archéo-tiermondiste, mais elle existe. D'autre part, la capacité des « néo-conservateurs », « *liberal hawks* », ou partisans de l'ingérence, à chauffer à blanc les opinions occidentales, via des médias acquis à leur cause, et donc à contraindre les décideurs à des interventions militaires, s'érode. Même si elle affirme vouloir assumer mieux ses responsabilités internationales, l'Allemagne ne referait sans doute pas aujourd'hui ce qu'elle a fait au Kosovo, avec G. Schröder et J. Fischer. L'Irak et l'Afghanistan sont passés par là.

Par conséquent, dans un monde où les Occidentaux n'ont plus le monopole de la puissance, même s'ils revendiquent celui de l'éthique et de l'indignation, il sera de plus en plus difficile pour eux d'intervenir. Fatigue, désenchantement, soucis économiques, isolationnisme ancien ou nouveau, pacifisme, pèsent de plus en plus aux États-Unis comme en Europe. Il sera plus difficile d'obtenir l'accord des cinq membres permanents, a fortiori quand le Conseil de sécurité aura été – un jour – élargi (voir les Livres blancs des grands émergents). Mais *même dans ces cas-là*, où, donc, par hypothèse, la légalité internationale serait respectée, leurs opinions intérieures, préoccupées par d'autres problèmes, ou désabusés par l'expérience, seront de plus en plus difficiles à convaincre (exemple des frappes avortées sur la Syrie, qui n'auraient été soutenues par la majorité de l'opinion dans aucun des trois pays intervenants). Les Européens auront toujours du mal à se mettre d'accord sur des interventions extérieures autres que des sanctions, sortes de « drones » diplomatiques qui frappent à distance, et encore. A fortiori pour des interventions unilatérales peut-être moralement légitimées par l'horreur de ce à quoi on voudrait mettre fin, mais dépourvues de légalité internationale, comme cela aurait été le cas en Syrie.

Le soutien des opinions ne sera acquis que pour contrer des menaces directes précises, avérées, imminentes, sur le territoire national, ou contre des intérêts vitaux. La liberté de navigation maritime (et donc Atalante, et le golfe de Guinée) peut en faire partie.

Quand on voit en quels termes insensés la France est encore accusée, vingt ans après, à propos du Rwanda, alors qu'elle a été le seul pays au monde qui a essayé de stopper, dès son début, la guerre civile rwandaise, d'imposer un compromis politique aux protagonistes (Arusha) et de sauver des vies, on est tenté de recommander à l'avenir le moins d'interventions possible...

Le durcissement récent d'Obama sur l'Ukraine ne doit pas faire illusion ; Poutine lui offre un prétexte pour se montrer ferme à peu de frais pour lui et démontrer au Congrès, dont il a besoin pour ce qui compte vraiment pour lui, la réussite du processus iranien, et à tous ceux qui doutent de lui, son *leadership*. Mais sauf vraie escalade à la frontière russo-ukrainienne, cela n'annonce pas un nouveau cycle d'interventionnisme occidental.

Les Occidentaux, les Européens et donc nous aussi, les Français, devons donc nous préparer à des moments d'impuissance crucifiants (Syrie) ou, plus banalement, d'humiliation. Mais l'Occident aura du mal à se penser indépendamment de son prosélytisme et de son ambition universelle (« *catholikos* ») et à défendre seulement ses intérêts vitaux, de sécurité, ou économiques.

Donc, si nous voulons conserver la capacité d'intervenir encore demain, quand il le faudra absolument, nous devrions tirer, avec les autres intervenants les plus fréquents (États-Unis, Grande-Bretagne), les leçons des interventions, et des non-interventions, passées, pour se mettre d'accord de façon convaincante et consensuelle sur *qui* pourra intervenir légitimement à l'avenir (quels pays, quelle alliance, quelle organisation ?), *dans quels cas, dans quel but, et comment* (décision, mise en œuvre, contrôle).

Sinon, les opinions publiques occidentales y mettront un terme par fatigue isolationniste. Pour le meilleur et pour le pire.

Europe et européisme

À partir de 2014, après les européennes, Hubert Védrine distingue de plus en plus l'Europe et l'européisme, et estime que c'est ce dernier qui a rendu les peuples allergiques. Il propose un plan pour sauver l'Europe des « européistes[1] ».

Sauf révision radicale, l'Europe, ce projet nécessaire (le contraire d'un rêve !), va se déliter et chavirer si elle est laissée aux mains des « européistes ». Les européistes ? Ceux qui veulent toujours « plus d'Europe », une « Union sans cesse plus étroite », et que l'Europe soit gouvernée de Bruxelles, les gouvernements nationaux étant ramenés au rôle d'un « Sénat ». Qui répètent, obstinément, depuis vingt ans, les mêmes arguments inopérants, suivis après chaque scrutin des mêmes lamentations. Qui refusent de voir que la répétition mécanique de slogans éculés, les incantations, la grandiloquence historique, l'injonction d'avoir à voter « bien », et la stigmatisation de ceux qui s'apprêtent à mal voter – « l'excommunication des populistes » (Paul Thibaud) – n'ont aucun effet, ou même l'effet inverse. On peut être vraiment européen sans être « européiste ».

Exemple d'argument vain : « L'Europe, c'est la paix. » Si cela signifie que c'est l'Europe qui a fait la paix, c'est

---

1. Tribune parue dans *Rue 89* le 6 juin 2014. Propos recueillis par Pierre Haski

inexact. L'Europe était le champ de bataille. Ce sont l'URSS puis les États-Unis et leurs alliés qui ont vaincu Hitler et imposé la paix, et les États-Unis qui ont créé, avec le plan Marshall, la matrice de la coopération nouvelle entre Européens d'après-guerre. Premiers pères fondateurs : Staline et Truman ! Affirmer que c'est « l'Europe » qui a empêché une nouvelle guerre n'est pas convaincant non plus. Il n'y a jamais eu, depuis l'après-guerre, le moindre risque de guerre entre Européens de l'Ouest, dans la même alliance militaire depuis 1949, et tous guéris du nationalisme et préoccupés de reconstruction économique. S'il y a eu un risque de guerre en Europe, cela était du fait de l'affrontement entre les États-Unis et l'URSS, et ce n'est pas « l'Europe » qui nous en a protégé, mais l'Alliance atlantique et la dissuasion nucléaire. L'Europe n'est pas la mère de la paix mais sa fille. Tout au plus peut-on dire que la construction européenne a transformé une paix américaine qui aurait pu rester froide en une union. Ce n'est pas rien. Mais que signifie alors en 2014 « l'Europe, c'est la paix » ? Est-ce à dire qu'en cas de tension, de désaccord grave, de mauvais vote, etc., on risque la guerre ? Ce n'est pas sérieux ! Et donc cela ne déplace pas une voix.

Tout est à l'avenant. La diabolisation du Front national a ainsi échoué, et l'a même alimenté, etc. On a parlé de séisme, de honte, de tsunami en raison des 25 % atteints par le Front national le 25 mai. Que celui-ci plastronne et triomphe ne peut étonner. Mais pourquoi les autres entrent-ils dans son jeu ? Sur 41,1 millions d'électeurs (et 65 millions d'habitants), le Front national a recueilli 4,71 millions de voix : moins que les 4,8 millions de Jean-Marie Le Pen en 2002, ou que les 6,4 millions de Marine Le Pen en 2012. C'est beaucoup, mais ce n'est pas une progression. Écrire cela n'est pas relativiser, mais être exact. Jamais il n'aurait atteint optiquement 25 % si l'abstention n'avait pas été aussi massive : 23 millions d'électeurs (56,5 %, contre 59,37 % en 2009). On dit que les abstentionnistes auraient voté dans les mêmes proportions. C'est improuvable. Le raisonnement vaut pour plusieurs autres pays européens. Le problème principal n'est donc pas le « triomphe des europhobes », qui est une résultante apparente, mais le décrochage massif des sceptiques, au sens vrai du terme : au moins 60 % puisqu'on doit y ajouter aux abstentionnistes pas mal de votants.

Que faire ?

Persévérer à l'identique, se satisfaire de ce que le Conseil européen soit peut-être obligé de désigner comme président de la Commission le candidat du parti arrivé en tête au nom de la démocratisation, ré-évoquer dans la précipitation tout ce que l'Europe doit faire pour répondre aux peuples, c'est-à-dire un peu tout ce qui ne va pas, c'est entretenir l'idée démoralisante que tout se joue au niveau européen, que « l'Europe » va se substituer à nos propres États nationaux et nous dispenser de nos efforts et, au total, préparer de nouvelles désillusions et un rejet encore pire. Mais en quoi alors consisterait une « révision radicale » capable de détacher les « sceptiques » des phobiques ? D'abord, que le Conseil européen décrète une pause – à l'exception de l'harmonisation dans la zone euro – qui s'imposerait à la Commission, au Parlement et à la Cour de justice pour que les peuples comprennent qu'il n'y a plus de téléologie, de processus aveugle et inarrêtable qui vampirise identités et souveraineté. Pas de nouveau traité. Plus d'abandon de souveraineté, mais exercice en commun, et qu'on cesse d'exiger à tout propos « plus d'Europe » (perçu comme moins de France, etc.), une « Union sans cesse plus étroite », « plus d'intégration » (comme si ce terme était attractif), d'invoquer des slogans fumeux comme les « États-Unis d'Europe » (les deux processus historiques n'ont rien à voir). Qu'un coup d'arrêt soit donné au nivellement intrusif des modes de vie sous prétexte des exigences de la concurrence aveuglement interprétées, que les demandes de directives émanent des institutions communautaires... ou de certains États-membres eux-mêmes (la concurrence, au cœur du conflit droit/démocratie). Une pause de l'élargissement serait annoncée pour dix ans (et le poste de commissaire laissé vacant pendant ce temps-là). Il s'agirait d'un véritable compromis historique entre les élites européennes ou européistes et les populations.

Il faut être prêt à la crise pour cela, le sauvetage du projet européen en dépend. Mais aussi clarifier plus : il serait demandé à d'anciens dirigeants européens d'indiquer les compétences ou les processus qui pourraient être restitués aux États-membres. En attendant, la Commission se tiendrait strictement à ses compétences dans un esprit de subsidiarité. Moins d'attentes excessives et confuses envers « l'Europe », un recentrage, générera moins de déceptions et de rejets.

La capacité des vingt-six États-membres de Schengen à assumer leurs engagements serait vérifiée, comme on l'a fait pour les banques. Une politique cadre de gestion par quotas des flux migratoires serait ensuite définie dans ce cadre et concertée, en fonction de la conjoncture économique, avec les pays de départ et de transit.

Enfin, l'Union se concentrerait sur l'essentiel, là où le niveau européen a une réelle valeur ajoutée. D'abord, l'harmonisation économique dans la zone euro, contrôlée par les parlements nationaux et le Parlement européen, avec une « *policy mix* » qui associerait assainissement des finances publiques à un rythme soutenable, et croissance.

Une impulsion ciblée serait donnée dans trois domaines-clefs : là où l'Union peut aider à préparer l'avenir (formation, recherche, innovation, transition écologique) sur de nouveaux grands projets (énergie) ; et sur ce qui permet à l'Union de peser plus et mieux dans le monde. Sur le traité États-Unis/Union européenne, l'Union européenne doit négocier avec vigilance et exigence, mais ne pas avoir peur de négocier. Sur les grandes questions de politique étrangère, les États les plus antagonistes seraient chargés de préparer une synthèse, sur le modèle de Saint-Malo.

Cette réorientation radicale est possible à condition que des compromis (Hollande/Merkel, Hollande/Cameron, Merkel/Cameron, etc., selon les cas) soient trouvés. En aucun cas, on ne s'en remet à l'Europe. C'est une politique française dans et pour l'Europe. Les peuples européens se réapproprient le projet, et vers 2020, on verra s'ils veulent aller plus loin.

Les musulmans de France
peuvent jouer un rôle historique

Réagissant au tueries de *Charlie Hebdo* et de Vincennes, Hubert Védrine estime qu'il faut assécher le vivier français du djihadisme, mais aussi que les musulmans de France peuvent jouer un rôle historique en surmontant leur peur de l'amalgame et en s'engageant[1].

Les Français ont réagi de façon magnifique aux tueries liberticides et antisémites de *Charlie Hebdo* et de Vincennes. Ils ont montré qu'ils comprenaient que la liberté satirique était au cœur de la liberté d'expression, et même des libertés tout court. Si prompt d'habitude à se diviser et à s'auto-déprécier, ce peuple tout entier, du président de la République et du ministre de l'Intérieur aux centaines de milliers de manifestants, de simples citoyens en passant par la classe politique et les admirables forces de l'ordre, c'est-à-dire tout le monde, a trouvé le ton, les mots, l'attitude pour proclamer qu'il ne se soumettrait pas, qu'il ne se laisserait pas « terroriser » et qu'il ferait barrage au fanatisme. Fierté française !

La solidarité internationale a été considérable, émouvante, spectaculaire, dimanche, et l'admiration justifiée. Cet élan collectif a néanmoins fait ressurgir un clivage

---

1. Article paru dans *Le Monde*, 13 janvier 2015.

politique qui aurait pu être évité entre les partisans d'une vraie « union nationale », c'est-à-dire sans aucune exclusive, et d'un « front républicain », sans ou contre le Front national. Une partie de la classe politique ne se résigne pas en effet à se priver de ce discriminant identitaire, véritable panacée éthique. C'est pourquoi le président et le Premier ministre ont eu raison de dire que les participants viendraient dimanche en tant que citoyens et pas à l'appel d'organisations. Mais n'est-il pas manifeste que la vieille stratégie de stigmatisation du Front national, même si elle est moralement compréhensible, a échoué ? Sans parler des sondages, chaque élection le démontre. Ne pourrait-on pas enfin admettre que le Front national se nourrit précisément de son ostracisation par ces élites que son électorat, en particulier, rejette ? Qu'il prospère dans l'exclusion, réelle ou prétendue ? Et que, sans doute, il aurait plus à redouter d'une normalisation (déjà en partie actée par les électeurs) et d'une banalisation qui lui feraient perdre sa sulfureuse attractivité transgressive ? Mais laissons là ce débat : le piège principal, sémantique et réel, dont il nous faut sortir, nous, y compris les musulmans de France, soumis au chantage de mouvances extrémistes, est celui de l'imbroglio : islam/islamisme/islamophobie. Ce n'est plus possible de continuer à faire comme si les nouveaux nihilistes/djihadistes ne se réclamaient pas d'une interprétation de l'islam, et non du terrorisme en général, ou d'une autre religion révélée (ce qui a pu exister à d'autres époques), interprétation certes délirante et dévoyée, mais qu'aucune autorité religieuse sunnite n'arrive à endiguer et à éradiquer. Le nier par naïveté, ignorance, précaution, peur de l'islam radical ou de « l'islamophobie », par incompréhension radicale (les Européens ne comprennent plus vraiment la foi, la croyance ni des notions comme le blasphème ou le tabou, nos tabous actuels n'étant pas religieux), revient à abandonner en pleine bataille l'immense majorité des musulmans et, a fortiori, les modernisateurs musulmans, si courageux. Car il n'y a pas de pape sunnite pour excommunier Daesh, Al-Qaïda ou tout autre mouvement d'assassins pseudo-justiciers ! Ni même de concile musulman, ou de consistoire musulman avec certains pouvoirs théologiques. Et pourtant, il est vital que les modernes, les pacifiques et les éclairés finissent par l'emporter dans cet immense affrontement mondial au sein de l'islam (rappelons ici que les trois quarts des victimes du terrorisme se réclamant de l'islam sont des musulmans), où la France et l'Europe sont un champ de bataille important, endeuillé, mais périphérique.

La réponse doit être multiple : résister, se protéger mieux, réformer, intégrer. Il faut tout faire pour favoriser les partisans d'un islam ouvert, voire des Lumières, soutenir leur contre-propagande anti-haine à l'école, sur les réseaux sociaux, en prison, améliorer la désintoxication des endoctrinés, la formation d'imams modérés, la transmission des valeurs de tolérance. Et nous abstenir aussi, sur tous les plans, de tout ce qui peut les affaiblir, ce qui dans certains cas nous placera devant nos contradictions nationales ou internationales.

Ensuite, cette affreuse tragédie peut donner aux musulmans de France un rôle historique, une occasion exceptionnelle de s'affirmer, de s'affranchir des peurs ou des colères (fussent-elles justifiées), d'éradiquer les dérives mortifères : et si c'était ainsi, par une sorte de catharsis, et maintenant, que naissait du drame sublimé de janvier 2015 l'islam républicain de France ? Pas seulement celui des « institutions » ou des notables, mais celui du peuple des musulmans de France, bien que beaucoup d'entre eux ressentent un malaise évident, grâce au cadre structurant, protecteur et propice de la République. C'est comme cela, et pas par des interdits sémantiques, que les amalgames islam/islamisme deviendront impossibles. Quel renfort pour l'islam éclairé, quel exemple (en attendant une vraie réforme de l'islam), et quel rayonnement pour la France !

Cela impose alors aux responsables politiques et économiques français comme de la société tout entière, sans doute dorénavant capable de cette générosité, d'intégrer vraiment, en un petit nombre d'années, la partie de la jeunesse musulmane française qui est à l'abandon, voire à la dérive, qui se sent à tort ou à raison discriminée, qui demande du respect autant que des emplois, de priver ainsi de proies vulnérables les recruteurs de la haine et de la mort, et d'assécher le vivier du djihadisme nihiliste. Offensive qui sera de longue durée, économique, sociale, éducative, culturelle et théologique. Un consensus national devrait pouvoir être forgé pour mener cette politique.

Sur la francophonie

Hubert Védrine fait un bilan sans fard de la franco-phonie[1].

L'avenir de notre langue, ce n'est pas important seulement une semaine par an ! C'est un enjeu vital, et la situation ne se présente pas très bien.

C'est vital, parce que notre langue française est un trésor, élaboré et enrichi au fil des siècles, qu'elle est devenue une des grandes langues mondiales de culture, de civilisation et d'échanges ; que notre identité profonde, qu'on voulait chercher on ne sait où, au prix de controverses sans fin, se trouve d'abord là. Et que l'affrontement mondial entre l'uniformisation ou, au contraire, la diversité culturelle et linguistique, bat son plein.

Oui, quoi qu'en pensent les ricaneurs ou ceux qui s'en moquent, notre langue est menacée, et les réponses à ces périls ne sont pas forcément les bonnes.

D'abord elle est littéralement envahie par des hordes de mots anglo-américains, par ce que l'on appelle le *globish*, une sorte de sous-américain d'aéroport qui s'éloigne d'ailleurs chaque jour du vrai anglais, au grand dam des Britanniques. Dans le monde économique, en particulier dans ce que l'on appelle le langage « corporate », c'est-à-dire de l'entreprise, c'est devenu caricatural, voire grotesque,

---

1. « Le monde selon Hubert Védrine », France Culture, 9 avril 2015.

135

mondialisation oblige, paraît-il ! C'est vrai aussi dans la com', dans les médias, etc. Il y a des cas où ces mots apportent quelque chose en plus, mais, le plus souvent, ils sont repris par complexe et par paresse. En réaction à cette invasion, les défenseurs intégristes de la langue française se sont arc-boutés depuis longtemps en priorité, sur un mode pathétique, contre cette invasion de mots. Or, il y a eu, au fil du temps, beaucoup de mots étrangers introduits dans la langue française. Par exemple, à la Renaissance, des milliers de mots italiens. Ou, à l'origine, des milliers de mots français dans la langue anglaise, dont certains nous sont revenus après, comme : budget, de *bougeotte* ; flirter, de *conter fleurette*, etc. Mais pendant longtemps on avait gardé la force de franciser ces mots, *violone* devenant violon. Ce qui est grave aujourd'hui, c'est que, par oubli des racines de notre langue, on a largement perdu cette capacité, mis à part « ordinateur » ou « logiciel », « courriel », on verra. Maintenant, c'est le sens de la langue, sa structure même, sa syntaxe, son logiciel on pourrait dire, qui sont atteints, et cela au moment même où le français appauvri du « 20 heures » et son vocabulaire restreint s'impose comme langue de tous les jours, ce qui s'ajoute aux tics de langage, aux formules creuses et mécaniques. Même dans l'administration : on entend pousser un message, comme dans « *to push* » ; circuler un *draft*, au lieu de faire circuler un projet, impacter, initier, décimer au lieu d'exterminer ; chez les jeunes, « rendez-vous » en anglais est remplacé par « *date* » en français, positive attitude, « invertion » à l'anglaise. Ce ne sont que quelques exemples. C'est du modernisme pour sous-développés !

Il ne faut pas s'y résigner.

Malheureusement, voilà, les élites économiques françaises trouvent, par snobisme et pseudo-utilitarisme, ce combat ridicule et dépassé. Abdou Diouf regrettait d'ailleurs que les Français soient parmi les francophones les plus indifférents au sort du français ! Les Québécois, les Africains qui prennent le sujet plus au sérieux, en savent quelque chose !

Dans les institutions européennes, malgré nos efforts, le français a perdu un peu plus de terrain à chaque élargissement. Bien sûr, il y a l'OIF, l'Organisation internationale de la francophonie, qui regroupe 80 pays, en principe francophones, et fait de son mieux. Une petite ONU. Mais cette institution multilatérale assez coûteuse se passionne surtout pour les actions politiques, économiques, sociétales entre francophones, et toutes les bonnes causes du moment.

Attention à ne pas oublier le socle : la francophonie linguistique. Cela a l'air tout bête, mais c'est le préalable. Il faut que des centaines de millions de gens dans le monde aient toujours envie, besoin, et les moyens d'apprendre le français. Sinon, comme le disait Jacques Attali dans un rapport récent très lucide sur la francophonie et la francophilie, ce ne sont pas 800 millions de gens qui parleront français en 2050, mais au grand maximum 200 millions ! Ce combat pour la diversité linguistique est tout sauf ringard. C'est ce que pensent les hispanophones, ou les Chinois, entre autres, beaucoup plus offensifs. Nous n'avons donc pas besoin d'une francophonie grincheuse, ni peureuse, ni bureaucratique, mais d'une francophonie décomplexée, vivante, créatrice et ambitieuse !

Il faudrait que les Français en soient les premiers convaincus.

Sur l'immigration

Hubert Védrine estime que le moment est venu pour les Européens de se montrer audacieux en matière d'immigration[1].

Voir la Méditerranée transformée en cimetière marin pour tant de ceux qui cherchent la terre d'asile, ou de cocagne, européenne, est un tel choc qu'il va – peut-être – sortir l'Europe de sa longue léthargie stratégique et de ses abstractions généreuses mais éthérées et largement stériles sur l'humanité. En surmontant ses contradictions sur les migrations, l'Europe se métamorphoserait et se grandirait.

Que faire pour cela ?

Il n'y a pas « une » mesure miracle, mais un ensemble d'actions à définir, à expliquer et à mener. Chacune nécessite de trancher entre pays européens, ou entre institutions européennes, ou entre opinions et gouvernements, ou entre bureaucraties, et donc du courage politique. L'ensemble constituerait la politique européenne de l'asile et de l'immigration, crédible, assumée et durable, qui fait défaut.

D'abord prendre la *juste mesure* du phénomène. Distinguer systématiquement asile et immigration. Ne pas oublier que c'est un phénomène *mondial* (Nigeria, Afrique

---

1. Texte paru dans *Le Monde*, 4 mai 2015.

139

du Sud, Australie, Rio Grande, etc.), et pas seulement européen. 80 à 90 % des déplacés, dans le monde, le sont dans les pays du « Sud ». C'est le Pakistan qui accueille le plus grand nombre de réfugiés au monde. Les chiffres de l'immigration dans l'Union européenne, depuis l'extérieur de l'Union européenne, restent limités : autour d'1,7 million, pas plus que de migrants au sein de l'Union. On en comptait, en 2012, 327 000 pour la France (contre 592 000 pour l'Allemagne, et 498 000 pour le Royaume-Uni). Les « stocks » d'étrangers déjà présents dans un pays de l'Union européenne sont d'une trentaine de millions, dont une vingtaine seulement venus de pays extérieurs à l'Union européenne. Il y a 500 millions d'Européens : sur un plan *quantitatif*, ces flux sont donc gérables. Ils sont économiquement précieux pour pourvoir les emplois non qualifiés vacants, et des emplois très spécialisés. Mais c'est *politiquement* et *psychologiquement* explosif dans nos sociétés démocratiques fébriles (information continue, hystérisation, exploitation des émotions), dans une Europe inquiète, sur la défensive, et qui se sent, à tort ou à raison, menacée dans son identité et son mode de vie par une mondialisation sauvage (flux financiers, humains, économie casino, extrémisme islamiste, compte à rebours écologique, etc.).

Comment concilier tout cela ?

Les peuples d'Europe attendent de leurs dirigeants qu'ils mettent de l'ordre dans cette mêlée mondiale confuse, où il leur semble que personne ne maîtrise plus rien, ce qui alimente fureur et votes protestataires.

D'abord, en urgence, arrêter les noyades. Par quels moyens ? Accroître les moyens maritimes de repêchage. Empêcher les départs par un contrôle accru des navires (opération Triton multipliée par 3), voire un blocus maritime des ports de départ (pourquoi pas par la VIᵉ flotte américaine), ou une coalition maritime ad hoc (type Atalante), et une destruction des rafiots repérés. Il n'y a évidemment pas de solution militaire d'ensemble, mais ne rêvons pas : un recours à la force sera à un moment ou à un autre inévitable.

Ensuite re-responsabiliser les gouvernements des pays de transit de la rive sud, ou de l'est de l'Europe. C'est déjà le cas de la plupart d'entre eux : le Maroc, l'Algérie, la Tunisie, l'Égypte, la Turquie (elle accueille le plus grand nombre de réfugiés syriens, il ne faut pas l'oublier au moment où elle a si mauvaise presse). Le problème majeur, c'est la Libye. La France, qui fait déjà tant, n'a pas à être en première ligne (elle contrôle avec l'opération Barkhane la frontière avec le Niger). Mais elle peut appuyer plus le médiateur de l'ONU, Bernardino Léon, qui travaille à un accord entre les deux gouvernements, et les tribus. La cohésion et la pression conjointes des pays voisins (Italie, Égypte, Algérie, Niger, Tchad, Tunisie, France et États-Unis, via leur VIᵉ flotte), comme les menaces militaires égyptiennes, peuvent inciter les protagonistes au compromis politique et permettre finalement la réapparition en Libye d'un partenaire responsable. Il faut, en parallèle, démanteler systématiquement les réseaux, en remontant pour cela toute la chaîne, des pays d'arrivée jusqu'aux pays de recrutement.

Mais tout cela ne marchera, avec le temps, qu'à condition que soient prises deux grandes initiatives.

D'abord sur l'asile. Les pays de l'Union européenne, et d'abord de Schengen (après qu'on a testé leur capacité à contrôler leurs propres frontières), devraient harmoniser les règles de l'asile en Europe et les faire connaître et les gérer en amont, dans des « portes légales d'entrée » dans les pays de premier asile. Qu'est-ce qui nous empêche ? Aucune divergence de fond !

Par ailleurs, sur l'immigration économique, entamer au sommet une grande concertation qui existe déjà au niveau fonctionnaires entre des pays de départ (Afrique, Amérique latine, Moyen-Orient, Asie centrale), de transit (Turquie, Balkans, nord de l'Afrique) et d'arrivée (pays de l'espace Schengen, de l'Union européenne). Pour décider ensemble, annuellement, une fois passé les inévitables reproches et procès d'intention, des quotas par métiers, indexés sur les besoins économiques et la capacité d'accueil ; les politiques de visas ; à certains moments, des régularisations raisonnables. Par exemple, en France, il y a environ 300 000 à 400 000 personnes *devenues irrégulières* à l'expiration de leur titre de séjour légal, mais qui sont en majorité insérées et très utiles à l'économie. On éviterait l'appel d'air du fait de la restriction simultanée de l'accès automatique aux avantages sociaux et médicaux, et de la lutte contre les filières.

Qu'attend-on ?

Tout cela nécessite une pédagogie politique intense, franche et crédible, pour faire reculer dans les opinions les approches binaires et manichéennes et décrédibiliser ceux qui exploitent les peurs liées à ce sujet. Exemple : l'immigration n'est en soi ni une chance, ni une catastrophe, elle peut être l'une ou l'autre selon la façon dont elle est gérée et expliquée. L'asile devrait pouvoir être plus généreux (que l'on pense aux Syriens, aux chrétiens d'Orient) et assumé comme tel, mais il ne doit pas être détourné à des fins économiques, sinon il sera rejeté par les opinions, etc.

Il est en même temps nécessaire, car cela est malheureusement lié, de mettre fin à la politique de l'autruche sur le danger islamiste, auquel nos opinions sont à juste titre hypersensibles. C'est important que cette lutte soit clairement assumée depuis janvier 2015, sinon nous risquions un rejet de l'islam tout entier. Et que soit pris un double engagement clair : de l'Europe en faveur des modernistes musulmans ; et de la part de ces derniers, une affirmation plus franche de leurs positions.

On parle toujours de plan Marshall au bénéfice de l'Afrique, d'où proviennent encore tant de candidats à l'immigration, jeunes et courageux, prêts à tous les risques ! Mais il y en a eu plusieurs depuis les années 1960 ! Surtout, on semble oublier les perspectives économiques africaines, extrêmement prometteuses. L'Afrique ne demande presque plus d'aide au développement, mais des accès au marché européen, et des investissements. Le nombre de migrants africains devrait diminuer avec le temps.

Déchirée entre une horreur sincère, une générosité spontanée mais qui ne peut être sans limites, le refus depuis des années d'admettre la brutalité du monde, elle qui croit tant à la « communauté » internationale, et l'obligation de ne pas faire vaciller la démocratie chez elle, l'Europe devrait saisir par les cheveux du drame l'occasion de se métamorphoser, de se montrer forte et généreuse, généreuse parce qu'enfin réaliste et forte. Comme le demande à juste titre Jean-Claude Juncker, il faut aller beaucoup plus loin que les petits pas positifs du Conseil européen du 23 avril. C'est notre mission, et c'est notre intérêt. Il est possible d'en convaincre les peuples d'Europe.

Intérêts et valeurs occidentales

Hubert Védrine affirme comme une provocation délibérée, à rebours de la vulgate, qu'« un pays qui ne défend pas ses intérêts n'est pas pris au sérieux quand il invoque ses valeurs[1] ».

Est-ce qu'il y a une diplomatie de gauche ?

On pourrait dire tout simplement : oui, c'est celle que mènent, ou ont menée, des présidents ou des ministres de gauche. Mais j'entends que votre question, récurrente au sein des gauches européennes, et, à vrai dire, surtout en France, est plus « essentialiste » : est-ce qu'il n'y aurait pas une diplomatie *en soi plus à gauche*. Il y a certainement des gens qui y travaillent, or je vous le dirai sans détour : cela serait commode par certains côtés et on peut certainement avancer quelques idées dans ce sens, mais globalement cela me paraît vain.

Pourquoi ?

Pour plusieurs raisons. D'abord le langage de la diplomatie internationale, depuis le président Wilson, la charte de l'ONU, les sommets, et encore plus depuis la fin de l'URSS, « est de gauche » : « communauté internationale » (même si elle reste un mirage), prévention des

---

1. Texte paru dans *Libération*, 30 mai 2015.

145

conflits, condamnation de l'usage de la force, développement, paix, droits de l'homme, justice internationale, maintenant le climat, etc.

Oui, mais c'est en partie illusoire ou mensonger.

Il n'empêche : difficile de se différencier sur les « valeurs », comme on le dit aujourd'hui, ou les bonnes intentions. Cela fait long feu. Ensuite les questions internationales divisent la droite comme la gauche : jusqu'où faut-il intégrer, élargir l'Europe ? Renforcer la zone euro ? Jusqu'où faut-il soutenir les États-Unis, et quand faut-il leur résister ? Que faire sur Ukraine/Russie ? Faut-il rester très actif pour la paix au Proche-Orient ? Comment se comporter avec les émergents ? Quand, comment faut-il intervenir – par la force ? Résultat : quel est l'élément d'une diplomatie de « gauche » qui ne pourrait être immédiatement repris par tel ou tel candidat de droite ? Et quel marqueur « de gauche » (aux yeux des médias ou des militants) ne diviserait pas la gauche ?

À quoi pensez-vous ?

Prenez les droits de l'homme. Qui en France n'y est pas sincèrement attaché ? Face à un océan de souffrances, nous estimons devoir les défendre partout, c'est-à-dire les propager dans le monde. Mais jusqu'où ? Si c'est notre mission exclusive, et que cela prime sur tout le reste, cela devient du *droit-de-l'hommisme*. Est-ce que cela ne va pas entrer en conflit avec nos intérêts vitaux : de sécurité, économiques, culturels ? Avec cette vieille marâtre de la gauche : la réalité ? Bien sûr que si ! Surtout à une époque où les Occidentaux ont perdu le monopole de la puissance, déclinent *relativement* et sont plus ou moins sur la défensive, face à des peuples qui estiment que leur tour est venu, on le voit chaque jour.

Donc, les droits de l'homme sont un élément de notre diplomatie, pas un absolu, comme tout le reste, y compris le commerce d'ailleurs, sauf la sécurité. Bien sûr on peut faire varier les proportions. Mais je ne crois pas qu'une diplomatie des « valeurs », par exemple, puisse être substituée d'une façon crédible à une diplomatie des « intérêts ». On a vu le danger de cette tendance chez les Occidentaux depuis la fin de l'URSS, avec la multiplication des interventions (parfois contestables). On commence par parler valeurs, mission, et puis c'est les sanctions, l'ingérence… et enfin la guerre, rien ne se passe comme prévu et les opinions décrochent. Ce cycle-là, d'idéalisme et d'*hubris*, s'achève. Tirons-en les leçons. Ne reproduisons pas sans cesse les mêmes errements.

Retournons la contradiction habituelle : un pays qui n'arrive pas à défendre ses intérêts n'est pas pris au sérieux quand il invoque ses valeurs.

Quelles sont les particularités de la politique étrangère française ?

À partir de 1958, le général de Gaulle a refondé une politique étrangère française qui se voulait indépendante et a culminé en 1966-1967. François Mitterrand a assumé ensuite cette politique étrangère, et la dissuasion nucléaire. (On a pu parler ainsi de « gaullo-mitterrandisme ».) Ses fondements, pour résumer, sont : la France est un pays occidental, mais elle n'est pas que cela. Elle est amie, alliée des États-Unis, mais elle n'est pas alignée. Elle est un membre essentiel de l'Union européenne, un de ses moteurs, mais elle n'est pas que cela. Elle a aussi son histoire, ses intérêts propres, son autonomie de pensée et de décision, sa culture, la francophonie, etc. De Gaulle bien sûr, mais aussi François Mitterrand (soutien à la création d'un État palestinien, soutien à Gorbatchev, le bras de fer sur le gazoduc en 1982, refus de la guerre des étoiles), Chirac (Irak 2003), ont su s'opposer à Washington quand il le fallait. Indépendamment de ces temps forts, il y a toujours eu des débats et des désaccords, mais tout autant au sein de chaque camp qu'entre la droite et la gauche, sur l'Europe, l'Afrique, le Proche-Orient, les interventions, etc. Même s'il faut sans cesse l'adapter aux nouvelles réalités de la mêlée mondiale, ce « gaullo-mitterrandisme » modernisé reste la meilleure politique étrangère possible pour un pays comme la France qui ne peut, ni ne veut, dominer le monde, mais a des intérêts importants à défendre, des idées et des propositions originales qui devraient être une part majeure d'une future politique européenne commune. Mais cette politique est moins bien comprise parce qu'elle n'est plus assez assumée telle quelle et expliquée, sauf au cas par cas, tandis que dans l'opinion le réactif et l'émotionnel (information continue, réseaux sociaux, dictature de l'urgence, etc.) l'emportent toujours plus sur la réflexion.

D'où ce que vous disiez sur le « droit-de-l'hommisme » ?

Oui, cela brouille tout et fait perdre tout fil historique en imposant une sorte de tyrannie émotionnelle de l'instantané. Si encore l'adoption de postures *droit-de-l'hommistes* dans quelques pays occidentaux, sur-médiatisées et connectées, permettait d'imposer dans le monde entier un respect durable des droits de l'homme, il faudrait être *droit-de-l'hommiste* ! Mais, comme l'a très bien dit depuis longtemps Marcel Gauchet, cela ne fait pas une politique.

Comme jugez-vous à cet égard les interventions décidées par le président Hollande et sa politique étrangère ?

Courageuses, justifiées et, sans surprise, délicates à gérer dans la durée. Rappelons que l'intervention au Mali était demandée d'urgence par les autorités de Bamako, qu'elle a eu lieu légalement sous mandat de l'ONU (donc avec l'accord des Russes et des Chinois), qu'elle a été militairement remarquable, même si elle ne pouvait résoudre d'un coup de baguette magique des tensions ethniques qui existent depuis l'indépendance. Il en est de même pour le déclenchement de l'opération en RCA. Il n'y a donc aucun reproche à faire à la France, bien au contraire. Il n'empêche que nous sommes exposés en première ligne, et dans tout le Sahel, et qu'il faut tout faire pour impliquer plus, pour la suite, le Conseil de sécurité, l'Union africaine, l'Union européenne. Sur la Syrie en revanche, c'est plus compliqué. Certains affirment que s'il y avait eu des frappes à l'été 2013 contre le régime Assad, après qu'il a utilisé des armes chimiques, les « démocrates », plutôt que les islamistes, auraient gagné. C'est invérifiable. En fait, la France, comme les États-Unis, est un peu coincée.

Quant au reste, on ne peut que se réjouir des succès d'une diplomatie « d'opportunité » au bon sens du terme. Ainsi la visite à Cuba, où Obama ira un jour. Ou l'acceptation par le président Hollande de l'invitation par des monarchies du Golfe furieuses du lâchage de Moubarak par Obama, mécontentes de la volonté de Washington de conclure un « bon » accord avec Téhéran sur le nucléaire, et surtout inquiètes du retour de l'Iran sur la scène régionale et internationale après plus de 30 ans d'auto-marginalisation. C'est de bonne guerre ! Pour autant, il ne faudrait pas sous-estimer la dynamique de l'accord avec l'Iran, s'il est conclu.

Et de vendre des armes et notamment des Rafale à des pays qui ne sont guère exemplaires en matière de démocratie. C'est un commerce comme un autre ?

Le commerce des armes n'est pas du tout un commerce comme un autre et c'est pourquoi il est régi par des règles particulières très strictes. Outre leurs diverses législations nationales, les Européens se sont dotés d'un code de bonne conduite exigeant, qui interdit de vendre des armes à des pays qui pourraient les utiliser contre leur propre population (ce qui n'est pas le cas des avions de combat). La Chine, depuis la répression de Tian'anmen, reste ainsi toujours soumise à un strict embargo. On ne peut donc pas vendre n'importe quoi à n'importe qui. Mais les pays ont le droit de se défendre et de se procurer le matériel nécessaire pour cela ! J'ajoute que les industries de la défense sont en France des prodiges de technologie avancée, l'un des fleurons de la politique industrielle, qui a survécu.

On ne peut pas mener une diplomatie, encore moins relever le commerce extérieur, par affinités idéologiques, en ne vendant qu'aux pays qui partagent nos « valeurs ». N'oublions pas Sartre dans *Les Mains sales* : « Il a les mains propres, mais il n'a pas de main. »

Vous appelez à un « nouveau réalisme » en politique extérieure, qu'est-ce que cela signifie ?

Disons même, en ces temps de cinéma, un « néoréalisme ». Il s'appuierait sur un bilan préalable de l'arrogance et de l'interventionnisme occidentaux des vingt-cinq dernières années (à quelques interventions justifiées près), paradoxal et décalé quand se lève chaque jour un peu plus dans le désordre et le ressentiment un monde nouveau, de moins en moins occidental. Comme celui de cette « *irrealpolitik* » impuissante dans laquelle baignent les gentils Européens. Je reconnais cependant que c'est difficile de concevoir un Occident non prosélyte, tant cela nous est consubstantiel de nous vouloir universels (*catholicos*).

Pourtant, le réalisme, aujourd'hui, c'est d'admettre que nous ne sommes plus les seuls maîtres du monde.

Il y a eu la décolonisation, et maintenant l'émergence de dizaines de pays dont plusieurs vraies puissances, qui veulent prendre leur revanche, peut-être un jour se venger, même si nous restons pour un temps les plus forts et les plus riches (par tête). Nous pensions que les règles pour le monde avaient été fixées une bonne fois pour toutes (par les vainqueurs) à San Franciso (ONU), à Bretton Woods (FMI) et par le marché libre, que nous n'avions plus qu'à imposer le respect de ces règles à tous les nouveaux États. Ce n'est pas le cas. *Le rendez-vous entre les puissances installées et les nouvelles est devant nous.* Il n'y aura pas *une grande* conférence, mais une série d'ajustements douloureux, certains déjà en cours. Il faut agir pour que nos intérêts essentiels – le mode de vie européen et nos convictions – et notre conception de ce que sera la « communauté » internationale (permettant que la vie sur la planète reste possible) pèsent de façon déterminante dans le grand compromis à venir.

Sur l'ONU

À l'occasion des 70 ans de l'ONU, Hubert Védrine dresse un bilan général de l'Organisation et estime que, si l'ONU est si souvent critiquée, c'est qu'elle est victime d'attentes chimériques[1].

Après 70 ans d'existence, quel bilan dressez-vous de l'ONU et de son action ?

Par l'image qu'on se fait d'elles, les Nations unies sont souvent victimes d'une attente disproportionnée et chimérique, d'où découle une grande sévérité. Si on écarte ce type d'approche, on pourrait dire bien sûr que le U de l'ONU est en trop. Les nations ne sont pas unies, pas plus que la SDN n'était une société – elle tenait plus de la jungle. Cela mis à part, je trouve très bien qu'il existe une organisation mondiale dans laquelle figurent toutes les nations, qui se parlent et peuvent coopérer. Le monde est meilleur avec l'ONU que sans. C'est évident. En 1945, à la lumière de l'échec de la SDN, le raisonnement de Roosevelt, Churchill et Staline a été le bon, qui consistait à créer une nouvelle organisation, à la doter d'un Conseil de sécurité, à prévoir un droit de veto. Certains idéalistes imaginent de supprimer ce droit. Mais, sans ce système de veto, il n'y aurait plus eu d'ONU.

---

1. Article paru dans *Le 1*, 21 octobre 2015. Propos recueillis par Éric Fottorino et Laurent Greilsamer.

Pourquoi ?

En l'absence de Conseil de sécurité, c'est l'Assemblée générale qui aurait voté à la majorité qualifiée. On aurait assisté à d'immenses vagues de populisme. L'URSS aurait fait voter systématiquement contre. Un tiers-mondisme virulent aurait émergé. Les Occidentaux seraient tous sortis. Rien n'aurait stabilisé les votes au sein de l'Assemblée générale. L'idée qu'il fallait garder un organisme et donner une tête au système, ce que n'avait pas la SDN, était une vision intelligente. Avec le recul, on constate que les dirigeants de 1945 ont fait bien mieux que ceux de l'après 14-18 avec le traité de Versailles ou que les Occidentaux à la fin de l'URSS, quand on a considéré la Russie comme quantité négligeable.

L'ONU s'est donc créée avec son Conseil, son chapitre VII qui prévoit le recours à la force, ses membres permanents et son droit de veto. C'est mieux ainsi, même si le système a été ensuite paralysé par la guerre froide et par l'usage parfois abusif du veto.

L'organisation est-elle bien gérée ?

La Fondation Bill-Gates est mieux gérée que n'importe quelle institution onusienne. Nous aurions besoin d'une gigantesque loi Macron pour réformer les grandes agences, lutter contre le gaspillage, les nominations en vertu de quotas cachés de nationalités et non sur la compétence. Si on arrivait à faire le ménage dans quinze ou vingt agences, à en rapprocher certaines pour les fusionner, ce serait très bien.

Mais tout n'est pas à jeter. Il faut comprendre que le système multilatéral est une prodigieuse perte de temps, mais que, si on ne l'avait pas, il serait encore plus difficile de coopérer. Cela ressemble à une monstrueuse réunion de copropriétaires de 193 personnes qui se demandent si on va repeindre l'escalier. C'est ainsi ! Il n'existe pas de solution magique de remplacement.

Comment appréciez-vous l'efficacité du système ?

Il ne faut pas en attendre trop. L'ONU n'est pas une personne. L'ONU n'est pas une puissance. C'est nous collectivement. On ne peut dire : « Mais que fait l'ONU ? » C'est un cadre. Le secrétaire général des Nations unies a très peu de marge de manœuvre si les membres permanents ne sont pas d'accord. Il ne peut pas dire : je décide qu'on emploie le chapitre VII. Lui et les organismes spécialisés ne peuvent travailler que s'il y a accord des États-membres, en particulier des cinq membres permanents.

Les Nations unies ont-elles connu un âge d'or ?

Il y a eu des périodes d'optimisme général, mais ce n'était pas grâce à l'ONU. Tout marchait bien, donc les puissances qui en temps normal s'affrontaient jouaient ensemble un jeu positif, même à l'ONU. Ce fut le cas pour la première guerre du Golfe. À la fin de son règne, Gorbatchev espérait réformer le communisme et l'URSS. Quand Saddam Hussein a mis la main sur le coffre-fort koweïtien, il n'a pas compris que, pour Gorbatchev, il était sans intérêt de maintenir un lien privilégié avec l'Irak en se coupant des Occidentaux dont il avait besoin pour que réussisse la *perestroïka*. Avant même la fin de l'URSS, il y a eu accord du Conseil de sécurité pour dire à Saddam : « Vous sortez ou on vous sort. » Ce n'est pas parce que l'ONU s'est mise à bien marcher, mais comme les grandes puissances voulaient bien travailler ensemble, le cadre naturel était l'ONU. On est entré dans une période kantienne, avec l'idée d'un traité de paix perpétuelle.

Avez-vous à l'esprit des interventions positives de l'ONU ?

Le jour où une résolution commune est adoptée pour dire aux Irakiens de sortir du Koweït et que l'URSS ne met pas son veto, c'est un grand moment pour l'Organisation. Mais l'ONU bénéficie de l'accord, elle ne l'obtient ni ne l'impose. Elle n'a pas les moyens de l'imposer. Il n'existe pas de moment où l'ONU impose ses décisions aux membres permanents.

Peut-on réformer l'ONU ? Faut-il toucher au droit de veto, donner accès au statut de membre permanent du Conseil de sécurité à de nouveaux pays ?

Il faut commencer par rappeler avec honnêteté que, pour réformer, il faut l'accord des cinq membres permanents. Aucune puissance n'est au-dessus d'eux. Ce n'est pas le secrétaire général qui détient la clef d'une réforme, mais les États-Unis, la Russie, la Chine, la Grande-Bretagne et la France. Il faut bien avoir conscience qu'un veto de l'un des cinq met un terme à la réforme.

Malgré cela, des voix s'élèvent périodiquement pour demander une réforme en soulignant que le Conseil de sécurité représente le monde de 1945... et qu'il est donc loin d'être représentatif. À l'évidence, il faudrait y introduire le Japon, l'Inde, l'Allemagne – candidate sans trop le dire –, un pays africain, un pays d'Amérique latine et un pays arabe. Mais chaque fois que la question de l'élargissement du Conseil de sécurité a été abordée, la Chine a fait comprendre qu'elle ne voulait ni du Japon ni de l'Inde. On revient à la question du droit de veto !

Quand il a été question de l'Allemagne, la France a fait savoir qu'elle n'était pas contre. Il faut bien mériter tous les matins le prix de bonne camaraderie. Mais aussitôt l'Italie a créé un club pour s'y opposer. Du coup, une proposition a émergé : on créerait un poste pour l'Union européenne. Cela paraît moderne, sauf que cela veut dire que la France et la Grande-Bretagne perdent leur siège.

Je résume là des années de débats et de colloques... La réalité est qu'aucun projet de réforme n'aboutira sans une nouvelle conférence de Yalta, avec les vrais patrons du monde qui disent oui ou non.

Vous avez écrit, en 2004, « une vraie réforme paraît aujourd'hui hors de portée ». Confirmez-vous ce diagnostic ?

Cela n'a pas changé puisque les bases du monde n'ont pas changé. Tant que de nouveaux vainqueurs ne pourront pas redessiner le système, cela tournera en rond. Et personne ne peut souhaiter un drame qui permettrait de réformer... Le risque, c'est que l'ONU soit petit à petit contournée. Quand Giscard d'Estaing et le chancelier allemand Helmut Schmidt ont inventé le G7, c'était une initiative intelligente pour gérer les économies occidentales face au choc pétrolier. Puis François Mitterrand, Helmut Kohl et Jacques Delors ont invité Mikhaïl Gorbatchev à participer, créant ainsi le G8. Lors de la crise de 2008, Sarkozy a arraché à George W. Bush le principe d'un G20. Le but de ce groupe n'est pas de contourner l'ONU, mais cela peut y aboutir partiellement. Cela pourrait devenir un substitut acceptable. Mais le G20 n'a pas le pouvoir de légitimer une opération militaire. C'est une très grande différence.

Êtes-vous critique à propos du Haut-Commissariat aux réfugiés (HCR) ?

Globalement, je porte un jugement positif sur le HCR, mais à l'évidence il n'a pas du tout les moyens financiers nécessaires. C'est un organisme victime de l'incohérence de la politique des pays membres. Ce n'est pas de sa faute si la politique européenne n'est pas claire. Si les Européens avaient élaboré voilà plusieurs années une vraie politique de l'asile en Europe, nous n'en serions pas là. Cela n'a pas été fait. On le fait aujourd'hui dans le tumulte, les injures mutuelles, les reproches permanents.

Yitzhak Rabin

Hubert Védrine évoque la mémoire de Yitzhak Rabin[1].

Il y a vingt ans, le Premier ministre israélien, Yitzhak Rabin, était assassiné par Yigal Amir, un juif ultrareligieux poussé au meurtre par des rabbins extrémistes opposés à toute restitution de la Cisjordanie aux Palestiniens. Car l'ancien général Yitzhak Rabin, devenu Premier ministre, après avoir très durement réprimé les Palestiniens, notamment pendant la première Intifada en 1987, était arrivé à la conclusion qu'Israël ne resterait un État juif et démocratique que s'il acceptait que soit créé, sur les territoires occupés par Israël depuis 1967, et à quelques rectifications de frontières près, un État palestinien. En conséquence de quoi il avait fait abroger la loi pénalisant les contacts avec l'OLP et il avait accepté de traiter avec Arafat, qu'il avait même reçu chez lui. Avant sa mort, il avait prononcé des discours impressionnants où il disait par exemple à ses compatriotes : « Arrêtons de croire que le monde entier est contre nous ! » et mieux encore : « Je combattrai le terrorisme comme s'il n'y avait pas de processus de paix, mais je poursuivrai le processus de paix comme s'il n'y avait pas de terrorisme. » Phrase essentielle par laquelle il retirait aux terroristes le pouvoir de décision, alors que le Likoud disait, et a fait, l'inverse.

---

1. « Le monde selon Hubert Védrine », France Culture, 6 novembre 2015.

On l'a donc fait tuer parce qu'il s'apprêtait à rendre aux Palestiniens, dans l'intérêt même d'Israël, une partie de leurs territoires, qui avaient été occupés.

Aucun autre assassinat politique à notre époque n'a eu de conséquences aussi grandes, aussi durables, et aussi néfastes. Car il n'y a plus *jamais* eu depuis de vrai processus de paix, même en 2000, à la fin du second mandat de Bill Clinton, tentative à laquelle j'avais participé comme ministre des Affaires étrangères de la France. Aucun *leader* israélien n'a eu depuis sa clairvoyance, sa volonté, son courage. Ce conflit irrésolu n'a cessé de pourrir une relation Islam/Occident déjà difficile. La colonisation s'est poursuivie, inexorable : en 1977, il y avait 4 400 colons. Quand Rabin a été tué, 150 000. Aujourd'hui, 600 000, dont 400 000 en Cisjordanie et 200 000 à Jérusalem-Est ! C'est la seule colonisation au monde, peut-être avec celles du Tibet et du Sinkiang, où la proportion de Chinois hans n'a cessé de croître depuis quelques décennies, la seule qui se poursuit, au su et au vu du monde, dans l'impunité la plus totale.

C'est l'honneur d'Israël qu'il y ait eu, après l'assassinat, une vraie commission d'enquête, qu'il y ait des cinéastes comme Amos Gitaï pour faire des films comme *Rabin, the Last Day*, qui démonte bien le mécanisme de l'assassinat télécommandé, et qu'il y ait un camp de la paix avec des gens extraordinaires comme Élie Barnavi, l'ancien ambassadeur à Paris, comme la plupart des anciens chefs d'état-major et des services, des ONG, des journaux comme *Haaretz*, des grands écrivains comme Amos Oz, l'auteur du *Aidez-nous à divorcer ! Israël Palestine : deux États maintenant*, ou David Grossman.

En même temps, alors que ce crime aurait dû disqualifier la droite et l'extrême droite religieuse israélienne et le parti des colons, c'est paradoxalement l'inverse qui s'est produit ! Rien n'a semblé pouvoir arrêter l'évolution d'Israël vers la droite et l'extrême droite, ni réduire le poids des colons extrémistes et fanatiques, au contraire.

Alors qu'ils auraient dû prendre le relais de Rabin, la gauche et le camp de la paix ne se sont pas remis de ce drame. Aujourd'hui à la Knesset, le centre gauche ne dispose que de 24 sièges sur 120, alors que le Likoud, qui a 30 sièges, gouverne avec le soutien de quatre autres partis, dont trois d'extrême droite nationaliste ou religieuse.

Bien que 55 % des Israéliens pensent encore que la situation internationale de leur pays dépend du processus de paix, au pouvoir l'essentiel du temps depuis trente ans, seul ou en coalition, le Likoud a réussi à torpiller la solution à deux États et à faire oublier des plans de paix arabe, comme celui de l'Arabie en 2002 qui l'avait gêné tellement il était acceptable. Il a réussi à créer ce que Rabin voulait éviter à tout prix : une situation où les Juifs sont minoritaires dans un grand Israël de facto. Tout cela avec une certaine passivité, pour ne pas dire plus, de la prétendue communauté internationale, qui s'est laissé volontairement ou involontairement endormir.

Le moment approche où les Palestiniens, impuissants, désespérés, mal gérés, mal gouvernés, et qui n'ont plus aucune perspective, finiront par constater officiellement que la solution à deux États, avec donc un État palestinien, est caduque. Ils revendiqueront alors des droits égaux dans un seul État, où ils seront majoritaires, sauf apartheid.

C'est une tragédie.

2016

Sur *l'ouvrage* L'Ordre du monde, *de Henry Kissinger*

Hubert Védrine donne son avis sur le dernier livre de Henry Kissinger, *L'Ordre du monde*[1]. L'effondrement de l'ordre bipolaire a conduit, progressivement, à l'émergence d'un monde semi-chaotique où l'Europe risque d'être marginalisée, l'islamisme devenant une menace planétaire, et où les États-nations se retrouvent affaiblis[2].

De plus en plus d'observateurs estiment que l'effondrement de l'ordre bipolaire a entraîné l'avènement d'un monde chaotique qui, outre le règne de l'anarchie, serait caractérisé par l'émergence de menaces protéiformes (terrorisme, cybercriminalité, guérillas). Partagez-vous ce sentiment ? Le monde qui se dessine est-il vraiment chaotique ?

Ce que l'on appelle « l'effondrement de l'ordre bipolaire » a été considéré comme une énorme victoire des Occidentaux sur le bloc soviétique, qui s'est décomposé fin 1991. Pendant plusieurs années donc, c'est ce sentiment triomphaliste qui a dominé, sans que soient envisagés les risques liés à la disparition de cet ordre. La seule mise

---

1. Henry Kissinger, *L'Ordre du monde*, Fayard, 2016.
2. Article paru dans *Atlantico*, 13 mars 2016. Propos recueillis par Thomas Sila.

en garde faite alors a été la théorie du « choc des civilisations » développée par Samuel Huntington, mais écartée pendant un certain temps par la bien-pensance dominante.

Ceux qui avaient dénoncé l'ordre bipolaire sont obligés de constater que dans un monde sans maîtres, sans régulation, un phénomène semi-chaotique se développe. Cela sidère les opinions occidentales, car les Américains, notamment, ont toujours cru à un leadership américain. Quant aux Européens, ils ont cru massivement à la communauté internationale après l'effondrement de l'ordre bipolaire, sans que cela soit une réalité pour autant. Nous sommes donc bel et bien dans une situation instable, où personne ne contrôle plus globalement, même pas les États-Unis. Néanmoins, l'instabilité et le chaos ne signifient pas pour autant une guerre générale. Ce tableau que je peins de l'ordre mondial est en accord avec celui de Kissinger, ce qui peut heurter les Européens, et notamment les Français, qui ont toujours cru jouer un rôle particulier dans l'organisation du monde. Selon Henry Kissinger, alors que l'Europe exerçait il y a moins d'un siècle un quasi-monopole sur la définition de l'ordre mondial, sa construction interne devient son objectif géopolitique ultime. L'ordre mondial qu'elle a largement contribué à concevoir vit une période de tensions. Que perdrait l'Europe à être absente de la construction/élaboration du prochain ordre mondial ?

Kissinger est un homme pétri et fasciné par l'Europe, comme en témoigne son livre *Diplomatie*, dans lequel il fait de Richelieu le plus grand homme d'État qui ait jamais vécu. Il multiplie les exemples européens tout au long des XVIIIe, XIXe et XXe siècles. C'est à ce titre qu'il parle d'une Europe qui a dessiné l'ordre mondial. Malgré la Seconde Guerre mondiale, l'Europe est restée un espace géopolitique d'où provenait un nombre significatif d'idées sur l'amélioration du monde en général, d'autant plus qu'elle était détentrice de son propre projet. À l'heure actuelle, l'Europe constitue un espace où sont concentrés toutes les menaces, tous les risques, toutes les interrogations. Il est tout à fait vrai que l'Europe court le risque d'être marginalisée et de ne pas peser énormément dans l'élaboration de ce que l'on pourrait appeler un « nouvel ordre mondial ». Le risque est que l'Europe ne puisse pas préserver son identité, son mode de vie à l'européenne, dont les sociétés sont les meilleures ou les moins mauvaises qu'on ait jamais vues. L'Europe a donc beaucoup à perdre. Si l'Europe ne parvient pas à accoucher d'une pensée structurée globale, celle-ci est en danger. Mais lorsqu'on dit « Europe », finalement, on ne sait pas vraiment de quoi on parle : des institutions européennes (Commission européenne, Conseil européen, Parlement, Cour de justice) ? Des vingt-huit gouvernements de l'Union européenne telle qu'elle est aujourd'hui ? De ceux de la zone euro ? Ou des peuples européens ? Kissinger n'intègre pas ces distinctions, car c'est un penseur global. Dans le même temps, l'Europe peine à réaliser son unité. Le processus d'intégration ayant été abordé comme un problème essentiellement bureaucratique, le projet européen ne parvient pas à susciter l'élan nécessaire pour obtenir un engagement intérieur en faveur de ses objectifs. La crise des migrants, les politiques d'austérité économiques sont venues accentuer la fracture entre l'Europe de l'Est et de l'Ouest et l'Europe du Nord et du Sud. Jamais le projet européen n'a été aussi susceptible de voler en éclats. Cette crise de l'Europe coïncide avec l'affirmation géopolitique de grands blocs de dimension continentale (Chine, Brésil, Amérique, Inde) : pour garantir sa « survie », l'Europe n'a-t-elle d'autres choix que de réussir à se transformer en une entité régionale dotée d'une politique extérieure et de défense commune ?

Il faut savoir ce que l'on met exactement dans le terme « intégration ». Depuis les origines de la construction européenne, les choses ont évolué : un marché commun a été établi, des traités ont été signés, etc. Mais l'idée d'une véritable intégration n'a été défendue en Europe, en réalité, que par une petite minorité, qui voulait l'établissement, dans l'idéal, des « États-Unis d'Europe ». Celui-ci est sans fondements, car lorsque les Américains ont créé les États-Unis, ils ont rassemblé des Américains ; ils n'ont pas eu à faire évoluer la mentalité des habitants du Connecticut par rapport à celle des habitants du Rhode Island. Les milieux économiques, eux, préféreraient qu'il n'y ait qu'un gouvernement plutôt que vingt-huit pour des raisons pratiques. En fait, l'intégration n'a jamais été une idée extrêmement populaire. À ma connaissance, aucun parti fédéraliste dans aucun pays européen n'a remporté une élection sur ce thème. On ne peut pas dire que les Européens ont été animés par un idéal collectif qui aurait disparu en route, car cela n'a jamais été le cas.

La question de l'intégration se présente de manière plus compliquée qu'avant : cela veut-il dire que les Européens doivent agir plus ensemble, par des projets collectifs ? Ou bien que les États-nations européens doivent s'en remettre à l'Europe, avec l'idée que l'État-nation finira par être dépassé ? Or cela n'a jamais été soutenu par aucun électorat européen. Si devenir une entité régionale signifie pour l'Europe devenir une entité fédéraliste, cela ne se fera pas, car presque tous les vingt-huit États de l'Union européenne contesteraient un tel traité. La Cour de Karlsruhe en Allemagne est d'ailleurs tout à fait sur cette ligne. L'opinion européenne aujourd'hui, selon les pays, c'est environ 15-20 % de vrais anti-européens, 1 % d'européistes convaincus, entre 15 et 20 % de pro-européens raisonnables, et tous les autres qui demeurent à un niveau allergique comme en témoignent les différentes élections. L'avenir de l'Europe dépend de la capacité des gouvernements à faire changer l'opinion des allergiques. Compte tenu de ce que sont les peuples d'Europe aujourd'hui, avec leur répugnance à se mêler des problèmes graves du monde et leur désir de mener une vie paisible chacun dans leur coin, on aboutirait, si l'on considère l'option du fédéralisme, à un système fédéral où l'on voterait à la majorité, une majorité qui serait constamment sur cette ligne de repli. On assisterait alors à un phénomène « Grande Suisse ». Concernant la politique de défense commune, les Européens considèrent que c'est dans le cadre de l'OTAN que cette politique de défense doit être mise en œuvre. Pour ce qui est de la politique extérieure, on peut noter des marges de progrès sérieuses, à condition de reconnaître dans le même temps que les pays européens ont des approches différentes. Il aurait fallu que les États européens travaillent sérieusement à la constitution d'une doctrine de politique extérieure commune, ce qui n'a jamais été fait, alors que des organismes ont été mis en place, ainsi que des procédures (la PESC). Prenons l'exemple de la Russie : les pays européens sont partagés concernant la manière d'envisager ce pays : certains le perçoivent comme un partenaire, fournisseur de gaz, tandis que d'autres s'en éloignent.

Pour Henry Kissinger, en Syrie, « si l'ordre ne peut être établi par un consensus ou imposé par la force, il ne pourra qu'être le fruit, moyennant un prix désastreux et déshumanisant, de l'expérience du chaos ». Au regard des impossibilités politiques, le chaos est-il une fatalité ?

Encore une fois, la fin du monde bipolaire n'a pas conduit à la mise en place d'un monde géré uniquement par les États-Unis et l'Occident. Tout cela s'est révélé plus compliqué : nous avons été rattrapé par l'affrontement au sein du monde musulman entre le 1,6 milliard de pratiquants et le 1 % d'extrémistes absolus, sans savoir comment gérer cette situation. Toutefois, ce phénomène n'est pas directement lié à la fin du monde bipolaire, même si l'on peut envisager que la survivance des deux superpuissances américaine et soviétique aurait peut-être permis de contenir davantage ce phénomène.

La structure de l'ordre mondial du XXIe siècle s'est en partie révélée déficiente, car l'État – unité formelle fondamentale de la vie internationale – a subi de nombreuses pressions (au Moyen-Orient, en Afrique et même en Europe), rendant ainsi l'anarchie inévitable. L'État-nation est-il toujours l'unité d'analyse pertinente des relations internationales ?

Outre celui évoqué à la question précédente, un autre phénomène observable depuis la fin du monde bipolaire est l'affaiblissement de l'État-nation. Un affaiblissement dû en partie à l'ouverture des échanges, des flux (financiers, humains, etc.). L'affaiblissement est aussi idéologique et conceptuel parce que les États-nations ont été contestés par toute la pensée gauchiste, mais aussi ultra-libérale, l'européisme également. Dans la plupart des pays de ce que l'on appelait auparavant « tiers-monde », on constate que les États-nations sont trop forts sur le plan répressif, et trop faibles sur le contrôle du territoire, la gestion des frontières, la capacité à développer une économie moderne selon un minimum de protection sociale, etc. Ainsi, tous ceux qui souhaitent se passer d'État ou surpasser l'État devraient se réjouir, car c'est bel et bien le cas. La situation semi-chaotique du monde est en partie liée à cela, et pas simplement à la fin du monde bipolaire ou au réveil de l'islamisme.

Sur l'ouvrage L'Ordre du monde, *de Henry Kissinger*

Par rapport à ces problématiques, nous sommes en présence aujourd'hui de gouvernements faibles ou contestés. Ainsi, lorsque vous convoquez un sommet ou une conférence internationale, ce sont des gouvernements faibles que vous réunissez, et dont on n'est pas sûr qu'ils aient la capacité, une fois rentrés chez eux, d'appliquer ce qu'ils ont décidé. Il n'y a plus d'équivalent aujourd'hui des grandes conférences du XIXe siècle, comme le congrès de Vienne ou celui de Berlin, ou de celles de la Seconde Guerre mondiale, comme les conférences de Téhéran, Yalta et Postdam. De telles conférences ne sont même plus envisagées : on le voit d'ailleurs pour le cas du Moyen-Orient, où personne au monde ne se sentirait capable d'organiser une telle conférence pour réorganiser la région. Demander si l'État-nation est une unité d'analyse pertinente sous-entend qu'il existe une autre formule possible. Mais on ne voit pas très bien laquelle...

Débat avec Nicolas Hulot sur l'écologie

À l'occasion de la parution du *Monde au défi*, sur le lien géopolitique/écologie, *L'Obs* organise un débat en mai 2016 entre Nicolas Hulot et Hubert Védrine[1].

175 pays viennent de signer l'accord de Paris. Et pourtant, Nicolas Hulot, vous dites que tout reste à faire ? Pourquoi ?

Nicolas Hulot : Les États se sont fixé une feuille de route, c'est bien. Il reste à prendre la route maintenant, et là... tout reste à faire, oui. La COP 21 était un préalable indispensable parce qu'elle a permis de sceller un constat et d'enclencher le début d'un processus et d'une transition. Mais tout cela demande des moyens, des révisions, des investissements très importants qui ne sont pas encore gagnés, ni garantis.

Même si leurs signatures les engagent, les États sont en effet laissés libres de déterminer les moyens de parvenir à ce que les températures ne s'élèvent pas de plus de 2 °C...

NH : La vérité oblige à dire que l'accord juridiquement contraignant tel qu'on l'aurait souhaité n'existe pas. Il y a un processus juridique des Nations unies qui fait foi. Mais il n'y a pas de clause de transparence, ni de sanctions prévues. Pour autant, chacun a bien compris qu'il

---

1. Débat paru dans *L'Obs*, mai 2016.

avait intérêt à tenir ses engagements, sinon ce sera douloureux pour tout le monde. C'est la force de l'accord de Paris. Ça n'enlève rien à la difficulté de s'affranchir des énergies fossiles qui pendant 150 ans ont été la solution et qui soudainement deviennent le problème. Mais c'est un démarrage. Nous allons passer enfin du constat au traitement.

Hubert Védrine, vous expliquez dans votre livre que le concept de communauté internationale n'a jamais existé que dans les discours, aucun État n'arrivant au fond à se détacher de ses intérêts ou de ses égoïsmes nationaux. La prise de conscience sur le climat pourrait-elle changer la donne ?

Hubert Védrine : L'accord de Paris est très important, même s'il doit être concrétisé. Le travail de la France (Laurent Fabius, Laurence Tubiana, etc.), rendu possible par l'engagement, pour des raisons internes, des États-Unis et de la Chine, a été remarquable. Or ils ne l'ont pas fait pour faire plaisir à la France, mais par intérêt. C'est encourageant. Ce processus irréversible, que j'appelle l'*écologisation*, va s'imposer peu à peu dans chaque pays. Non pas parce qu'une puissance extérieure ou une « communauté internationale » imaginaire l'imposera, mais parce que c'est tout simplement nécessaire et vital. Le caractère pas assez contraignant de l'accord (qui peut contraindre la Chine ? ou les États-Unis ?) ne m'inquiète pas, et je suis optimiste sur la dynamique économique qui va s'en suivre. Quand on voit un fonds de pension norvégien, un des plus gros de la planète, annoncer qu'il va se désengager petit à petit du charbon, ce n'est pas pour des raisons de philanthropie écologique, mais bien parce que cela devient rationnel d'écologiser l'énergie.

NH : Je reste plus prudent, car je ne considère pas que la somme des intérêts nationaux crée un intérêt universel. C'est d'ailleurs ce qui fait que nous avons tant tardé à agir. Pour avoir observé en tant que néophyte ce qui se passe au niveau des Nations unies, je peux vous dire que les délégations y font surtout valoir les intérêts des États et pas du tout l'intérêt universel. Jusqu'à présent, chacun a cherché à s'extraire de ses responsabilités pour les reporter sur l'autre. Et au lieu de n'avoir que des gagnants, on n'avait que des perdants ! Est-ce que le basculement de la COP 21 va permettre de changer ces vieux réflexes et de considérer la planète comme un unique espace de solidarité ? Je le souhaite évidemment.

Après les États, il faudra convaincre aussi les peuples de changer les modes de vie, de consommer moins d'énergie, de manger moins de viande... On en est encore loin !

HV : L'*écologisation* prendra du temps. Il y aura encore longtemps de titanesques luttes d'arrière-garde, mais elle s'imposera. En faisant le parallèle avec l'industrialisation, qui s'est déroulée à l'échelle d'un siècle ou deux, on desserre l'étau de l'urgence, on donne du temps, de la perspective et du sens. À l'instant « t », l'exigence écologique se heurte à des centaines de millions de gens qui ont un mode de vie et de production anti-écologique. C'est pour cela que le radicalisme écologique nous met devant une contradiction insurmontable, selon laquelle il faudrait, pour sauver l'humanité, arrêter tout ce qui marche...! Mais dès lors que l'on se place dans la durée, que l'on accepte que ce processus prenne, selon les cas (agriculture, industrie, etc.), dix, vingt, trente ans, que des générations nouvelles arrivent, formées autrement, que des technologies nouvelles changent la donne, alors presque tout devient soluble.

NH : Attention à ne pas oublier quand même qu'il y a une forme d'urgence et que si par définition une transition s'étale dans le temps, ce temps doit être limité. Nous avons tellement tardé à réagir par rapport aux enjeux climatiques que les phénomènes que nous sommes censés combattre ne se développent pas d'une manière linéaire mais asymptotique et il faut éviter qu'ils ne s'emballent. Je ne pense pas que les choses se feront spontanément. Il faut mettre en place un ensemble d'outils incitatifs ou dissuasifs pour orienter les investissements, la production, la consommation...

Par exemple ?

NH : Le prix du carbone, pour le coup, c'est l'arme fatale. Si vous introduisez un prix du carbone progressif, vous introduisez en creux un avantage compétitif aux énergies qui ne sont pas des énergies fossiles. On parle toujours de fiscalité écologique punitive, pour reprendre l'expression de Ségolène Royal, mais elle peut être aussi incitative. Nous avons besoin de l'une et l'autre. Il faut aussi créer de la cohérence et faire en sorte que nos investissements soient désormais climato-compatibles. Quand il y a un plan Juncker en Europe, il me semble qu'il devrait être prioritairement consacré à la transition écologique. Si on continue à se disperser, on n'y arrivera pas.

Cela peut aussi passer par l'élaboration de nouveaux critères, comme un PIB écologique ?

HV : Il faut sortir de l'absurdité : si vous rasez une forêt entière pour faire une usine polluante, pour le PIB, c'est de la croissance ! Outre le prix du carbone, nous avons besoin d'un économiste génial qui invente le PIB écologiste, le « PIB/E », dans lequel la mesure de la croissance (les flux) serait réduite des atteintes portées au patrimoine écologique. Dès lors, le marché lui-même, c'est-à-dire des milliards de décisions quotidiennes, arbitrerait dans le bon sens. L'économie serait de plus en plus écologique et nous n'aurions même plus besoin alors de faire des sommets !

NH : Dans l'esprit de cette écologisation dont parle Hubert Védrine et qui me fait penser à ce qu'Edgar Morin appelle la métamorphose, il faudrait bien évidemment insuffler cette rationalité à tous les niveaux. L'OMC, par exemple, devrait intégrer l'environnement comme critère supplémentaire dans ses arbitrages. Il y a aussi une nécessité de revoir notre comptabilité. Beaucoup de choses ne verraient pas le jour aujourd'hui ou seraient économiquement non viables si nous tenions compte de ce que les économistes appellent les externalités négatives. Quand vous voyez que, à l'échelle mondiale, l'ensemble des subventions et des exonérations accordées aux énergies fossiles s'élève à 650 milliards de dollars chaque année, alors que, selon le FMI et l'OCDE, les conséquences environnementales et sanitaires de l'utilisation de ces énergies coûtent 4 000 milliards de dollars, on est dans la schizophrénie ! Il vaudrait mieux allouer cet argent en amont plutôt que de l'allouer en aval.

Mais ce bon sens n'a jamais prévalu jusqu'à présent...

HV : L'inconvénient de trop attendre d'une approche mondiale ou universelle, comme de cette fameuse « communauté internationale » toujours à créer, c'est que cela déresponsabilise en dessous, dans le monde réel, les États, les entreprises, les chercheurs, les gens, etc. Quand les Chinois annoncent la fermeture prochaine de mille mines de charbon et de centaines de centrales à charbon, c'est parce que cela s'impose du point de vue chinois et non parce qu'une communauté extérieure aurait exercé sur eux une quelconque influence.

NH : Il y a quand même deux sujets qui devront revenir sur la table. Le premier concerne nos institutions internationales. Elles ne sont pas adaptées aux enjeux du long terme et universels. Je ne crois pas que le cycle infini des conférences sur le climat puisse se prolonger en permanence. Nous n'échapperons pas à la création d'une organisation qui prenne en charge la gestion des biens communs planétaires. C'est un instrument indispensable si nous ne voulons pas basculer dans plus de conflits. Car la rareté est devenue la norme au XXIᵉ siècle. Or, la rareté, il faut la piloter, sinon on bascule dans l'étape d'après qui est la pénurie. Et la pénurie, c'est la guerre à tous les étages... Dans ces biens communs, je mets les terres arables, l'eau, les ressources alimentaires, la biodiversité, les équilibres climatiques et peut-être même certains revenus économiques. À mon avis, il y a un certain nombre de concentrations de fortune qui devraient être remises à la communauté. Le deuxième sujet, c'est l'adaptation du droit international à la situation écologique. La notion d'écocide doit être reconnue et arbitrée par le tribunal de La Haye.

Une organisation mondiale, ce ne serait pas un « machin » de plus ?

HV : Je suis d'accord avec Nicolas Hulot pour dire qu'il faudra redéfinir sur des bases écologiques le crime contre « l'Humanité ». Pour le reste, je ne pense pas qu'une bureaucratie multilatérale de plus serait utile. Je les connais trop... C'est beaucoup de temps perdu en marchandages oiseux, beaucoup de fonctionnaires internationaux à l'utilité problématique. Surtout, je ne crois pas qu'une telle organisation améliorerait le monde en retirant aux peuples et aux États la part de souveraineté qu'ils ont gardée. Même en Europe ça ne marche plus ! Il y a déjà des cadres propices comme l'ONU, le PNUnion européenne, le G20. Ne les négligeons pas. Mais ce qui est important, c'est la volonté politique de coopérer qui s'exerce à l'intérieur, donc celle des États stimulés par toutes les autres forces. Mais une organisation qui prendrait en charge directement les biens communs, c'est-à-dire à peu près tout – car la liste que vient de dresser Nicolas Hulot est considérable –, c'est infaisable. Aucun pays ne l'acceptera. Il faut faire autrement.

La question climatique n'a-t-elle pas fini par occulter les autres urgences environnementales ?

HV : C'est une question essentielle, mais il faut maintenant tirer les fils de la pelote. Il faut pour stopper l'effondrement de la biodiversité la même formidable prise de conscience en ce que la France a orchestré avec la COP 21. L'opinion publique réduit trop souvent cette question au triste sort des tigres, des ours blancs, etc., sans faire le lien avec l'habitabilité de la Terre par les hommes eux-mêmes. Mais quand vous écoutez les scientifiques parler des conséquences de la « sixième extinction », c'est presque plus terrifiant que le changement climatique.

NH : On a porté nos efforts sur la réduction des émissions de gaz à effet de serre, mais on oublie dans le même temps que chaque année, par la destruction des écosystèmes, c'est l'équivalent de 20 à 30 % de nos émissions qui repartent dans l'atmosphère. Nous ne pourrons pas gagner la guerre du climat sans préserver ces puits de carbone naturels. Et pour que ces écosystèmes perdurent, c'est toute la biodiversité qu'il faut protéger. J'y vois plusieurs avantages. D'abord, parfois ça coûte moins cher de réhabiliter un écosystème ou de réhabiliter des sols que de mettre au point des technologies très compliquées pour stocker du CO_2 d'origine industrielle dans des zones géologiques. Et comme la plupart de ces écosystèmes appartiennent en général à des pays du Sud, j'y vois une occasion de créer un flux économique entre le Nord et le Sud en rémunérant ce service universel. Si vous réhabilitez des sols désertifiés en Afrique, vous redonnez une capacité à ces sols de stocker du CO_2, vous faites revenir des populations qui ont fui et vous réhabilitez des terres agricoles pour les nouveaux habitants de la planète.

La question écologique devient géopolitique...

HV : Bien sûr ! C'est le sens de mon dernier essai. Les crises écologiques ne vont pas déclencher des conflits, (encore que...), sauf s'il y avait une énorme montée des eaux. Mais, petit à petit, une hiérarchie écologique des pays apparaîtra, avec des États vertueux, des contributeurs positifs, et, à l'inverse, des États voyous. L'écologie va s'imposer dans les relations internationales.

NH : Le climat est l'ultime injustice. Il peut jouer un rôle de facteur aggravant ou déclencheur parce qu'il frappe d'abord des hommes, des femmes et des enfants qui subissent les conséquences d'un phénomène qu'ils n'ont pas provoqué, qui est la conséquence d'un mode de développement dont ils n'ont pas profité et qui s'est même parfois fait sur leur dos. Tant que les inégalités ne sont pas expliquées ni mises à jour, ils mettent ça sur le compte du destin. Mais quand ils découvrent tout à coup qu'ils ont fait l'objet d'une forme d'exploitation ou que leurs vies n'ont pas la même valeur, vous ajoutez à l'exclusion un élément qui est en train de nous sauter à la figure, c'est l'humiliation. Le climat, c'est aussi ce danger-là. Ce n'est pas le climat qui a déclenché le conflit syrien, mais c'est bien le basculement climatique dans le nord-est de la Syrie qui a fait tomber les rendements agricoles et contraint un million et demi de personnes à se déplacer et à se retrouver dans le sud-est du pays, où le conflit a démarré.

HV : Le climat – les mauvaises récoltes des années 1787-1789 – avait déjà contribué à déclencher la Révolution française. Dans la Mésopotamie antique, comme au Soudan aujourd'hui, le facteur climatique est clef...

Vous considérez, Nicolas Hulot, que le nucléaire appartient au passé, alors que cette énergie a beaucoup moins de conséquences sur le climat que les énergies fossiles...

NH : J'ai évolué sur ce sujet. J'ai longtemps considéré que, dans un pays stable politiquement et économiquement, le nucléaire ne m'empêchait pas de dormir. Ce n'était pas ma conception du développement durable, parce que cela revient quand même à spéculer sur cette stabilité à long terme. Et on s'aperçoit que rien n'est garanti... Et puis cela revient aussi à reléguer un certain nombre de déchets aux générations suivantes. Mais les événements récents ont achevé de me convaincre que le nucléaire n'était pas la solution. Fukushima bien sûr, qui a montré que le scénario que nous pensions le plus improbable a été possible. Tchernobyl, qui a fait selon les autorités plus de 100 000 morts sur la durée. Par ailleurs, on nous a longtemps dit que le nucléaire était la panacée sur le plan économique. Mais le gouffre financier des réacteurs de nouvelle génération et l'incapacité que nous avons eue à provisionner le démantèlement des centrales montrent le contraire. Le meilleur service qu'on peut rendre aux États, c'est l'autonomie énergétique ; or, quand on fait du nucléaire, on n'est pas autonome. Vous êtes dépendants de technologies, mais aussi de matériaux qui sont rarement dans votre sous-sol.

HV : Grave sujet. Rappelons que Tchernobyl est d'avance un accident *soviétique,* et qu'ailleurs le drame aurait été contenu. Quant à Fukushima, c'est un tremblement de terre qui suscite un tsunami. L'erreur fondamentale, c'était d'avoir construit une centrale trop près du rivage, avec une protection insuffisante... Cela dit, je suis évidemment favorable à la sobriété énergétique, aux bonds technologiques qui rendront les énergies renouvelables économiquement rentables, ce qu'elles ne sont pas encore, etc. Je constate que, dans les circonstances actuelles, « sortir du nucléaire », comme Mme Merkel l'a fait, pour des raisons purement électorales, ne peut conduire qu'à augmenter les rejets de CO_2. L'Allemagne a dû relancer ses centrales à charbon et à lignite ! On ne peut pas encore se passer du nucléaire, donc il faut le rendre plus sûr.

NH : J'ai une conception du risque qui veut que celui-ci doit avoir des conséquences limitées dans le temps et dans l'espace. Avec le nucléaire, ce n'est pas le cas. Des années après, on n'a toujours pas contenu le problème de Tchernobyl ou de Fukushima. Ça n'est pas ma conception de la durabilité. Quant à l'Allemagne, elle a fait un pari. On verra bien si elle le gagne. J'observe pour l'instant qu'elle tient le calendrier qu'elle s'était fixé pour le développement des énergies renouvelables. Ce qui est dommage, c'est qu'on soit incapable de s'harmoniser en Europe.

L'écologique a longtemps été un impensé stratégique ou même intellectuel. Hubert Védrine, vous estimez que c'est parce qu'elle a longtemps été confisquée par des leaders maximalistes...

HV : Les partis écologistes se sont constitués, notamment en France, sur une base gauchiste. C'est leur droit, mais il ne faut pas s'étonner après de leurs scores électoraux minuscules. En mélangeant des positions écologistes radicales ou punitives, et le sectarisme, ils ont rendu décourageante la perspective écologique globale. Ils portent la lourde responsabilité de ne pas avoir convaincu la majorité.

NH : Je serai plus indulgent. Leur maladresse, parfois leur dogmatisme ou leur intransigeance, ne m'ont pas échappé. J'en ai moi-même fait les frais... Mais ils sont là par défaut ! Si la gauche n'avait pas sous-traité cet enjeu conditionnel et pas optionnel aux écologistes et si la droite ne s'était pas prise d'aversion pour ce sujet-là, l'écologie aurait imprégné le monde politique et nous aurions seulement à débattre des modalités. L'enjeu écologique est supra-politique et je ne suis pas sûr qu'il y ait un protocole de gauche et un protocole de droite pour s'en sortir. La difficulté, c'est de ne pas faire de concession au constat et dans le même temps de rendre désirable, accessible et compréhensible un scénario de sortie.

HV : Il faut alarmer, sans paniquer. Et proposer pour convaincre et entraîner.

Retour au réel

Dans un nouvel entretien avec *Le Débat*, Hubert Védrine fait un tour d'horizon mondial. Sans surprise, la revue titre « Retour au réel [1] ».

L'Europe est rattrapée aujourd'hui par la menace d'un environnement dont elle avait désappris à s'intéresser. À l'est, les desseins de la Russie de Poutine inquiètent, au sud, la déstabilisation du Moyen-Orient nous atteint désormais directement, via le terrorisme et les migrations. L'Afrique est gagnée à son tour par le djihadisme et laisse entrevoir de graves problèmes pour l'avenir. Comment appréciez-vous cette situation ?

En effet, le tableau est vraiment préoccupant ! La France et l'Europe tout entière sont confrontées à des risques, des menaces, des problèmes simultanés déjà considérables en eux-mêmes, ce qui aggrave les choses, et qui s'attaquent à des organismes déjà minés de l'intérieur ! Si nous pouvions compter sur une France confiante en elle-même et sur une Europe qui fonctionnerait de façon satisfaisante, gérer les problèmes particuliers du Brexit ou de la Grèce, toujours pendants en fait, ou encore l'afflux des réfugiés, serait moins déstabilisant – mais nous avons affaire à une Europe profondément fragilisée par un désaccord abyssal entre, d'un côté, une infime minorité d'européistes

---

1. Article paru dans *Le Débat*, mars 2016.

qui continuent à dire, quel que soit le sujet, qu'il faut
« plus d'Europe », et tous les autres. Les autres ? 15 % de
pro-européens classiques, raisonnables, mais pas maximalistes, à l'autre extrémité 15 à 25 % d'anti-européens,
carrément hostiles à l'Europe, tous les autres, environ
60 %, étant sceptiques au sens propre du terme, désabusés, devenus euro-allergiques à cause de l'excès d'intru-
sion, de réglementation, de prétention téléologique et du
fiasco historique de l'idée que l'Europe allait se bâtir par
l'éradication des nations et des identités. Il ne faut pas
confondre Mme Le Pen ou l'UKIP, qui sont anti-européens,
avec de simples eurosceptiques. Cela s'est vérifié à toutes
les élections européennes et à tous les référendums, sauf
celui de Maastricht, qui est passé de justesse. Cette fragilité s'est approfondie, surtout après que le Traité constitutionnel, rejeté en France et aux Pays-Bas en 2005, comme
il l'aurait été aussi en Allemagne, d'après ce que m'a dit
G. Schröder, est revenu sous forme de traité de Lisbonne
par le canal des parlements nationaux. L'épisode a intro-
duit un doute profond dans la confiance démocratique
de l'Europe en elle-même, ce que les élites bien sûr nient.
Voilà pour l'interne.

Par ailleurs, l'Europe a cultivé depuis longtemps et
plus encore depuis la disparition de l'URSS une vision
éthérée d'un monde post-tragique et post-historique, autour des idées de « communauté internationale », de prévention des conflits, des Nations unies, du *soft power* et
de Cour pénale internationale pour punir les méchants.
Bref, une construction sympathique, mais terriblement
abstraite, parfaite s'il y avait sept milliards de bonnes
âmes dans le monde, mais qui devait un jour ou l'autre
se fracasser sur la réalité. Nous y sommes et l'atterrissage
est brutal. La réalité se réimpose à nous sous différentes
formes agressives et nous en souffrons d'autant plus que
le décalage est immense par rapport à nos attentes naïves

et à nos prétentions universalistes. Pas celles de tous les Européens, mais certainement celles des Français. Nous vivions sur une pensée qui a sa grandeur, certes, mais qui faisait de nous les responsables de toutes choses, les ordonnateurs du système international, les concepteurs du droit international, les missionnaires de nos fameuses « valeurs ». Pour cette pensée, tout ce qui se passait dans le monde nous concernait, soit au titre d'un remords, maladie expiatoire issue d'une histoire mal digérée, soit du fait de l'universalité de nos idées, ou de notre responsabilité auto-décrétée ! Or, tout cela est cruellement contredit par la réalité d'un monde qui va son chemin. La France est en train de se « corneriser » dans une Europe en train d'être marginalisée. Ce n'est pas seulement traumatisant, c'est humiliant et inquiétant ! Même s'il n'y avait pas l'affreuse tragédie syrienne, la situation serait déjà inquiétante.

L'Europe prend en pleine figure une série de problèmes qui ne sont pas du même ordre. Ce ne sont pas seulement des menaces qui nous assaillent de l'extérieur, mais redisons la conjonction interne/externe. Ainsi n'avons-nous pas été en mesure de régler durablement la question grecque, parce qu'on a évité la question de fond : comment amener les Grecs à bâtir un État et une administration normaux, une économie productive, un pays ne vivant pas qu'à crédit ? Je ne suis pas sûr que l'élan qui les a conduits, paradoxalement, à vouloir rester dans l'euro à n'importe quel prix ait été le meilleur pour eux. Pour ma part, j'étais d'un avis différent, très minoritaire, qui était celui de Schäuble, à savoir qu'il aurait été moins dur pour eux et pour nous qu'ils restent bien sûr dans l'Union, mais qu'ils sortent de l'euro pour quelques années, jusqu'à ce qu'ils soient en mesure d'y rentrer (dévaluation et plan de remise à niveau avec notre aide). C'est tranché, cela a été refusé par tout le monde, et par les Grecs eux-mêmes. On verra ! Espérons pour eux qu'ils n'ont pas eu tort.

Il y a aussi la question du Brexit [qui sera réglée quand cet entretien paraîtra]. Je pense qu'au bout du compte les Britanniques seront restés, mais je n'en suis pas sûr ! Je suis de ceux qui pensent que l'accord passé par les 27 avec eux est plutôt bénéfique pour la respiration démocratique dans l'Europe vis-à-vis de peuples rendus défiants et allergiques. L'association renforcée des parlements nationaux obtenue par Cameron est bonne. Je ne pense pas du tout que ce soit un accord affreux qui annonce un « détricotage » ; je ne me rattache pas davantage au courant qui dit : « Bon débarras, s'ils s'en vont, parce que nous allons enfin pouvoir bâtir les États-Unis d'Europe. » Les Britanniques n'ont jamais empêché les Européens d'avancer quand ceux-ci le voulaient. Ce qui bloque ces avancées, c'est tout simplement que les peuples ne suivent pas les élites européistes !

En revanche, je juge grave la révélation récente, sous les coups de boutoir de l'arrivée torrentielle de migrants et de réfugiés, d'un désaccord profond, jusque-là masqué, entre les sociétés de l'Europe de l'Ouest et de l'Europe de l'Est, entre les pays qui s'accommodent de la société « multiculturelle », c'est-à-dire, pour parler clair, de la présence de beaucoup de musulmans qui conservent leur mode de vie, et les autres qui la refusent et en ont peur. C'est choquant et perturbant, tout ce qu'on veut, mais c'est un fait : il n'y a pas de majorité dans l'Europe à vingt-huit pour condamner ne serait-ce qu'Orban, sans parler du gouvernement polonais et tous ceux qui, les uns après les autres, ont rétabli leurs contrôles aux frontières pour refermer la « route des Balkans ».

L'Europe est donc confrontée aujourd'hui à une conjonction de défis, qui seraient gérables séparément par un organisme robuste, s'ils se présentaient les uns

après les autres, mais ce n'est pas le cas. C'est spécialement vrai de la pression migratoire, qui nous prend d'autant plus de court que, depuis trente ans, on a élargi les
accords de Schengen, sans trop se poser la question de
leur viabilité géographique et surtout de la « contrôlabi-
lité » des nouvelles frontières extérieures, au nom d'une
idéologie sans-frontiériste qui prétendait déclencher un
mouvement destiné à l'étendre au monde entier ! Ce
n'était pas trop grave par un temps relativement calme,
avec peu de demandes d'asile, des mouvements migratoires limités. Quand le phénomène prend un caractère
de masse, ce n'est plus gérable.

Les Français adorent se battre sur ces sujets à coups
de valeurs et de théories. Comme disait Tocqueville, nous
préférons toujours les idées aux faits. Mais les faits sont
têtus. Lorsque énormément de gens arrivent en très peu
de temps, sans qu'on soit capable à l'avance de distinguer
entre les demandeurs d'asile réels et les mouvements
migratoires globaux, et qu'en plus ce sont des gens qui,
pour des raisons culturelles ou religieuses, ont des modes
de vie très différents, le Schengen d'origine ne tient plus.
D'où la désorganisation du système de Schengen, dont les
pays membres s'affranchissent les uns après les autres,
en rétablissant – pour le moment, momentanément – les
frontières sur les chemins migratoires. Phénomène attisée par la générosité à la fois honorable et dangereuse de
Mme Merkel, ce qui ne justifie pas pour autant l'égoïsme
ratatiné des autres. Car l'Europe ne peut refuser l'asile
à des gens en danger, dans des conditions gérables bien
sûr. Il n'est en tout cas pas étonnant que les frontières
se soient refermées, que la Grèce soit devenue une souricière géante et que, pris à la gorge, nous nous retrou-
vions obligés d'en passer par les conditions de la Turquie,
qui profite de la situation. Il y aurait beaucoup à dire sur
l'attitude ambiguë de la Turquie dans l'affaire syrienne,

mais elle héberge quand même deux millions de réfugiés syriens sur son sol et cela ne justifie pas l'imprévoyance des Européens. La position de force d'Erdogan souligne l'écart entre l'Europe Bisounours et le monde réel.

Quant à la France, pour compléter ce tableau peu réjouissant, elle offre le spectacle d'un pays écartelé par ses interrogations identitaires et la guerre des mémoires. L'invocation de la « République », chaque matin, tourne à vide. Cette France mal en point se distingue en plus de l'ensemble des pays développés comme le pays décidément le plus incapable d'opérer les réformes indispensables pour sauver les systèmes sociaux et reprendre le contrôle de ses dépenses publiques. Je ne suis pas d'un naturel pessimiste, mais je trouve que notre situation devient réellement préoccupante.

Après ce tour d'horizon, reprenons les problèmes un à un, en partant de ce qui apparaît comme la menace la plus immédiate, c'est-à-dire le terrorisme à l'enseigne islamique et de ce qu'il représente en tant que pointe émergée du chaos moyen-oriental.

Jusqu'aux tragédies récentes, l'Europe notamment, la France et la Belgique, peut-être les gauches française et belge en particulier, ont sous-estimé, voire nié le risque islamiste. Pour de mauvaises raisons que tout le monde connaît maintenant. Les grands intellectuels musulmans, égyptiens, maghrébins, africains (ou Salman Rushdie !) qui alertaient déjà il y a dix ans, vingt ans, trente ans, n'ont pas été entendus. A fortiori, ceux qui estimaient qu'il y avait un vrai problème, pas seulement avec l'islamisme, mais avec l'islam, un islam trop influencé par le wahhabisme et incapable de se réformer. Ils gênaient. On peut ergoter sur l'origine de cet aveuglement : le remords, la colonisation, l'idée que les musulmans sont les nouveaux parias de la terre et que donc il est interdit d'en dire du mal, la peur d'être taxé d'islamophobe, mot inventé par les ayatollahs qui mélange des choses totalement différentes, car il veut dire non seulement qu'on n'a pas le droit de s'en prendre à des musulmans qui n'y sont pour rien, mais aussi qu'on n'a pas le droit de critiquer l'islam. C'est la même confusion volontaire qu'entre antisémitisme, antisionisme, critique de la colonisation et critique d'Israël. Ces amalgames ont été inventés pour paralyser toute critique. Tout cela a entraîné une politique de l'autruche durable. Les attentats récents de Paris et Bruxelles (après beaucoup d'autres ailleurs) ont commencé à nous ouvrir les yeux et toutes les autorités n'osent pas encore appeler les choses par leur nom.

Comme nous sommes, nous Français, un peu plus nombrilistes que d'autres peuples, nous avons pensé que, si tout cela arrivait chez nous, c'était forcément de notre faute. Et que ce n'était pas l'islam qui était en cause, mais notre défaillance sociale – une explication égocentrique et masochiste. Il peut y avoir du vrai, mais l'état des banlieues françaises ou belges ne peut expliquer le 11-Septembre, Boko Haram, ou les talibans afghans ! Il a fallu un certain temps pour que les Européens réalisent qu'il y a un affrontement géant, dans tout l'Islam – 1 600 millions de personnes dans des dizaines de pays –, ce qui fait que, même si les extrémistes ne représentent que 1 %, cela fait encore beaucoup ! Or, en Europe, il y a 20 millions de musulmans. L'immense majorité des musulmans sont, comme tout le monde, horrifiés par la violence et les attentats, mais ils n'ont pas trouvé les moyens politiques et religieux de s'exprimer ensemble. En outre, une partie de l'opinion les a entretenus dans cette impasse, au nom de l'idée qu'il ne fallait surtout pas les « stigmatiser » : si on leur demandait de s'exprimer sur le terrorisme, c'est qu'on les soupçonnait. Sophisme absurde ! Ce seraient donc les seuls qui n'auraient rien à dire sur le sujet. N'importe qui aurait le droit de dénoncer les attentats, les catholiques, les protestants, les juifs, les athées, sauf les musulmans. Situation aberrante dont tous ceux qui n'ont que le mot de stigmatisation à la bouche portent la responsabilité. C'est le silence qui entretient l'amalgame. À quand une énorme manif des musulmans d'Europe contre l'islamisme, le salafisme et le crime ? Ils ont là une occasion historique de faire naître – en Europe – un islam moderne qui renouerait avec le meilleur du passé de l'islam et mettrait un terme à des décennies de régression.

Je laisse de côté dans ce tableau la résurgence de l'affrontement entre les sunnites et les chiites, qui nous affecte moins directement. En pratique, nous devrions aussi longtemps que nécessaire nous protéger mieux. Il est évident que les divers services de police de tous les pays concernés n'ont pas assez coopéré entre eux par souci de garder les informations sensibles ; dès qu'ils les partagent, ils craignent qu'elles ne valent plus rien ; c'est la complexité de leur tâche, mais il faut avancer. Sans doute tout le monde a-t-il compris maintenant, même à Bruxelles où l'État était devenu trop faible. Ensuite, il ne faut pas opposer cette dimension policière et la dimension militaire. Il peut être nécessaire d'aller neutraliser certaines bases arrière des terroristes, à condition d'être capable de mettre en place après l'action militaire une solution politique. Ajoutons enfin que sans une contre-offensive théologique contre l'extrémisme portée par les musulmans eux-mêmes, les autorités des grandes universités musulmanes sunnites, égyptiennes ou autres, la bataille sera beaucoup plus longue. Redisons-le : le terrorisme islamique est un phénomène global – seul le continent américain est à peine touché, il touche l'Europe, l'Afrique, l'Asie – qui ne disparaîtra pas brusquement, même si Daesh est écrasé.

Il faut donc nous organiser mentalement et pratiquement pour vivre avec, en le jugulant petit à petit. Les terroristes ne peuvent pas gagner. J'ai plutôt l'intuition qu'au bout du compte, dans un temps braudelien, l'islam modéré finira par l'emporter et qu'il n'y aura pas de califat islamiste. Mais il s'écoulera combien d'années avant cela ? Douloureux avant cette issue.

Revenons sur le volet politico-diplomatique. À juste titre, la France n'a pas participé à la guerre en Irak en 2003. Mais elle a eu lieu et a marqué le début de la désintégration du Moyen-Orient. Maintenant il nous faut éviter d'être dans un camp sunnite ou chiite, contre l'autre. Il ne faut pas non plus laisser tomber la question du Proche-Orient, en dépit de la fatigue générale face au conflit israélo-palestinien et à la victoire, de facto, du sionisme extrémiste, nationaliste et religieux. Même si ce n'est pas le seul abcès dans la relation Islam/Occident, cela reste un élément d'aggravation et un élément quotidien de la propagande des recruteurs islamistes du Maroc à l'Indonésie, et de n'importe quelle banlieue européenne jusqu'au Sahel. Il faut donc construire avec les musulmans laïcs, ou modernisateurs, et réformateurs une alliance de longue durée politique, culturelle, idéologique. Il n'existe pas de solution simple ni immédiate à ce problème.

La sortie de la crise syrienne est un élément très important du scénario dessiné. Au bout de cinq ans de guerre civile, peut-être va-t-on doucement vers une issue diplomatique. Mais la reconstruction de la Syrie va être un enjeu considérable, y compris pour l'exemplarité de l'entreprise auprès du reste du monde arabe. Comment l'aborder dans les moins mauvaises conditions ?

Il y aura, évidemment, des tentatives de reconstruction d'un Moyen-Orient viable et stable. Quelles sont les erreurs à éviter et que peut-on faire ? Avant d'en parler, il faut prendre la mesure de ce qui se passe, c'est-à-dire de la désagrégation, sous nos yeux, de l'organisation étatique mise en place après la Première Guerre mondiale, après que les « puissances chrétiennes », puisqu'elles se concevaient comme telles à l'époque, ont réussi à démanteler l'Empire ottoman. Suite aux accords Sykes-Picot, on a créé de toutes pièces une entité syrienne et une entité irakienne (plus le Liban et la Palestine). Cette organisation a tenu à peu près un siècle. Elle se décompose sous nos yeux sous le coup de l'intervention américaine, des « printemps arabes », de la guerre civile, etc. À supposer que nous y puissions quelque chose, ce qui n'est pas plus évident, étant donné que nous n'avons plus sur la marche du monde l'influence que nous pensions avoir, ce qui est démoralisant tant pour les interventionnistes que pour les droits-de-l'hommistes, il faut tirer les conséquences de cette désagrégation. Nous ne pouvons pas nous en désintéresser, la situation est trop dangereuse, il faut donc malgré tout essayer de faire quelque chose. Mais quoi ?

Peut-on reconstruire l'Irak ? Et la Syrie ? À supposer qu'on puisse définir le « on ». Reconstruire l'Irak peut vouloir dire rétablir l'Irak dans ses frontières d'avant Daesh, soit admettre que l'Irak éclate à l'avenir entre une entité kurde, une entité chiite à Bagdad, qui serait une sorte de protectorat iranien, et une entité sunnite, reliée ou non à la zone autonome sunnite syrienne. Pas simple ! S'il y avait des congrès diplomatiques, qui tranchent dans le vif comme celui de Berlin en 1885, ou même des conférences comme celles de Téhéran-Yalta-Potsdam, on trancherait ce genre de questions ; mais aujourd'hui c'est impensable. Toujours est-il qu'il faut essayer de voir si les sunnites, les chiites et les Kurdes pourraient vivre ensemble dans le cadre d'un État irakien avant de se résigner à organiser la séparation. Quant à la Syrie, qui

pourrait faire cohabiter de nouveau les diverses compo-
santes du peuple syrien, malgré les souffrances atroces
qu'elles se sont infligées ? Sous quel régime ? Un régime
centralisé ou fédéral ? Comme au Liban, quand le Liban
fonctionnait, avec un système de répartition des postes
par quotas ethniques, ou un régime unitaire ? C'est aussi
très compliqué. Aucune puissance régionale ne peut imposer sa solution – ni l'Iran, ni la Turquie, ni Israël, ni
l'Égypte ne le peuvent – et aucune puissance extérieure
ne peut revenir jouer le rôle de Sykes et Picot – même
si Obama et Poutine travaillaient ensemble, ils n'arri-
veraient sans doute pas à imposer leur schéma. Reste
malheureusement l'hypothèse d'un conflit qui dure, qui
pourrit, d'un éclatement qui ne dit pas son nom. Régiona-
lement, il faudra peut-être attendre que les chiites et les
sunnites se lassent de se battre par Syriens ou Yéménites
interposés, comme les Européens à la fin de la guerre de
Trente Ans ; mais il n'y a pas de traité de Westphalie, sans
Richelieu et Mazarin.

On ne voit pas aujourd'hui qui a la force d'imposer une
paix. Sauf un accord entre un Iran moderne où les pasdarans auraient été marginalisés, qui n'aurait plus besoin
d'utiliser les minorités chiites pour déstabiliser la région,
et des dirigeants arabes aspirant à une coexistence pacifique, ce qui n'est pas encore le cas. Un tel scénario peut
se produire, mais, nous, les Occidentaux, n'en serons pas
les parrains ; nous n'avons guère de cartes en main. La
diplomatie française, en partant d'une indignation honorable, mais impuissante, s'est d'elle-même mise hors jeu
au Moyen-Orient. Les autres Occidentaux n'ont guère
plus de cartes. Finalement, n'excluons pas un scénario
de sortie à l'initiative de la Russie, bien sûr à ses conditions. Décidément, l'écart entre ce que l'on peut effec-
tivement faire et ce que l'opinion attend des dirigeants
est abyssal. Longtemps le système médiatique n'a rien

voulu comprendre de tout cela. Et comme il exerce une influence accrue sur le monde politique, qui n'a plus le temps d'avoir une pensée propre et fonctionne comme une grosse éponge gorgée d'information continue, le décalage avec la réalité est terrible. Est-ce que nous n'avons pas entendu, pendant des décennies, des militants du dépassement des États, présentant cela comme l'avenir ? Eh bien, on voit là que la disparition des États au Moyen-Orient, en Afrique, en Europe même... est une dangereuse régression.

Malheureusement, on ne peut pas s'en tenir à la Syrie et à l'Irak, car il y a déjà des métastases ailleurs : au Yémen, en Libye où, même si Kadhafi n'avait pas été renversé par l'opération franco-britannique, il y aurait eu une guerre civile ; au Sahel, où le Mali aurait pu tomber au pouvoir des djihadistes si la France ne s'était pas, à la demande générale et avec courage, mise en travers et où les risques persistent ; au Sinaï, qui n'est pas entièrement sous contrôle de l'armée égyptienne, qui subit là-bas de lourdes pertes. Pouvons-nous même être sûrs de l'avenir de l'Arabie ? De la Jordanie ? Du Liban ? Ne serait-ce que parce que ces deux derniers pays accueillent en proportion bien plus de réfugiés que ce que les Européens, même les plus généreux, acceptent.

En Libye, le risque existe que, si les parlements de Tripoli et de Benghazi n'arrivent pas à se mettre d'accord, si le gouvernement d'union nationale fabriqué par la médiation marocaine et par l'ONU reste sur le papier, Daesh s'enracine à Syrte et autour (quelques milliers d'hommes) et attire de plus en plus à lui des djihadistes du Sahel venus du Mali, du Niger, du Tchad, etc. C'est très dangereux pour la Tunisie, très exposée, c'est contrôlable en théorie par l'Algérie, si le système algérien tient bon, c'est grave pour l'Europe du Sud. Tout devrait donc conduire à une opération. Militairement, ce n'est pas très compliqué, à condition que la VIe flotte américaine et d'autres passent le blocus des ports, que l'armée française au Sud contrôle les passes, qu'un accord soit trouvé avec l'Égypte, l'Algérie, l'Italie, etc. (dispositif Barkane).

Ce n'est pas impossible militairement – si on attend, ce sera plus compliqué –, mais politiquement cela reste très compliqué : les autorités françaises redoutent le précédent Sarkozy. À ce propos, il est honnête de rappeler que Sarkozy n'a pas agi que sous le coup d'une impulsion – il est sur ce point victime de sa réputation –, mais qu'il y a eu un appel au secours de la Ligue arabe et une décision du Conseil de sécurité pour intervenir en Libye. Qui d'autre que la France et la Grande-Bretagne aurait pu le faire ? Il y a donc un vrai risque en Libye auquel il faut souhaiter qu'une solution soit apportée. Mais c'est impossible sans une demande libyenne et un accord du Conseil de sécurité.

Obama a été élu pour extirper les États-Unis des pièges où les avait conduits l'excès d'engagements inconséquents de George W. Bush. Et il pense stratégiquement à long terme, avec une intelligence froide, peut-être un peu trop détachée de la conjoncture, que le grand défi de demain se situe en Asie-Pacifique. Il a certainement raison. Mais il a sous-estimé les conséquences de son lâchage de Moubarak, de son absence de réaction en Syrie, après avoir fixé une « ligne rouge » en cas d'usage de l'arme chimique, de son inaction quand Netanyahou lui a dit qu'il n'arrêterait pas la colonisation, etc. Il est parti trop tôt d'Irak, en tout cas sans aucune espèce de garantie que le régime de Bagdad – chiite – accepterait de réintégrer les sunnites dans le jeu politique. Il a commis une série d'erreurs qui ont installé dans cette partie du monde l'idée d'un retrait de l'Amérique, qui attise les appétits. Or il n'y a pas de système de remplacement. La France, ces dernières années, en a beaucoup voulu à Obama. Mais ce dernier assume totalement et crânement sa ligne (Atlantic Monthly).

Et puis, il y a la question algérienne, qui est terriblement préoccupante. Même si l'on ne peut que souhaiter aux Algériens que leur système se démocratise et se modernise sans drame, comment en être sûr ? Interrogation lourde pour l'Algérie elle-même, pour la France, la Tunisie, le Maroc, l'Italie, pour tout le bassin de la Méditerranée occidentale. Or, nous n'y pouvons strictement rien. Nous n'avons pas d'influence sur ce qui se passe dans le système algérien, qui est une vraie boîte noire. On ne peut exclure complètement que le système algérien trouve, parmi les anciens Premiers ministres par exemple, un successeur à Bouteflika acceptable pour l'armée, même si elle est moins puissante depuis le démantèlement de l'État dans l'État qu'était le renseignement militaire. En revanche, ce qu'on voit moins bien, c'est comment l'Algérie pourra compenser l'effondrement des revenus pétroliers, qui est tragique pour un pays très peuplé, avec une population exigeante et jeune, où tout est très subventionné et où l'on a laissé péricliter à peu près toute l'activité économique en dehors de l'énergie. Les dirigeants algériens se préoccupent maintenant en urgence de bâtir des programmes de diversification, mais ce n'est pas en deux ou en cinq ans qu'on refait une agriculture, etc. Il y a donc là un vrai risque. Je suis moins effrayé que d'autres, sur le plan politique, par la perspective du saut dans le vide après la mort de Bouteflika ; je pense que le régime va trouver une combinaison pour se perpétuer. En revanche, pour relever leur défi économique, ils devraient desserrer l'emprise de leur bureaucratie, qui combine des traits de bureaucraties à l'ottomane, à la soviétique et à la française qui asphyxient tout, alors que ce pays a un immense potentiel humain. Il faudrait une sorte de révolution libérale. Mais, je le répète, je ne crois pas a un effondrement politique. Tous les pays pétroliers qui ont une population importante sont concernés ; aussi bien l'Arabie saoudite, le Venezuela, l'Iran, l'Irak, la Russie, que le Gabon – mais pas le Qatar et les pays semblables.

Il est au moins une zone où nous pouvons quelque chose, puisque nous y sommes présents militairement, c'est le Sahel, qui est une véritable bombe à retardement. L'entretien avec Serge Michailof que nous publions ci-contre à propos de son livre, Africanistan, *donne une image inquiétante de la situation des pays sahéliens.*

Globalement, avant d'en revenir au Sahel, à propos duquel Michailof a malheureusement raison, nous sommes passés de la communauté internationale des Bisounours à un monde brutal. Cela veut dire qu'on ne peut se référer mécaniquement à aucune réponse établie. On ne peut pas dire que, puisque l'ingérence occidentale s'est révélée souvent calamiteuse depuis vingt-cinq ans, à partir de maintenant, on n'intervient plus jamais. Ce serait intenable. Mais on ne peut plus non plus faire de l'ingérence un principe général. On ne va pas refaire la colonisation, et d'ailleurs les opinions occidentales ne suivent plus ! Sur l'Afrique, on voit revenir des problèmes qu'on pensait avoir traités depuis les indépendances dans les années 1960, c'est-à-dire depuis un demi-siècle ! On parle d'un plan Marshall pour l'Afrique, alors qu'en réalité on en a déjà fait deux ou trois. Le montant des aides accordées à l'Afrique est gigantesque. Pourquoi cela n'a pas marché ? Pourquoi ces aides n'ont pas été utilisées et pouvaient-elles l'être ?

Cela ne sert à rien d'aborder la question africaine sur le mode des remords occidental. Comme Obama a eu le courage de le dire en substance au Ghana, un pays qui s'en sort bien, dans un discours remarquable qui n'a été repris par aucun dirigeant européen : « Vous ne pouvez plus dire, vous Africains, cinquante ans après l'indépendance, que tous vos malheurs sont dus à l'esclavage et à la colonisation. Ce n'est plus crédible. » Il n'y avait qu'Obama pour pouvoir le dire. De toute façon, le discours expiatoire n'est plus fondé, à supposer qu'il l'ait été, et il ne résout rien. Il ne fait qu'entretenir certaines « élites africaines », corrompues et prédatrices, ou simplement incapables, à persévérer dans l'être. Heureusement, d'autres apparaissent.

Compte tenu des gigantesques perspectives qui concernent aussi l'Afrique elle-même, comme on le voit en Côte d'Ivoire, au Nigeria et en Afrique du Sud, Européens et Africains devront aller vers une cogestion des flux migratoires entre pays de départ, de transit et d'arrivée. Je ne parle pas de l'asile à donner aux réfugiés. Il faudrait, à intervalles réguliers, un sommet des pays de l'Afrique de l'Ouest, du Maghreb et des pays membres de Schengen par exemple pour fixer, en fonction des besoins économiques, le niveau de l'immigration économique par métiers, des quotas.

Le choix n'est pas entre une Europe ouverte ou fermée – deux extrêmes absurdes –, mais entre des mouvements migratoires gérés ou non gérés. Il faut proposer à nos partenaires africains de cogérer ces flux comme des partenaires. Pour réduire ces mouvements, il faudra peut-être conditionner toutes les aides, la construction d'États normaux, d'économies normales et d'une agriculture, qui fixent les populations. Comme le demande S. Michailof, mais cela suppose que les banques internationales de développement changent de politique ! Sinon, on sera obligé de multiplier les murs et il y en aura en Afrique.

Autrement dit, nous devrons nous comporter en réal-politiciens réalistes, mais être aussi généreux, ouverts, pleins d'empathie. Tout le contraire de l'Europe gnangnan, expiatoire, qui donne des aides par remords, dont elle ne sait pas trop si elles sont utiles, ou au contraire qui cherche à faire des « coups » sur certains marchés profitables. Cela peut paraître brutal, mais il faut responsabiliser l'Europe, les pays de départ et les pays de transit. Cela veut dire aussi lutter ensemble contre les passeurs, développer l'aide au retour, mobiliser les diasporas, etc. Cela suppose une révolution en Afrique : une révolution agricole qui re-crédibilise et re-rentabilise toute l'agriculture de proximité ; et que les pays arrêtent de se glorifier d'avoir une population plus nombreuse que le pays d'à côté. Bref, il nous faut réinventer une approche coresponsable concernant le développement et les flux migratoires, car le monde ne pourra pas faire face à un exode massif et durable de la pauvreté africaine.

En ce qui concerne l'asile, on aurait dû prévoir qu'un jour ou l'autre nous serions confrontés à des problèmes terribles, tel le drame syrien, et qu'il fallait donc nous préparer à sélectionner ceux qui relèvent du droit d'asile, organiser la répartition des réfugiés entre les différents pays. On ne peut plus faire assumer tout le fardeau par les pays où les réfugiés arrivent en premier, etc. La convention de Dublin est injuste, les Grecs et les Italiens ont raison de s'en plaindre. Il fallait un Schengen réaliste. C'est peut-être une erreur d'avoir inclus la Grèce dedans sans être sûr que ses centaines d'îles soient contrôlables. La faire sortir maintenant est impossible, ce serait ajouter une humiliation à toutes ses autres difficultés, mais il n'empêche que, avec ses centaines d'îles, cela rend problématique la gestion géographique de Schengen. Tout cela est inextricable à chaud, sauf si l'accord passé en urgence avec la Turquie fonctionne. La logique de Schengen était idéaliste, pas géographique. Elle procédait d'un sans-frontiérisme confiant, supposé exemplaire. Schengen est suspendu. Il s'agit donc de reconstituer un Schengen viable, avec une frontière extérieure gérée à la fois de façon fédérale et nationale (Frontex et Interpol), avec une connexion instantanée entre toutes les polices et les douanes nationales, des systèmes qui permettent de détecter tout de suite les gens qui ont le droit de demander l'asile, et des procédures courtes, tout le problème étant de distinguer les demandeurs d'asile et les mouvements migratoires, et par ailleurs d'identifier les risques terroristes. C'est ce qu'il fallait faire depuis vingt-cinq ans, mais mieux vaut tard que jamais. Il n'y a pas de meilleure solution dans l'immédiat. L'Europe ne pouvait pas laisser la Grèce se transformer en souricière et il fallait donc, hélas, passer par les conditions turques.

Sur ces sujets, il faut lutter contre des argumentations spécieuses opposées. Contre celui des extrêmes droites, qui mélangent tout parce que crier à l'envahissement est leur fonds de commerce, et d'autre part contre le discours de la repentance, avec son côté purement caritatif qui va souvent de pair avec l'idée que l'immigration est « une chance pour nous ». On ne peut pas dire ça ! L'immigration peut être une chance pour eux, et pour nous, mais à certaines conditions. Et d'abord, à condition d'être bien gérée. Que les migrants économiques soient des sortes d'auto-entrepreneurs courageux, qu'ils soient énergiques, ne signifie pas que l'immigration soit automatiquement bonne pour nous. Il y a pire : l'argument de l'immigration panacée pour résorber le déficit démographique européen. Veut-on attiser les théories et les angoisses du « remplacement » ? Ces deux langages irresponsables et opposés s'alimentent l'un l'autre et créent l'état d'esprit que l'on constate.

Jusqu'à maintenant, nous avons parlé de menaces assez concrètes : la déstabilisation par la Syrie, les flux de réfugiés, de migrants, etc. Mais, dans la perception générale des menaces, il y en a d'autres qu'on ne sait pas objectivement mesurer, parce qu'elles sont d'ordre culturel et identitaire, et où le ressenti pèse lourd. Elles sont déniées par les uns et hystérisées par les autres. S'y mêle le sentiment d'un déclassement de l'Europe : de la perte de sa capacité technologique, de ses moyens économiques, de sa capacité stratégique, de son autonomie. Les milieux économiques craignent une Chine qui dans dix ans n'aura besoin de personne ni d'espionnage pour maîtriser les technologies les plus avancées. Mais il y a un désaccord fondamental sur ce diagnostic de déclassement, et sur l'idée d'une menace identitaire.

La résurgence de la réalité, c'est aussi la réapparition de la menace russe, qu'on croyait enterrée à tout jamais et qui fait maintenant objet de fantasmes alimentés par les souvenirs du passé. Sa mesure exacte est un élément-clef du diagnostic de la situation européenne.

Les Occidentaux, les Américains plus encore que les Européens, pensaient qu'une fois l'URSS effondrée – la vraie date, ici, n'est pas celle de la chute du Mur en 1989, mais celle de la désintégration de l'URSS en 1991 – il n'y aurait plus besoin de se préoccuper de la Russie, que ce serait désormais une quantité négligeable. Dans les années qui ont suivi, la Russie a souvent été traitée par les Occidentaux avec maladresse, condescendance et désinvolture – je l'ai vécu dans l'affaire du Kosovo. Cela ne justifie évidemment pas tout ce que fait la Russie, mais même quelqu'un comme Kissinger a dit qu'on n'avait fait aucun effort sérieux pour intégrer la Russie à l'ensemble de sécurité occidental d'après la guerre froide. Cette attitude occidentale globale a été confortée par le fait que Poutine n'a pas posé de problèmes particuliers pendant ses deux premiers mandats et que Medvedev nous a permis de croire qu'on avait trouvé un interlocuteur russe juriste et moderne – Obama avait tout misé sur lui. À partir du retour de Poutine en 2012, rien ne va plus. D'une certaine façon, l'Occident en veut affreusement aux Russes d'être restés Russes.

Quant à Poutine, que j'ai pratiqué en tant que ministre, je pense que c'est d'abord un patriote viscéral. Son obsession est non de reconstituer l'empire russe ou soviétique, mais de laver l'humiliation de 1991. Pour lui, l'humiliation, c'est d'abord l'effondrement de l'URSS, « la plus grande catastrophe géopolitique du XXᵉ siècle » selon ses termes, y compris l'indépendance de l'Ukraine, dont, au fond de lui-même, il doit continuer à penser qu'elle est aberrante (l'Ukraine faisait partie de la Russie depuis plus longtemps que la Bretagne n'est française). Pour autant, ce n'est pas, me semble-t-il, un aventurier qui prend des risques insensés. Je le vois plutôt comme quelqu'un qui saisit vivement l'occasion quand il y a une grosse bêtise en face, exemple le président de Géorgie qui, se croyant soutenu par George W. Bush, était passé à l'attaque contre la présence abusive de la Russie dans deux enclaves peuplées de minorités qui par ailleurs détestent les Géorgiens, ce qui rendait la tâche de Poutine facile. Mais il n'a pas de plan général d'invasion.

À propos de la crise ukrainienne et de la Crimée, Schröder aurait dit récemment : si j'avais été là, cela ne se serait jamais produit. Pourquoi ? Tout simplement parce qu'il aurait empêché que le Conseil européen donne à la Commission européenne, sous l'impulsion de la Pologne, un mandat sur l'accord d'association avec l'Ukraine clairement conçu pour couper les liens entre l'Ukraine et la Russie. Il n'y aurait alors pas eu les événements de Maïdan. Il n'y aurait pas eu l'annonce provocante de l'interdiction de l'usage de la langue russe, et les séparatistes n'auraient pas été encouragés. Mais un prétexte en or a été donné à Poutine et il s'est emparé de la Crimée avec le soutien de presque tous les Russes, y compris de ses opposants. Cet engrenage fait partie de la gestion inintelligente de la question russe actuelle par l'Occident.

L'on peut y ajouter les projets erratiques de systèmes antimissiles par les Américains, une vieille affaire qui remonte à Reagan. Les Américains répétaient depuis toujours que ce n'est pas dirigé contre la Russie (sous Reagan, cela l'était), mais contre les missiles iraniens. Mais, sous Obama, les républicains ont exigé qu'on rétablisse d'urgence le système antimissile antirusse ; donc beaucoup de messages contradictoires. Il y a aussi l'affaire de l'OTAN : il est vrai que Bush père et Baker avaient pris des engagements de non-extension à l'égard de Gorbatchev, mais non écrits, et qui n'ont pas été tenus ; Gorbatchev s'en est plaint à plusieurs reprises, sans pouvoir en fournir la preuve. Même Kissinger considère qu'il ne fallait pas essayer d'élargir l'OTAN à l'Ukraine. Or, sous George W. Bush, les Américains ont prétendu vouloir le faire, relayés par les Polonais, les Baltes, etc. Angela Merkel et Nicolas Sarkozy s'y sont opposés. Même Brzezinski dit maintenant que l'on ne doit pas étendre l'OTAN à l'Ukraine, et qu'il faut lui trouver un statut semblable à celui de la Finlande pendant la guerre froide ou à celui de l'Autriche à la même époque, un statut neutre. Affirmer que l'on n'a pas agi intelligemment avec la Russie, ce n'est donc pas être poutinophile, ce n'est pas être trop indulgent, c'est juste du réalisme. Reste que la question de l'attitude occidentale face à la Russie n'a rien à voir avec celle de l'islam : il n'y a là ni déni, ni colonialisme, ni repentance. C'est de la maladresse, du mépris, de l'arrogance. C'est un problème moins compliqué que l'islamisme, c'est un problème géopolitique classique, qu'on pourrait résoudre avec un peu de *realpolitik* bien conçue.

Impossible sans une harmonisation des positions européenne et américaine. À cet égard, François Hollande et Angela Merkel font le mieux possible avec le processus de Minsk. C'est laborieux, c'est très lent, mais c'est ce qu'on peut faire de mieux. Obama a là-dessus une position très dure, un peu stérile. Certains pensent, aux États-Unis, que, par son intransigeance dans cette affaire, il a voulu montrer sans que cela lui coûte qu'il était un dur à cuire afin de contrer les accusations injustes de mollesse dans le dossier iranien. En tout cas, il faudrait définir une position occidentale commune, à la fois ferme et ouverte, vis-à-vis de Poutine, reconnaissant les intérêts légitimes de la Russie tout en refusant clairement de la laisser faire n'importe quoi. Par exemple : vous avez des intérêts évidents en Syrie, des intérêts militaires, des intérêts humains parce qu'il existe des milliers de familles mixtes, des intérêts de sécurité parce qu'il existe une filière djihadiste russophone à Rakka ; nous le reconnaissons, mais ce n'est pas une raison pour que vous défendiez jusqu'à la fin des temps la ligne d'Assad. Nous vous donnerons des garanties qui feront qu'un jour ou l'autre vous n'aurez plus besoin d'Assad. Cela aurait été une position au début, mais maintenant c'est Poutine qui a la main. Quant à l'Ukraine, Hollande et Merkel ont raison : les Occidentaux n'ont aucun intérêt à une Ukraine déstabilisée, que la Russie n'a aucune raison de s'infliger ce fardeau de l'Ukraine de l'Est, tout le monde a intérêt que Kiev retrouve le contrôle de ses frontières avec une autonomie importante pour les régions de l'Est. Bref, il faudrait traiter Poutine d'égal à égal, lui tendre la main sur beaucoup de sujets – en matière énergétique, en matière spatiale – et, en même temps, se montrer ferme et dissuasif. Par exemple, que des pays tels les Pays baltes, limitrophes de la Russie, demandent une présence des forces de l'OTAN – dont ils font partie – chez eux n'est pas choquant. Cela fait partie de la reconstitution d'un rapport de force normal, nullement provocant, quoi que racontent certains Russes, et utilement dissuasif. Et comme la plupart des bons analystes russes considèrent que Poutine est une sorte de centriste – même si, du point de vue des médias occidentaux, cela paraît extravagant, et qu'il a 80 % de popularité à cause de ses positions –, que l'Occident soit ferme n'est pas mauvais pour lui. Cela peut l'aider à s'extirper de l'impasse dans laquelle il s'est mis. Mais, encore une fois, c'est un problème géopolitique classique, ce que n'est pas le problème islamiste avec toutes ses dimensions.

Compte tenu de futures élections américaines, pouvez-vous dire un mot des États-Unis dans leurs rapports à l'Europe ?

Les péripéties des primaires sont pittoresques, mais la seule question importante pour nous est de savoir à quel genre d'Amérique cela conduit à l'extérieur dans le monde. Est-ce que le prochain président voudra rétablir ce que j'ai appelé, il y a quinze ans, l'hyperpuissance ? Leur unilatéralisme judiciaire tous azimuts, cette espèce de menace qu'ils exercent sur toutes les transactions commerciales et monétaires libellées en dollars au mépris du droit international, ne changera pas, quel que soit le président, ni leur budget de la Défense, ni les GAFA (Google, Apple, Facebook et Amazon). Mais, par rapport à l'extérieur, il est très important pour nous de savoir s'ils n'interviendront pas, ou peu, comme Obama, ou s'ils interviendront beaucoup ? Il y a sur ce point un affrontement dans chaque camp entre les interventionnistes et les « isolationnistes ». Les démocrates sont plutôt interventionnistes, par droit-de-l'hommisme. Chez les républicains, le courant réaliste classique – Nixon, Kissinger, Bush père, le général Scowcroft – a disparu. Il a été submergé par le Tea Party, puis par les « *neocons* », qui sont prêts à intervenir par la force au nom de la mission civilisatrice des États-Unis et de la démocratie à imposer, s'il le faut, à coups de bombes. Quant à Trump, nonobstant sa vulgarité, on ne sait pas très bien à ce stade quelle est sa position. C'est un original dont il ne semble pas qu'il soit dévoré par la fièvre interventionniste. Il incarne plutôt une sorte de réalisme cynique, brutal, prêt à commercer avec n'importe qui. Il n'apparaît pas comme un « *neocon* » habituel et rien n'est clair en ce qui le concerne. Néanmoins, quand il dit que les États-Unis n'ont plus de raisons d'être des missionnaires, ni de protéger à leurs frais des alliés (Europe, Japon, etc.) qui n'en font pas assez et que ceux-là vont devoir se débrouiller, il est une sorte de caricature vulgaire de ce que pense... Obama de façon sophistiquée et de ce que l'Amérique sera un jour ou l'autre. Entendons ce signal.

Quelles sont les chances de voir la France et l'Europe adopter la ligne réaliste et rationnelle que vous avez essayé de dessiner sur différents fronts. Le changement d'attitude que la situation appelle relève-t-il de l'impossible ou peut-il se produire dans un délai raisonnable ?

Je crains que l'Europe moderne ne soit consubstantiellement chimérique. Mais la réalité va s'imposer sans l'Europe s'il le faut. Tous ceux qui exigeaient le départ de Bachar doivent se rendre à l'évidence : il est toujours là. La Russie l'a sauvé et est à l'offensive. Donc, il a fallu reprendre les négociations avec la Russie, alors qu'on disait qu'il n'en était pas question, et admettre qu'elle est redevenue centrale. Les États-Unis l'ont fait. Nous devons assumer cette réalité, et pour l'assumer il faut l'admettre, la reconnaître, la nommer. La bouderie française n'a plus lieu d'être.

Le paramètre supplémentaire qu'il faut introduire réside dans le sentiment de marginalisation, de déclassement, qui fait que le moral n'y est plus.

Le moral n'y est plus, d'autant que nous avons été très prétentieux. La plupart des pays dans le monde n'ont jamais pensé avoir une vocation universelle, ils sont donc moins vexés. C'est plus cuisant pour nous, les Français, en particulier. Dans ce sentiment de déclassement, il y a une réalité économique, et un élément de vexation. Après tout, on pourrait se dire qu'on se fiche de ne pas être numéro un ou deux. C'est la conclusion récente de Marcel Gauchet. À condition d'ajouter qu'il s'agit quand même de sauvegarder l'essentiel de l'Europe : les meilleures sociétés qu'on ait jamais vues dans l'histoire de l'humanité, même si tout le monde y est mécontent tout le temps. Comment se défendre si nous sommes devenus semblables à la Suisse (et encore ils ont été combatifs !). L'Europe devrait se métamorphoser en puissance, une Europe non pas pacifiste, mais pacifique, qui intervient pour maintenir ses fondamentaux : son mode de vie, ses libertés, sa protection sociale réformée, etc. Si l'on ne constitue pas des moyens de puissance parce que l'opinion européenne a tourné la page de la puissance, c'est le déclin assuré. Il y aura toujours des gens pour soutenir que ce n'est pas grave, mais ils ne se rendent pas compte qu'il y a un engrenage entre la perte de puissance, la perte de la richesse créatrice, la perte de l'inventivité et finalement la perte du *soft power*, et de la liberté. Nous courons un vrai risque de nous retrouver dans cette situation-là. Faute d'Europe puissance, une Europe impuissante et finalement dépendante des puissances du monde de demain et des décisions prises ailleurs. Notre tâche est de nous y opposer absolument et de formuler cette exigence dans des termes qui puissent faire l'unanimité.

Sur l'avenir de l'Europe

Avant le référendum sur le Brexit du 23 juin 2016, Hubert Védrine livre sa réflexion sur l'avenir de l'Europe à la *Frankfurter Allgemeine Zeitung* et au *Monde*[1].

I

La possibilité d'un vote des Britanniques favorable au Brexit au référendum du 23 juin nous oblige, de toute façon, et quel qu'en soit le résultat, à ne plus fermer les yeux sur l'attitude de plus en plus critique et de plus en plus distante des peuples d'Europe envers la construction européenne. Dénoncer mécaniquement le populisme, à coups de discours scandalisés et de sermons, donne bonne conscience, mais ne le fait pas régresser, parfois même l'attise, et ne résout rien si on ne traite pas ses causes.

La réalité, c'est qu'il y a aujourd'hui en moyenne dans les différents pays de l'Union (en moyenne, car, pays par pays, il faudrait nuancer) entre 15 et 25 % d'*anti*-européens (*anti*, pas seulement *sceptiques*, on a bien tort de confondre les deux) ; à l'autre extrême, peut-être 15 à 20 % de « pro-européens » traditionnels et raisonnables, de centre gauche ou de centre droit ; sans

---

1. Article paru dans *Le Monde* et la *Frankfurter Allgemeine Zeitung* le 12 juin 2016.

doute guère plus d'1 % de vrais européistes fédéralistes (électoralement inexistants, mais encore influents dans certaines élites et les milieux économiques) ; et, entre les deux, une majorité d'environ 60 % d'eurosceptiques (au sens vrai : dubitatifs), d'Européens déçus ou devenus allergiques. Année après année, chaque élection, nationale ou européenne, référendum, référendum consultatif, sans parler des études et sondages, confirme ce décrochage des peuples. L'Union européenne est donc un organisme affaibli, miné de l'intérieur. Plus encore, elle rassemble des démocraties représentatives, les États-membres, de plus en plus contestées par une revendication croissante de démocratie participative ou même directe de la part de citoyens surinformés, et dont aucune ne fonctionne vraiment bien, à la seule exception, peut-être, de l'Allemagne. Et c'est cet ensemble qui doit relever des défis extérieurs redoutables ! Ceux de Poutine, qui mettent en lumière les divergences entre États-membres, selon qu'ils sont ou non frontaliers de la Russie et qu'ils ont été, ou non, asservis par l'URSS. Ceux qui découlent d'une vague sans précédent de demandeurs d'asile, en immense majorité syriens, pour l'essentiel musulmans, et, *en même temps*, de migrants économiques, venus d'Afrique ou d'ailleurs, ce qui met en lumière la profonde faille entre ceux des Européens qui jugent inéluctables et acceptables les sociétés multiculturelles et ceux – les pays d'Europe de l'Est qui furent sous la coupe de l'Empire ottoman, ou de l'URSS – qui n'en veulent à aucun prix. Tout cela sur fond de croissance souffreteuse, de baisse continue de la part des Européens dans la démographie mondiale et de compte à rebours écologique. Au jour le jour, les institutions européennes fonctionnent, mais il y a bien un danger de dislocation de l'Union (l'éventuelle décision de sortie de la Grande-Bretagne pourrait en entraîner quelques autres) ou, au minimum, de stagnation, les institutions européennes tournant alors à vide, même si les contestations franches des règles européennes restent rares.

Comment expliquer ce décrochage des peuples ? Il a été longtemps nié par des dirigeants qui ont de plus en plus peur des peuples entraînés par de mauvais bergers « populistes », c'est-à-dire incitant sans scrupules les peuples à ne plus voter comme les élites classiques voudraient qu'ils votent.

Curieusement, peu de raisons sont avancées pour l'expliquer. Les anti-européens systématiques se contentent, à coups de dénonciations de l'Union européenne, d'attiser et d'exploiter toutes les frustrations, les peurs et les regrets. Ils ne proposent rien de viable, seulement des sorties de l'euro, de Schengen, de l'Union européenne ! Quant aux pro-intégration perpétuelle, aux téléologistes de la construction européenne, aux fondamentalistes de « l'Union sans cesse plus étroite », ils réclament « toujours plus d'Europe » et proclament comme un *mantra* que « l'Europe n'est pas le problème, mais la solution ». Tout cela sans convaincre.

C'est frappant de constater que les tenants de la ligne « Plus d'Europe », avec une entière bonne foi (« foi » est bien le mot), n'analysent jamais ce décrochage des peuples et n'esquissent jamais la moindre autocritique. Ils se bornent à le stigmatiser, en espérant le réduire par la morale et une condamnation infamante. Ils appellent à la rescousse les mythes rétroactivement fondateurs (l'Europe, c'est la paix), mais épuisés, rappellent la théorie du « vélo » selon laquelle, si l'Europe n'avance pas, elle tombe. Ils dénoncent les « égoïsmes nationaux » (pourtant, on ne juge pas égoïste le maire de Berlin s'il ne se préoccupe pas en priorité de Francfort, et réciproquement). Ils stigmatisent le « repli sur soi » (mais tout est une question de dosage. Va-t-on dire que Schengen « se replie sur soi » quand on l'aura doté d'une vraie frontière extérieure ?). Oubliant la « fédération d'États-nations », ils affirment péremptoirement que l'État et les nations sont dépassés. Les condamnations contre le « souverainisme » pleuvent. Pourtant, l'obtention de la souveraineté politique a été une extraordinaire conquête historique des peuples. N'est-ce pas s'être tiré une balle dans le pied, démocratiquement parlant, que d'avoir fait du « souverainisme » un épouvantail, un aveu aux conséquences dévastatrices ? La preuve, les mêmes zélotes ont cessé depuis de glorifier les « abandons » de souveraineté, et même les transferts, et parlent plus raisonnablement, mais un peu tard, de « l'exercer en commun ».

Même rhétorique dans le rejet dégoûté des idées « nauséabondes », terme convenu pour évoquer les années 1930, censé susciter une horreur réflexe et réveiller le désir d'intégration européenne. Ces formules sont employées comme l'eau bénite était censée anéantir les vampires. Mais cela fonctionne de moins en moins, sinon on n'en serait pas là !

Certains partis de gauche ont cru réveiller l'intérêt des gens pour l'Europe en préconisant une « Europe sociale » ou des « citoyens ». Contresens : cela ne pouvait être attractif que pour des pays d'Europe très en retard sur ces plans, et à qui l'imposition d'une norme européenne moyenne – forcément issue d'un compromis – aurait fait faire un progrès notable, ce qui n'était pas le cas pour la France ou pour l'Allemagne !

Les propositions des milieux « européistes », face à la crise actuelle, reflètent à peu près toute la fuite en avant institutionnelle. Elles émanent de dirigeants anciens ou actuels proches des ministères des Finances, de gouverneurs de Banque centrale, de responsables d'institutions européennes, ou d'organismes proches d'elles. Sous prétexte d'« audace », de « courage », d'« initiative », de

« sursaut », il s'agit de propositions technocratiques et d'organisation pour intégrer plus encore la zone euro, ce qui aurait certes une logique économique, comme de la doter par exemple d'un ministre des Finances. Mais on ne voit pas bien en quoi cela réveillerait la confiance des peuples dans la construction européenne. Et cela sans changer les traités ? Et *quid* alors du rôle des ministres des Finances allemand, français, et des seize autres ? En quoi ce super-ministre des Finances hors-sol serait-il plus légitime pour faire admettre aux peuples récalcitrants des réformes structurelles ou des décisions impopulaires de politique économique ? Le fait qu'il n'y ait à l'évidence pas, en ce moment, de voie démocratique vers une intégration renforcée ne les arrête pas. Est-ce de l'aveuglement ? De l'attachement entêté à une utopie qui a eu sa noblesse historique ? Sans doute un peu des deux.

Certains proposent néanmoins de faire mieux contrôler démocratiquement la zone euro, soit par une instance spéciale du Parlement européen ; soit par les parlements nationaux ou une combinaison des deux. Ce serait un progrès. Mais c'est un remède limité qui ne traiterait pas le mal : la faiblesse insigne du débat sur les enjeux et les décisions européens à l'intérieur de chaque État-membre. De toute façon, à part ce tout dernier point, aucune de ces propositions n'a de rapport avec les aspirations des peuples, ni n'est de nature à les calmer, au contraire. C'est soigner l'allergie à coups d'allergisants ! Tout ce répertoire traditionnel (incantations, sermons, stigmatisations, injonction – TINA : There Is No Alternative –, fuite en avant) est voué à l'échec, en tout cas dans le contexte actuel, sauf à procéder à coups de faits accomplis, en abusant de la zone grise a-démocratique, ou post-démocratique, du système, qui permet quelques modifications sans toucher aux traités, mais en creusant plus encore le fossé élites/populations et en accroissant le risque que, finalement, une fronde généralisée des peuples ne renverse tout.

Il est urgent de s'y prendre autrement.

II

Comment ? En renouant le contact avec les sceptiques. Plutôt que d'appeler sans cesse à un « sursaut » contestable, et de toute façon difficile à concrétiser et impossible à faire ratifier, parler en priorité non pas aux vrais anti-européens, idéologues ou extrémistes, impossibles à ébranler, mais à la grande majorité, pour la convaincre à nouveau. Ceux-là mêmes auxquels Jean-Claude Junker s'adresse quand il a le courage de déclarer : « Une des raisons pour lesquelles les citoyens européens s'éloignent du projet européen est due au fait que nous interférons dans trop de domaines dans leur vie privée et dans trop de domaines dans lesquels les États-membres sont mieux placés pour agir. Nous avons eu tort de règlementer à outrance et de trop interférer dans la vie de nos citoyens. » Le président de la Commission se dit convaincu que, pour changer la perception de l'Union européenne, il faut alléger les lourdeurs administratives. Il a entièrement raison, mais qui d'autre le dit aussi nettement parmi les dirigeants pro-européens censés vouloir sauver le projet d'Union ? À partir de là, imaginer une séquence pause, bilan, refondation.

1. Le préalable indispensable pour sortir de l'impasse est une « **Adresse aux peuples** », dans les termes les plus clairs : « Peuples d'Europe, vous êtes attachés à ce que vous avez gardé d'identité et de souveraineté. C'est légitime ! La construction européenne n'a pas pour finalité de dissoudre vos identités. Nous exercerons notre souveraineté en commun, car nous sommes interdépendants, mais nous vous comprenons et nous décrétons une PAUSE. Pause de l'élargissement, c'est *de facto* le cas, on reprendra plus tard la question pendante des Balkans. Mais aussi pause dans l'intégration. »

Cette pause ne doit pas être honteuse ni subreptice. Elle n'aurait rien à voir avec un statu quo, ni avec un constat d'impuissance. Pour marquer les esprits après des années de controverses stériles et produire un effet de souffle, elle devra découler d'une décision explicite, assumée et même claironnée. Elle traduirait un vrai compromis historique entre les élites et les peuples pour sauver l'essentiel et relancer un projet européen sur des bases assainies. Cela suppose de la part de ces élites un effort de modestie et de réalisme, et tout simplement de démocratie. Cette pause serait décidée pour deux ans. Elle ne s'appliquerait pas, vu l'urgence, à la question des flux de réfugiés et de migrants ; j'en parle plus loin.

La subsidiarité. Pour rendre crédible ce message politique, la priorité sera d'imposer aux institutions européennes une franche subsidiarité, c'est-à-dire une vraie retenue dans l'usage de leur pouvoir. Rappelons-nous que Jacques Delors en parlait déjà ! Jean-Claude Junker a repris cette exigence et en a chargé le vice-président Timmermans. Aussitôt certains parlementaires européens, qui n'ont rien compris à la nature de la crise actuelle, ont dénoncé leur « manque d'ambition ». Juncker et Timmermans ont raison, mais cela ne suffira pas. En plus des pouvoirs qu'ils tiennent des traités, les fonctionnaires de la Commission ont leurs habitudes et leurs certitudes, notamment les directions les plus puissantes, et se pensent plus légitimes que les dirigeants nationaux, ces « féodalités » qu'il faut réduire. Il s'est construit avec le temps un « complexe » juridico-bureaucratique Commission/Parlement européen/Cour de justice qui alimente un engrenage, avec effet de cliquet... Il faut lui donner un vrai coup d'arrêt, puis, pendant les deux années de la pause, faire un inventaire, et trier. Seuls les principaux dirigeants politiques des États-membres réussiront, s'ils sont absolument déterminés, à ramener la Commission à sa vraie mission d'origine : elle avait été pensée pour être « extra-nationale », chargée de dire l'intérêt général européen, ce que ne peuvent pas faire les gouvernements nationaux, mais pas « supra-nationale », et ne se pensait pas à l'origine chargée de tout réglementer. Idée remarquable. C'est plus tard, pour diverses raisons (marché unique, idéologie européiste, demandes des groupes d'intérêt ou des États à tour de rôle), qu'elle s'est transformée en rouleau compresseur.

Cette bataille politique est essentielle si l'on veut reconquérir les peuples.

2. Une conférence refondatrice.

On abuse des mots de refondation, de relance, etc. Là, ce serait différent. La France et l'Allemagne, mettant entre parenthèses leurs désaccords (politique énergétique, politique économique dans la zone euro), inviteraient à une nouvelle conférence de Messine (comme celle qui s'était tenue en juin 1955 et qui devait conduire au traité de Rome) dans une ville d'Europe qui ne serait aucune des capitales européennes, ni aucune ville connue pour ses sommets à répétition, les États-membres qui seraient prêts à s'engager à la faveur de la pause dans la séquence : bilan, subsidiarité, relance. Les délégations seraient politiques, restreintes, de haut niveau. Ce serait une façon de ne réunir que les États volontaires et de régler l'insoluble question du noyau dur, idée séduisante qui ne s'est jamais concrétisée pour la bonne raison qu'aucun État-membre n'acceptera d'être relégué dans « l'écorce molle », et l'exclusion est impossible. C'est donc le programme et l'ambition qui feraient la sélection.

Son ordre du jour serait :

– Le bilan politique de la construction européenne, de ses méthodes, de son mode de fonctionnement et de décision, de sa bureaucratisation progressive (depuis quand ? pourquoi ?), de son rapport avec les peuples. Ce bilan serait préparé par trois rapports politiques 1) de grands anciens, 2) de plus jeunes dirigeants, 3) de représentants de la société civile.

– La redéfinition du rôle *subsidiaire* de la Commission dans sa dimension politique et de ses compétences existantes qui seraient maintenues après inventaire.

– La définition *limitative* des nouveaux domaines-clefs, au sens politique et non financier ou technocratique du terme, là où, à l'avenir, la valeu ajoutée du niveau européen serait évidente aux yeux des peuples : la conférence en déciderait. Mais on peut penser qu'une nouvelle hiérarchie des priorités s'imposerait autour de la sécurité des Européens et de la défense du mode de vie européen dans le monde de demain.

En ce qui concerne la sécurité, on peut espérer que cette conférence irait de pair avec la constitution urgente, sans attendre, d'un nouveau Schengen. Celui-ci serait doté d'un contrôle efficace aux frontières extérieures – peut-être elles-mêmes géographiquement redéfinies pour être cohérentes et gérables, c'est à voir. Les contrôles de la frontière extérieure seraient dotés de vrais moyens et, surtout, gérés sur une base mixte et communautaire intergouvernementale à la fois, dans l'esprit du remarquable discours de Bruges de Mme Merkel, en novembre 2010, appelant à dépasser les querelles stériles entre méthodes communautaire et intergouvernementale et à les combiner dans une synthèse européenne. Cela serait complété par l'harmonisation nécessaire des politiques d'asile sur une base d'inspiration 2/3 allemande (au bout du compte, l'Europe ne peut pas ne pas offrir l'asile, fût-il provisoire, à des gens en danger, ou alors il faut aider beaucoup plus les pays qui le font), 1/3 française (il faut que cela reste gérable). Ce serait complété par une cogestion des flux migratoires entre ce nouveau Schengen, les pays de départ et les pays de transit (avec des quotas annuels, par métiers).

Au-delà de cette maîtrise et de cette gestion des flux, pourquoi pas enfin la création d'un pilier européen de l'Alliance si un nombre suffisant de pays membres étaient prêts à hausser leur budget de défense à 2 % du PIB ? Les Américains seraient sans doute moins hostiles que dans le passé à une telle affirmation européenne. Une telle conférence aurait la liberté d'oser affronter cette question sensible.

Deuxième grand objectif probable qui réconcilierait élites et populations : le maintien du mode de vie européen dans le monde de demain. Cela englobe un certain équilibre entre la prise en compte de l'avenir, entre l'individu et le groupe, la liberté et l'organisation, la protection et l'expérimentation propres aux sociétés européennes actuelles.

Quelles conséquences ? Prenons un exemple parmi d'autres, celui de l'écologie : il est évident qu'il faudra, en dix ou vingt ans, *écologiser* l'agriculture, l'industrie, la chimie, la construction, les transports, etc. Cela supposera des milliers d'inventions ou de décisions publiques ou privées, nationales ou locales, etc. La Commission pourrait faire valoir que, justement, son action quotidienne et ses directives y concourent déjà. Mais là il s'agit d'autre chose, de politique : réintéresser, réengager des peuples énervés ou franchement hostiles... Et donc, ce serait contradictoire de mener toutes ces politiques au niveau européen. Celui-ci ferait connaître les bonnes et les mauvaises pratiques, suggérerait, encouragerait, entraînerait, *sans se substituer*. Ce serait sa nouvelle façon d'être. Bien sûr, cela suppose un changement radical de mentalité et de comportement de la part des fonctionnaires européens qui ont œuvré pendant des décennies avec compétence, conviction et dévouement, mais parfois un certain autisme. Ils vont devoir se remettre en cause.

Aucun objectif, si grand et incontestable soit-il – la préservation du mode de vie, ou de la culture européenne –, ne doit plus pouvoir être utilisé, après la concurrence libre et non faussée, comme un nouveau prétexte à tout niveler, mais comme un grand objectif politique qui devrait réconcilier en Europe les élites et la population. De plus, il ne faudrait surtout pas récréer envers l'Europe des attentes démesurées qui seraient nécessairement déçues et alimenteraient à leur tour frustration et rejet.

Le résultat de cette conférence, qui durerait le temps nécessaire (plus qu'un sommet, moins que la « convention ») ferait l'objet d'un bref texte politique de conclusion, qui recentrerait l'Union sur l'essentiel et pourrait être soumis à référendum le même jour dans chaque État-membre ayant participé à cette conférence et ayant endossé ses résultats. Envisager des référendums, en plus de l'aléatoire référendum britannique, *avant* une telle conférence et de telles propositions tournerait à la dislocation anti-européenne (à moins qu'elle ne soit utilisée sous forme de menace entre les mains d'Européens refondateurs, mais c'est une arme à double tranchant…).

Dans tous les cas, le *statu quo* n'est plus tenable.

*

*   *

En ce qui concerne la zone euro, qui n'échapperait pas à la pause/bilan, une harmonisation budgétaire mais

221

aussi fiscale est évidemment souhaitable, comme une meilleure coordination en général des politiques économiques, mais elle n'a pas forcément besoin pour cela de structures technocratiques supplémentaires qui permettraient peut-être des décisions plus rapides, mais ne les rendraient pas plus légitimes. En revanche, un compromis politique au plus haut niveau Allemagne/France sur un pilotage monétaire et économique, rigoureux mais pragmatique, de l'euro débloquerait beaucoup de choses. Compte tenu des divergences, le *deal* franco-allemand possible serait : vraies réformes structurelles en France/ élargissement de la mission de la Banque centrale. Celle-ci agit déjà intelligemment, mais son mandat devrait lui permettre plus de dynamisme économique en fonction des circonstances, plus de réactivité pour atteindre l'objectif d'une croissance durable, non inflationniste et créatrice d'emplois...

*
* *

Une victoire du Brexit le 23 juin en Grande-Bretagne serait irrationnelle. Sa situation étant sur mesure, elle ne souffre d'aucun des inconvénients de l'Union que les pro-Brexit dénoncent schématiquement ! Dans ce cas, le compromis élites/populations proposé ici sera à bâtir d'urgence en réaction, mais pas une fuite en avant dans une intégration forcée, non souhaitée et inratifiable.

Si la Grande-Bretagne reste, il faudra se garder de tout soulagement trompeur, utiliser au mieux le compromis de Bruxelles du 20 février, dont certaines dispositions seraient utilisables pour tous pour redonner à l'Europe une respiration démocratique, mais il faudra aller bien au-delà et engager quand même le processus : pause, bilan, conférence, refondation.

Cette clarification radicale et cette refondation seront violemment combattues par ceux qui croient encore au mythe fédéral et ont une peur panique de l'abandon de ce fétiche. Mais aussi, dans le système européen actuel, par tous ceux dont cela menacerait la routine, le pouvoir et les positions. Soit des forces de blocage considérables. Mais je suis convaincu que les peuples ne peuvent plus être négligés, encore moins menés en bateau, ou tancés comme des enfants. Et que les fuites en avant évoquées çà et là à contretemps détruiraient ce qui reste de consensus.

C'est tout simplement l'épreuve de vérité démocratique, pour un projet historique qui court à sa perte s'il n'est pas fondamentalement redéfini.

Après le Brexit, sauver l'Europe !

Après le vote favorable au Brexit, Hubert Védrine préconise, pour sauver l'Europe, de la libérer de ses excès. Son ouvrage *Sauver l'Europe !*[1] sera publié en novembre 2016, cinq mois plus tard[2].

Même si on peut penser que les Anglais, peuple extraordinaire, finiront par rebondir après ce vote absurde et bien des péripéties pénibles qu'ils auraient pu s'éviter, et nous éviter, que la contagion sera limitée, et que l'idée arrogante de les « punir » ne tiendra pas, l'essentiel pour nous n'est pas là. Il serait périlleux pour la France de miser sur une relance forcée de tout ce qui a conduit à la dégradation actuelle – au-delà du cas britannique, le risque de décrochage des peuples – et qui fera long feu.

Les milieux les plus intégrationnistes, les psalmodiants de l' « Union sans cesse plus étroite », se refusent à analyser les causes de ce vote autrement que comme un « populisme », mot fourre-tout, une aberration britannique se séparant d'une Europe qui jusqu'ici marchait bien ! C'est un rêve. L'évidence que l'Union s'est mêlée trop, de tout et de n'importe quoi, abusivement et lourdement, que trop de promesses exagérées se sont retournées contre elle, est escamotée. C'est seulement la ligne suivie qui aurait été

---

1. *Sauver l'Europe !*, Liana Levi, 2016.
2. Texte paru dans *Le Monde*, 29 juin 2016.

mauvaise (la fameuse « austérité », pour mettre fin à un endettement toujours aggravé) et pas l'abus de décisions détaillées au niveau européen, confiscatoire de la démocratie. D'où l'idée d'une « relance » à l'identique : création d'un ministre des Finances de la zone euro, d'un Trésor, d'un budget, etc. (sans même un contrôle des parlements nationaux) : on ne voit pas en quoi cela enthousiasmerait les sceptiques ou les allergiques, sans même parler des anti-européens. L'accord de l'Allemagne n'est même pas assuré. Et si cela signifie un changement de traités, serait-il ratifiable ? Bref, échec probable à terme, et découragement ultérieur accru par erreur de diagnostic sur l'origine du rejet.

Une approche, apparemment meilleure, circule : celle de recentrer l'Europe sur les sujets « qui intéressent les gens » : on cite la sécurité, la défense, la croissance, l'emploi, l'immigration. C'est en partie fondé. Mais chaque point se discute. La sécurité ? C'est refaire un Schengen viable et contrôlable, très bien. La défense ? Intéressant si tous les pays d'Europe sont prêts à hisser leur budget de la Défense à 2 % du PIB pour constituer ensuite le pilier européen de l'Alliance atlantique. Sinon, on ne parle que de coopérations industrielles dont on connaît les difficultés. L'immigration ? Oui, gérons enfin les flux avec les pays de départ et de transit. Mais la croissance, l'emploi, etc. : l'Europe finirait donc par s'occuper d'encore plus de choses ? Et finalement, de tout ? Par conséquent être responsable de tout ? N'est-ce pas aggraver ce qui a nourri déjà le mécontentement général ? Et n'est-ce pas totalement incohérent avec l'aspiration des peuples à une démocratie plus proche ? Ce serait une pompe aspirante, soit le contraire exact du principe de subsidiarité. Donc empilement, accumulation et dépossession accrue des démocraties nationales. Surtout si rien n'est fait au préalable pour restituer des compétences au niveau national et stopper la furie normalisatrice des partenaires de la co-décision communautaires. Ce « plus d'Europe », quoique mieux présenté, est voué lui aussi au bout du compte à un échec probable.

« Tenir compte des peuples », comme certains le redécouvrent (ah oui, c'est vrai, zut, il y a les peuples !), signifierait *d'abord*, avant toute autre proposition, que les gouvernements convaincus créent une sorte de commission de la Hache et imposent à la commission et au Parlement, par une subsidiarité massive et drastique, une authentique diète normative stoppant l'autisme réglementaire hypertrophié. Reconnaissons d'ailleurs que les États ont eux-mêmes, tout à tour, la France en tête, alimenté cette fuite en avant. Mais seule la Commission en a fait sa raison d'être. Et cela ne change rien au problème et à la nécessité de le résoudre.

Certes, on peut comprendre que la Commission européenne et le Parlement européen ne puissent soutenir une telle approche, même si la lucidité de Jean-Claude Juncker et de Franz Timmermans doit être saluée. On peut comprendre également que, en France notamment, deux ou trois générations qui avaient fini par faire de l'intégration européenne le combat de leur vie, après que toutes leurs autres croyances s'étaient effondrées, se sentent totalement perdues, et se raccrochent à ce viatique. Comme si la liberté, l'ouverture, le bonheur, l'espoir, l'amitié entre les peuples, ne dépendraient que de la seule forme d'intégration communautaire des deux dernières décennies ! Amis, redescendez sur terre, le moment est venu de penser tout à fait autrement, pour sauver l'idée européenne, en la libérant de l'européisme.

C'est pour cela qu'il me semble que pour enrayer la désaffection croissante des peuples, dont le Brexit n'est que le signe le plus spectaculaire, les gouvernements les plus déterminés devraient convoquer sans tarder une nouvelle conférence de Messine, fixer rapidement les contours d'une nouvelle subsidiarité rétroactive et assigner *après* cela quelques rares missions-clefs (sécurité, influence, préparation de l'avenir) à cette Union repensée pour assurer la pérennité du mode de vie européen dans le monde de demain, tout en laissant la démocratie retrouver son espace et sa légitimité au sein de chaque État-membre.

Sur le droit-de-l'hommisme

Dans le cadre d'une série d'été pour France Culture en 2016, Hubert Védrine évoque quelques bonnes idées devenues folles ou caricaturales. Il y aborde d'abord les droits de l'homme et le droit-de-l'hommisme. Comment est-on passé de la défense des droits de l'homme au droit-de-l'hommisme, avec toutes ses simplifications[1] ?

Au départ, énoncer que chaque homme, et j'emploie là « homme » au sens générique, a des « droits » indéniables quels que soient son sexe, sa religion, sa race, son ethnie, son groupe, son origine sociale, etc., est une révolution, car depuis l'aube de l'humanité les êtres humains étaient déterminés au pire sens du terme par leur groupe d'appartenance et leur origine. Non pas que les hommes et les femmes aient été partout et toujours maltraités et persécutés. On peut trouver des mesures de protection, ou de justice, dans des textes ou codes très anciens, dans certaines actions charitables des Églises ou autres, mais c'était conjoncturel, fragile, réservé à une catégorie, dépendant d'un bon souverain, d'un conquérant indulgent ou d'un patron paternaliste. Ce qui a été révolutionnaire, c'est le principe général, qui est bien sûr inégalement appliqué, voire carrément violé. L'espèce humaine étant ce

---

1. « L'enfer est pavé de bonnes intentions », France Culture, août 2016.

qu'elle est, l'histoire a été aussi une longue suite d'abominations et un océan de souffrances. Alors faire prévaloir le respect des droits de l'homme s'impose.

Où est le problème ? Il apparaît quand le respect des droits de l'homme rejoint un autre courant de pensée occidental, qui est celui du prosélytisme missionnaire : autrefois l'évangélisation, aujourd'hui le droit-de-l'hommisme, pour désigner cet activisme, ou, plus largement, l'exportation de la démocratie, le *wilsonisme*, du nom du président américain Woodrow Wilson, fils de pasteur. Ce courant a inspiré à plusieurs reprises les politiques étrangères occidentales, notamment américaine et française au cours du XXe siècle, ou leur a fourni des prétextes, et plus intensément que jamais depuis la disparition de l'URSS. En 2003, l'Amérique de George W. Bush prétendait apporter la démocratie à l'Irak en l'envahissant. En France, qui se revendique de façon un peu prétentieuse comme la « patrie des droits de l'homme » (Robert Badinter corrige en « patrie de la Déclaration des droits de l'homme »), cela a été le long débat autour de l'ingérence, impératif médiatique, longtemps populaire. Mais qui avait le droit, ou même le devoir, de s'ingérer ? Chez qui, au nom de quoi, dans quel but, en dehors des conditions prévues dans le cadre légal du chapitre VII de la Charte des Nations unies ? Après vingt-cinq années d'interventions occidentales, autorisées ou non, la question se pose plus que jamais.

En effet, alors que l'attachement aux droits de l'homme est profond – presque identitaire – dans tous les pays occidentaux, et est une espérance puissante dans les pays où la démocratie n'est pas encore instaurée, le droit-de-l'hommisme a montré son épuisement et ses limites parce qu'il s'est laissé confondre avec la domination puis l'ingérence occidentales. C'est cet interventionnisme occidental qui est rejeté presque partout dans le monde, en dehors de l'Occident, voire en son sein, pas les

droits de l'homme en tant que tels. On peut d'ailleurs penser qu'ils seront de mieux en mieux respectés en raison
des exigences internes croissantes des gens, y compris
en Chine, en Russie, ou dans le monde arabe, mais de
moins en moins du fait de nos injonctions extérieures,
souvent contre-productives. C'est peut-être vexant pour
nous, mais la tendance historique n'est pas mauvaise. Il
faut nous y faire !

Sur le colonialisme

Toujours dans ses Chroniques d'été 2016 pour France Culture, Hubert Védrine évoque le colonialisme[1].

Aujourd'hui, dans cette série estivale des bonnes intentions dont l'enfer est pavé, j'évoquerai l'enchaînement qui a conduit certains Européens de la lutte courageuse contre le colonialisme à la haine de soi. La conquête et la colonisation par les plus forts sont des phénomènes aussi vieux que l'Histoire. Les analyses n'ont pas manqué sur les causes démographiques, économiques ou idéologiques de la colonisation. Mais aussi sur les raisons, dans la plupart des cas, de son succès. En tout cas pour les colonisations anciennes. Par exemple, Jules César avait été servi par la division des Gaulois, Cortés par la haine de certains peuples pour les Aztèques, de même que Pizarro pour les Incas, les Russes par la division des peuples du Caucase, etc.

Plus récemment, que la colonisation par l'Europe de presque le monde entier, du XVIIe au XXe siècle, ait été le plus souvent violente est une évidence historique, ou devrait l'être. On a pu à notre époque, sans exagérer, établir des Livres noirs des horreurs commises par les colonisations allemande, britannique, espagnole, russe et aussi française, pour ne parler que des Européens. Bien sûr,

---

1. « L'enfer est pavé de bonnes intentions », France Culture, juillet 2016.

cela ne s'est pas *toujours* passé comme cela, mais cela c'est *souvent* passé comme cela. Notons au passage que c'était plus courageux de critiquer la colonisation ou de s'y opposer pendant qu'elle se produisait (exemple : Clemenceau contre Jules Ferry) que de la condamner un siècle plus tard ! Il est arrivé que les décolonisations se passent de façon acceptable (pour la France, Afrique noire, Tunisie, Maroc, pour la Grande-Bretagne, Ghana, Nigeria). Mais elles ont aussi donné lieu à des guerres d'arrière-garde cruelles ou absurdes (Indochine, Algérie), ou à des tragédies (Inde, Proche-Orient). Sur ces événements, la lucidité historique est une exigence contre l'oubli ou le déni. Notez que je ne dis pas « devoir de mémoire ». Mais lucidité signifie-t-elle culpabilité ? Nous sommes des dizaines d'années après les indépendances africaines, plus encore pour les autres. Faut-il incriminer l'Espagne pour les problèmes du Venezuela, le Portugal pour ceux du Brésil ? Obama, seul, a osé dire au Ghana, pays par ailleurs bien géré, que les dirigeants africains ne pouvaient plus invoquer l'esclavage ou la colonisation pour justifier leurs échecs ! Aucun Européen n'a osé dire cela. En Europe, et spécialement en France, il s'est développé au contraire un courant de pensée qui exige de la France qu'elle se repente, ce qui est un langage religieux, voire qu'elle répare, alors qu'il n'y a pas de responsabilité collective, ni transmissible. Les demandes émanent de groupes issus de pays anciennement colonisés, qui sont français et essaient d'en faire en France une arme politique ou électorale, à l'instar des juifs de France ou d'Amérique, souvent érigés en modèles. Une partie de l'opinion qui a honte du passé colonial considère que ces demandes sont justifiées. Une autre juge les demandes exagérées. Une partie de la gauche de la gauche avait même commencé depuis Michel Foucault, au moment de la révolution iranienne, à voir dans l'islamisme la force capable de régénérer la révolution épuisée et, de fil en aiguille, à faire de l'immigré musulman la nouvelle figure du prolétaire victime pêle-mêle du capitalisme, du libéralisme, du colonialisme, du racisme, de l'Occident, etc., pour remplacer le prolétaire européen qui avait fait défection. Jusqu'à ce que cet amalgame aventureux explose face au choc du terrorisme islamiste. Donc le vrai « passé qui ne passe pas » à l'échelle mondiale, ce ne sont pas les années 1940, c'est la longue histoire de la colonisation, de la décolonisation et de ses suites, en tout cas pour ceux qui ont intérêt à entretenir ce cercle vicieux de la revendication et de l'expiation. Notons que les pays anciennement sous-développés, eux, se fichent un peu, à quelques exceptions près, de nos contorsions mentales et politiques sur notre histoire. Ils ne songent qu'à émerger, à obtenir des investissements étrangers et des accès à nos marchés, et si la France, torturée par l'interprétation masochiste de son passé, n'est plus pour eux un partenaire à la hauteur, décomplexé, efficace, compétitif, constructif et tourné vers l'avenir, ils en trouveront d'autres. Attention, cela a déjà commencé en Afrique.

Sur le multiculturalisme

Suite, sur France Culture, des chroniques d'été 2016 par Hubert Védrine. Il y aborde : « le multiculturalisme[1] ».

Nouvel exemple dans cette série estivale d'une idée qui finit par contredire ses bonnes intentions et se manger elle-même : le multiculturalisme. Au départ entendu comme ouverture aux autres cultures, c'est évidemment une idée sympathique. À part quelques moments de repli sur soi (d'habitude je n'emploie pas ce terme, devenu trop automatique), de fermeture totale ou de méfiance paranoïaque pour diverses raisons, les cultures se sont toujours à la fois concurrencées et nourries les unes les autres. Exemple classique : Picasso le Catalan qui vient à Paris. L'Histoire est faite de ces enrichissements mutuels, de ces emprunts féconds. Cela se voit de façon éclatante dans l'histoire des langues, sauf quand une langue domine trop, dans le parcours des créateurs, dans les influences artistiques, qui croise de façon moins antagoniste qu'on ne le croit une autre histoire, celle des racines, de la mémoire et de la transmission. Et on a vu aussi à l'inverse des cultures, trop isolées, trop autarciques, pour des raisons géographiques, religieuses ou idéologiques, finir par se dessécher, et pas que sur l'île de Pâques ! Donc vive l'échange fécond entre cultures vigoureuses à la fois

---

1. « L'enfer est pavé de bonnes intentions », France Culture, août 2016.

populaires et créatrices (voyez encore un autre exemple, celui du cinéma, qui a dominé le XXe siècle). Tout cela est très positif.

Le problème apparaît quand le multiculturalisme cesse d'être une richesse vécue pour devenir une sorte d'obligation réparatrice qui n'est invoquée que par des Occidentaux, plus précisément par des Européens de l'Ouest, catholiques ou protestants, ou qui l'ont été, et pas par des orthodoxes russes, des Chinois, des Indiens, encore moins par les musulmans, etc. C'est à partir de là que le bât blesse. L'injonction multiculturelle européenne contemporaine ne consiste pas à se passionner pour les arts premiers ou à découvrir Amitav Gosh, ou Harari, ou les prix Nobel de littérature écrivant dans des langues peu connues, mais sous le coup d'injonctions vengeresses à privilégier la culture des autres, spécialement des peuples qui ont été colonisés, sur la sienne propre, et donc celle de l'Autre avec un grand « A » selon le catéchisme moderne. *Mais si les Européens n'assument plus leur histoire, la rejettent ou la nient, ne veulent que l'expier, qu'apportent-ils alors dans l'échange multiculturel ?* Des remords ? De l'abandon linguistique ou conceptuel ? Une gêne d'être soi-même, comme la position absurde de ceux qui nient l'évidence des *origines* chrétiennes (je dis bien : origines) de l'Europe, y compris de celle de la Renaissance et de la suite ? Au bout du compte, le « multiculturalisme » à l'européenne (en Europe de l'Ouest) risquerait de se réduire à proposer un espace vide, des locaux sans âme, pour des débats nourris de concepts inconsistants, tels que le « vivre-ensemble ». Au désespoir de tous ceux dans le monde, à commencer par les musulmans modernistes et réformateurs, pas assez soutenus, qui luttent dans le monde pour une plus grande ouverture de leur société, tous ceux qui attendent de l'Occident qu'il soit ouvert, accueillant et lucide, mais qu'il reste aussi une des sources d'invention du monde de demain, qu'il ose s'affirmer et qu'il fournisse plus qu'un système d'échange pleurnichard ou un cadre pour des réunions aseptisées. Et c'est particulièrement vrai, bien sûr, pour nous, les Européens.

Si nous voulons apporter quelque chose dans l'échange culturel de demain, nous devons retrouver confiance en nous.

Politiquement correct

Dans la série, « L'enfer est pavé de bonnes intentions »,
Hubert Védrine aborde le « politiquement correct[1] ».

Au départ, quand il apparaît dans les universités américaines des années 1970 très influencées par les « déconstructeurs » français (Derrida, Lacan, Foucault, etc.) qui n'ont que trop bien réussi, le *politiquement correct* part d'une volonté louable d'éviter tout ce qui peut porter atteinte dans le langage courant à la dignité et à la sensibilité de certains groupes, qui sont ou se sentent maltraités. D'où une bienséance sémantique. C'est ainsi que le balayeur deviendra un technicien de surface, le sourd, un malentendant, etc. Et, bien sûr, le puissant mouvement féministe, américain à l'origine, a développé sa propre idéologie correctrice. On connaît la longue liste de ces euphémismes ou de ces corrections de mots qui en découle. Mais comme ce mouvement est surtout, aux États-Unis, le fait de minorités ethniques activistes, c'est elles qui vont obtenir que l'on ne dise plus « nègre » (sauf dans art nègre) mais « Noir » (« Black »), puis « Afro-Américain », en attendant l'euphémisme suivant, quand même Afro-Américain sera jugé péjoratif. Peut-être « *human being* » ? En France, où cette influence est arrivée une quinzaine d'années plus tard, le courant équivalent voudrait par

---

1. « L'enfer est pavé de bonnes intentions », France Culture, août 2016.

exemple abolir le mot de race (question : contre quoi serait alors dirigé l'antiracisme ?). Ce mouvement affirme que l'on peut effacer la chose en gommant le mot. Au bout du compte, en partant de bonnes intentions, on en arrive, et puisque cela vient de campus américains, cela n'est pas un hasard, à un nouveau puritanisme, voire à un nouveau maccarthysme. André Comte-Sponville, le meilleur analyste en France de ce courant, l'a lumineusement montré en soulignant la confusion entre le fait d'opposer le vrai et le faux et, c'est très différent, le bien et le mal. Un peu l'équivalent des feuilles de vigne sur le sexe des statues de l'ère victorienne ou des statues voilées pour la visite de dignitaires iraniens en Italie, récemment. C'est la moderne police du langage, brigade de la vertu qui se croit chargée d'une vigilance sémantique pour traquer les dérives ou les dérapages selon ses critères. Albert Camus est peut-être trop cité, mais vous m'excuserez de le faire, car je lui voue une passion depuis l'âge de 13 ans : il avait tellement raison en disant que « mal nommer les choses, c'est ajouter au malheur du monde ». On y est, en plein. Donc de bonnes intentions, et à l'arrivée un monde orwellien.

J'ajoute que ce dont nous parlons concerne les Occidentaux et donc en premier lieu les langues anglaise et française. On ne sache pas que cela préoccupe les locuteurs des langues chinoise, arabe ou russe ! Donc, finalement, c'est devenu un des aspects de l'offensive interne multiforme contre la civilisation occidentale et son héritage. Mais là aussi l'équilibre a été perdu : on peut souhaiter que la civilisation à laquelle on appartient se corrige, s'améliore ou se réforme ; sans vouloir pour autant jeter le bébé avec l'eau du bain et donc se soumettre à une sorte de tyrannie, y compris linguistique, de groupes activistes. On a pu dire que la seule minorité dont les droits légitimes ne seraient plus défendus était... la majorité !

D'accord donc pour ne pas blesser inutilement les uns ou les autres ; pas pour qu'on ne puisse plus mettre un nom sur les réalités et qu'une obligation de parler une langue approximative et brumeuse (*1984*) finisse par nous couper de tout, somnambules déboussolés. C'est le cas à propos de l'islam, j'en parlerai dans une autre chronique.

Il faut retrouver la raison politique et sémantique.

La communauté internationale

Sur France Culture, dans ses chroniques d'été, Hubert Védrine aborde la « communauté internationale[1] ».

Pour conclure ma revue estivale sur France Culture des belles idées qui ont tourné court, qui se sont avérées trompeuses, voire ont dégénéré ou déçu, ces bonnes intentions dont « l'enfer est pavé », j'évoquerai la croyance dans une « communauté » internationale. On m'objectera que, d'évidence, elle existe, la preuve : on en parle tout le temps pour dire : « Que fait la communauté internationale ? » Mais ce n'est pas parce qu'on croit qu'elle existe qu'elle existe vraiment ! En fait, elle n'existe pas encore. Il y a bien un monde multilatéral, l'ONU et une flopée d'organisations avec leurs fonctionnaires internationaux, quelques métiers dans le commerce, les finances, les médias, les arts, les sciences, qui vivent dans un petit monde globalisé, mais c'est une infime part de la population mondiale, qui vit hors sol, dans une mince pellicule. Il n'y a pas encore de communauté des peuples. Ils sont restés très différents, chacun avec ses visions, son passé, ses peurs, ses espérances, c'est frappant, même entre Européens. Alors pourquoi le succès de cette formule automatique ? Parce qu'elle rassure ? Que nous avons besoin d'illusions ? En fait, c'est une histoire d'Occidentaux.

---

1. « L'enfer est pavé de bonnes intentions », France Culture, août 2016.

D'abord, après les premières étapes de l'européani-
sation du monde aux XVIᵉ et XVIIᵉ siècles, où il s'agissait
d'évangélisation (je rappelle que *katholicos* signifie universel), après la sécularisation au XVIIIᵉ siècle des valeurs
chrétiennes, selon la juste formule de Luc Ferry, les Occidentaux ont pensé et prétendu parler et agir au nom de
l'univers tout entier. Cette idée a survécu tout au long du
XXᵉ siècle à travers les idées du président Wilson, jusqu'à
nos ONG, traversant les horreurs des deux guerres mondiales, et étant même légitimée par elles. On espérait que
les Nations formeraient une société, puis qu'elles seraient
unies. Quand je dis « on », je veux dire les Occidentaux.

Et ce n'est que maintenant, au début du XXIᵉ siècle, que
face aux émergents, confrontés à leur perte du *monopole*
de la puissance, de l'influence et de la détermination de la
hiérarchie de valeurs, les Occidentaux sont obligés, dans
la douleur, de devenir plus réalistes et d'admettre qu'ils
ne peuvent plus jouer les ventriloques avec la « communauté internationale ».

Mais il y a une autre raison, différente, au succès ré-
current de cette formule : s'il n'y a pas de « *communauté
internationale* », à quel saint se vouer, à quelle puissance
supérieure faire appel quand on est au fond du désespoir ? Là, il ne s'agit plus de prétention occidentale, mais
au contraire de peuples sans État – Kurdes, Palestiniens,
Tibétains, etc. – qui cherchent un recours, une providence
moderne, de nouveaux damnés de la terre qui errent sur
les routes de l'exil ou de l'émigration à la recherche d'un
asile et d'une vie meilleure, ou encore des pays moins
avancés, les PMA, dépourvus de toute ressource et qui
voudraient se développer et n'y parviendront pas.

Qui n'aimerait, dans la lignée de Kant, que les Nations
forment une « communauté internationale » ? Mais qui
ne voit que c'est un objectif, pas encore une réalité ? Il
faut y travailler, mais en étant conscient que nos valeurs

universelles, si magnifiques soient-elles, n'y suffiront pas, d'ailleurs elles sont en partie contestées dans les mondes russe, chinois, musulman ; que la mondialisation récente, qui a été enrichissante mais aussi très perturbante, ne s'est pas révélée heureuse pour tous.

Est-ce que sans renier les valeurs universelles, sans renoncer à une mondialisation mieux régulée, la prise de conscience du lien écologique entre tous les êtres vivants sur la planète peut fournir le lien manquant à terme ? C'est la piste que j'ai évoquée dans ma précédente chronique.

D'immenses intérêts immédiats ou d'urgence, à court terme, qui prennent peuples et dirigeants à la gorge, vont retarder cette prise de conscience. Dans une lettre que Michel Rocard m'a adressée trois semaines avant sa mort, il m'a écrit à ce sujet : « C'est bien le cap à suivre, il y en a pour un siècle ! »

Conclusion : la communauté internationale reste à construire, ne perdons pas de temps.

Mais, comme pour tous les autres thèmes que j'ai abordés cet été, nous n'y parviendrons qu'en étant réalistes. Il n'y a aucune fatalité à ce que les réalistes soient fatalistes et que les ambitieux soient chimériques. Il faut combiner les deux.

2017

Sur le Rwanda

Interviewé par l'hebdomadaire *Le 1* sur le Rwanda, Hubert Védrine rappelle que la France a été le seul pays au monde à avoir essayé dès 1990 de prévenir la guerre civile au Rwanda et aurait réussi, grâce aux accords d'Arusha conclus à l'été 1993, si les présidents du Rwanda et du Burundi n'avaient pas été assassinés en 1994, ce qui a déclenché le génocide[1].

Que s'est-il vraiment passé au Rwanda en 1994 ?

C'est fascinant de voir que les interrogations et les polémiques, longtemps après, peut-être pas par hasard, ne se concentrent que sur cette année tragique. Comme si les procureurs auto-proclamés contre la France ne voulaient pas occulter la genèse en 1990. C'est lorsque Kagamé, soutenu par l'armée ougandaise, envahit en 1990 le Rwanda pour reprendre le pouvoir perdu en 1962 par les Tutsis que Mitterrand comprend tout de suite que les Hutus, très majoritaires (85 %), ne vont pas se laisser déloger et donc que cela va tourner aux massacres. Il estime qu'il ne peut pas ne pas réagir, d'autant que cela voudrait dire en outre que la garantie de sécurité assurée par la France en Afrique ne vaudrait plus rien. C'est pourquoi il soutient militairement l'armée rwandaise, qui en est incapable, pour tenir sa frontière nord avec l'Ouganda, mais

---

1. Article paru dans *Le 1*, 1ᵉʳ février 2017.

à condition que Kigali donne des contreparties : sur le retour des réfugiés (les Tutsis), le respect de droits démocratiques, la place de l'opposition. Il y a donc un volet militaire *et* un volet politique.

La cohabitation de 1993 change-t-elle la donne ?

Pas du tout. Balladur, Juppé et Léotard sont convaincus par la ligne Mitterrand et ils la poursuivent, avec quelques adaptations dues à Alain Juppé, alors ministre des Affaires étrangères. Celui-ci s'investit dans la négociation des accords d'Arusha que, *sous notre pression*, Tutsis et Hutus finissent par signer. Soulagement général. On pense avoir évité le pire, une sanglante guerre civile. On retire donc l'essentiel de nos troupes.

La France pense alors que la question rwandaise est réglée ?

Tout le monde. Seules quelques voix isolées préviennent que, même si les Hutus ont signé, ils ne lâcheront rien. Et que, en face, le FPR (Front patriotique rwandais) de Kagamé a fait semblant d'accepter, mais qu'en réalité il ne veut pas récupérer seulement une partie du pouvoir dans un compromis imposé par la France, mais qu'il veut tout. Mais nul n'accuse alors la France d'avoir mal agi. Au contraire ! Les Africains, les autres Occidentaux sont heureux que nous ayons désamorcé ce conflit.

Tout change en 1994 ?

Oui, survient l'attentat qui abat l'avion du président Habyarimana, le 6 avril 1994. Mitterrand me dit le jour même « c'est épouvantable, ils vont s'entretuer. Tout ce qu'on a fait depuis 1990 est fichu ». Quels que soient les auteurs de l'attentat, le président comprend qu'ils veulent briser le compromis imposé par la France. Qui ? Soit il s'agit des extrémistes hutus qui n'acceptent pas que Habyarimana, sous la pression de la France, ait consenti à un partage du pouvoir. Soit le clan de Kagamé, qui ne veut pas d'un demi-succès. Dans les deux cas, c'est un refus du compromis français. Une dimension que les controverses ultérieures n'ont jamais prise en compte.

Le Rwanda devient une affaire de premier plan. Les massacres se transforment en génocide. Est-ce que la France doit revenir pour essayer de limiter les massacres ? Le président se pose la question. Juppé, au Quai d'Orsay, y est favorable. Il est le premier à employer le mot de génocide. L'armée est en revanche très réticente. Mitterrand estime qu'on ne peut y aller seuls. Il charge Juppé d'obtenir un mandat des Nations unies. Un temps long se passe, pendant que les massacres s'amplifient, car au Conseil de sécurité, malgré l'action de Juppé, aucun membre permanent ne veut s'engager. Après leurs pertes humaines récentes en Somalie, les Américains renâclent. Finalement, Juppé obtient l'arbitrage de Mitterrand : on y va, avec la caution de l'ONU, mais tout seuls. L'opération Turquoise commence enfin, le 26 juin 1994. Rien à voir avec les interprétations extravagantes ultérieures données sur cette opération. Ce qui a été tenté a été honorable de bout en bout, mais a été, hélas, pulvérisé par l'attentat contre les présidents rwandais et burundais. Si on peut reprocher une chose à la France, c'est paradoxalement une forme de naïveté après la signature des accords d'Arusha.

En quoi ?

Après les accords d'Arusha, ne fallait-il pas maintenir une présence militaire renforcée pendant plusieurs années, vu la fragilité de la situation et les arrière-pensées des signataires ? On ne l'a pas fait, au contraire. Évidemment, c'est facile à dire après. Toujours est-il que personne ne soulève cette question... et qu'elle est justifiée.

Pourquoi a-t-on assisté à ce déchaînement contre la France ?

Longtemps, j'ai cru que l'action de la France serait comprise. Elle avait fait ce qu'elle avait pu, en secouriste honorable mais impuissant. Je ne m'attendais pas à la tournure insensée prise ensuite par les controverses ! C'était impensable. Pourtant, plusieurs forces se sont conjuguées dans ce sens : l'action d'ONG radicales, de groupes qui avaient toujours dénoncé systématiquement la politique française en Afrique, qui jugeaient ignoble en soi d'avoir une politique africaine, et ont entretenu un climat de culpabilité, et se sont ruées sur le drame rwandais. Par ailleurs, certains Belges – gênés par leur héritage piteux de 1962 – n'étaient pas mécontents de pouvoir mettre en cause la France. Et puis il y a eu le jeu personnel de Kagamé, qui a eu besoin de construire un récit des événements dans lequel il apparaissait uniquement comme un sauveur, celui qui avait pris le pouvoir *pour arrêter le génocide*. S'il ne parvenait pas à imposer cette lecture, cela voudrait dire qu'il avait pris le pouvoir *grâce* au génocide ! C'était, et cela reste, inassumable pour lui. Pour contrecarrer cette thèse, il a donc tout fait pour imposer la thèse selon laquelle la France est fautive depuis le début (même sans motifs) et donc faire oublier les offensives répétées du Front patriotique rwandais contre le Rwanda à partir de 1990. Or ce sont ces attaques qui ont entraîné l'évolution génocidaire du système rwandais. Depuis il s'est employé à réduire au silence, discréditer ceux qui démontaient sa version des faits.

Vous parlez du rôle des médias ?

Notamment (il y a aussi des chercheurs, des ONG, mais aussi des gens honnêtes, bouleversés par la tragédie, etc.). Dans plusieurs médias français importants, il y a souvent eu un journaliste ayant des comptes à régler avec son pays, l'armée ou Mitterrand, qui accusait la France de tout. Les rédactions n'y croyaient pas, mais laissaient dire. Les mêmes journalistes ne se sont jamais intéressés à décrire la stratégie léniniste de Kagamé avant 1994 (on ne fait pas d'omelette sans casser des œufs), ni la suite. L'idée que la France avait mal agi s'est ainsi installée dans les esprits, car il n'y a pas eu de contrefeux, et elle perdure injustement. Exemple : la controverse sur l'opération Turquoise (l'envoi de troupes françaises au Rwanda à des fins humanitaires en juin 1994) ne tient jamais compte de la séquence 1990-1993 ! Ni du rapport Quilès-Cazeneuve de 1998 sur le Rwanda, parfaitement honnête ! Les mêmes procureurs de la France ignorent aussi ce qui s'est passé après 1994 : le durcissement du régime Kagamé, la fuite d'anciens proches de Kagamé qui affirment que c'est eux qui ont abattu l'avion. Rien là-dessus dans les médias français ! Il en va de même des considérations de la plus haute instance judiciaire espagnole démontrant le 6 février 2008 comment Kagamé et le FPR, depuis l'Ouganda, avaient déstabilisé volontairement le Rwanda par des provocations délibérées pour entraîner des massacres qui justifiaient leur intervention. Les dénonciateurs sont de parti pris. Malgré tout, une émission de la BBC a raconté tout cela.

Qu'a-t-on reproché à Turquoise ?

On a affirmé que, après l'attentat contre l'avion de notre « complice » Habyarimana, la France avait envoyé des troupes pour protéger ses « amis génocidaires » ! En attendant deux mois ? C'est absurde. Imaginons que la France ait joué le rôle affreux qu'on lui prête, aurait-elle passé des semaines à agiter le grelot au Conseil de sécurité et à attendre que les États-Unis s'engagent ? Non. Elle aurait envoyé aussitôt les forces spéciales pour exfiltrer ces fameux génocidaires ! Présenter Turquoise comme une opération pour les sauver est scandaleux, faux et idiot. Mais cela a circulé sans fin. Je ne suis pas contre les controverses historiques. J'ai même redit qu'on peut s'interroger sur l'engagement en 1990, et la trop grande confiance après la signature des accords d'Arusha. Mais ce débat est rendu impossible par la violence folle des accusations.

Êtes-vous convaincu de la culpabilité de Kagamé dans l'attentat contre l'avion ?

En 1995, on n'en savait rien. On estimait seulement que c'était possible, car il était hostile au compromis français, alors qu'il pouvait devenir maître de l'ensemble. Mais il y avait aussi de tels forcenés côté hutu qu'on ne pouvait pas exclure leur responsabilité. Avec les années, ma conviction s'est renforcée que c'était probablement Kagamé.

Pourquoi ?

À cause de son comportement ultérieur. De la façon dont il s'acharne à proclamer que la France est coupable. À cause surtout des témoignages d'anciens proches qui l'ont lâché et qui ont porté contre lui, au péril de leur vie, des accusations de plus en plus précises sur leur rôle dans l'attentat. Depuis dix ans, plus les dirigeants français étaient faibles ou gênés, au grand désespoir de l'armée, plus Kagamé durcissait ses attaques. Je mets à part Juppé, pour qui Kagamé était quelqu'un à qui on ne serrait pas la main. Kagamé – que j'ai rencontré deux fois quand j'étais ministre – est passé de « rôle très lourd de la France » à « responsabilité », de « complicité » à « culpabilité ». La réouverture récente en France du dossier judiciaire sur l'attentat a rendu Kagamé furieux. Il semble bien qu'il ait tout fait pour neutraliser ses anciens proches, chefs d'état-major et des services secrets, qui avaient parlé. Il en a fait éliminer plusieurs. L'un d'eux a disparu en Tanzanie après avoir informé le juge Trévidic qu'il était prêt à témoigner. Kagamé a besoin de l'oubli et de l'impunité. Pour lui, il était donc crucial que les juges actuels prononcent un non-lieu. Ils n'ont pas pu le faire.

Quelle vérité faudrait-il rétablir dans ce dossier si complexe ?

Cesser les réquisitoires staliniens. Accepter d'entendre sans a priori l'autre thèse, le récit de ce que la France a tenté depuis le début, de 1990 à 1993, quitte à penser qu'on n'aurait peut-être pas dû y aller. Prendre en compte aussi ce qui s'est passé depuis 1994, les éléments nouveaux liés à Kagamé, à sa politique, à ses déclarations et à celles de ses anciens proches. Cesser de ne se focaliser que sur le génocide et l'opération Turquoise, avec pour seul objectif d'incriminer la France au détriment de tout autre objectif. Prendre en compte les nombreuses réfutations factuelles et précises. Mais une caractéristique des accusateurs est qu'ils ne tiennent jamais compte des réfutations. Ils essayent de décrédibiliser les contradicteurs en les traitant de révisionnistes. Vieille technique stalinienne : détruire l'autre et ne jamais répondre. Pourtant, j'ose espérer que le moment est peut-être venu d'une approche historique objective et dépassionnée. S'il y a une leçon à tirer, c'est de réfléchir de façon réaliste aux conditions de nos interventions. Je pense à 1990, pas à 1994.

L'installation de Donald Trump

Au moment de l'installation de Donald Trump à la Maison-Blanche, Hubert Védrine s'interroge pour *Le Monde* sur la signification de cet événement[1].

L'installation de Donald Trump à la Maison-Blanche marque-t-elle la fin d'une prétention américaine au leadership mondial ?

C'est encore trop tôt pour le dire, mais déjà son élection a désintégré nombre de convictions en Occident. Il a été choquant dans sa campagne, il est déjà perturbant et il va y avoir des turbulences ! Mais je ne suis pas sûr qu'il soit forcément dangereux. Cela dépend un peu de nous, et des autres. À partir de 1992, après l'effondrement de l'URSS, nous avons quitté le monde bipolaire pour entrer dans un monde global semi-instable, une mer agitée à 5/6, jamais de mer calme, mais pas non plus de cyclone permanent. Pendant ce dernier quart de siècle, les Occidentaux ont cru à ce qu'avait promis George Bush père, c'est-à-dire un nouvel ordre mondial sous la conduite éclairée des États-Unis. Les conceptions en étaient certes sensiblement différentes, plus nationalistes outre-Atlantique, plus idéalistes chez les Européens, mais il y avait une illusion commune. Tout cela s'effondre aujourd'hui.

1. Article paru dans *Le Monde*, 15-16 janvier 2017. Propos recueillis par Christophe Ayad et Marc Semo.

L'élection de Donald Trump n'est pas la cause de ce bouleversement, elle en est une expression. Résultante d'insurrections électorales – comme par ailleurs le Brexit ou d'autres phénomènes similaires – des classes populaires, qui n'ont jamais cru à une mondialisation « heureuse », mais aussi des classes moyennes occidentales qui s'en détournent maintenant comme de « l'Europe ». Vue d'Europe, la victoire de Donald Trump était possible mais impensable parce qu'il horrifiait. Elle court-circuite la pensée d'une certaine gauche américaine – et européenne – qui s'est détournée des classes populaires qui votent « mal » et a tout misé sur les minorités. D'autre part, le fait que les Occidentaux ont perdu le monopole de la puissance qui était le leur depuis plusieurs siècles était déjà observable depuis un certain temps. Mais il a fallu des événements terribles comme la reconquête des quartiers orientaux d'Alep par le régime syrien aidé par l'aviation russe face à des Occidentaux impuissants, puis les négociations pour une sortie de crise en Syrie annoncées par la Russie avec la Turquie et l'Iran – mais sans les États-Unis ni la France –, pour que cette nouvelle donne sidérante devienne une évidence. Et encore, je ne suis pas sûr qu'on ait pleinement réalisé ce que cela signifie.

La vision du monde de Trump, où les États-Unis n'ont pas vocation à intervenir partout, n'était-elle pas déjà celle d'Obama ?

Sur l'essentiel, notamment sur le terrain des valeurs, les conceptions de Donald Trump sont aux antipodes de celles de son prédécesseur. Mais sur l'idée que les États-Unis n'ont pas vocation à demeurer, à perpétuité, les gendarmes du monde ni à imposer partout la démocratie, il s'inscrit dans une continuité paradoxale avec Barack Obama. Ce dernier pensait déjà que les interventions des vingt-cinq dernières années, dans la plupart des cas, notamment en Afghanistan et pire en Irak, avaient mal tourné et que donc, pour préserver un *leadership* américain relatif dans la longue durée vis-à-vis des émergents – Chine et autres –, il fallait s'y prendre tout autrement. Donald Trump dit un peu la même chose, mais de façon brutale et outrancière. C'est une rupture énorme avec ce qui était jusqu'ici la vision wilsonienne du monde d'une bonne partie des élites libérales américaines (et mondiales), interventionnistes, dont les néo-conservateurs – qui ont tous voté Hillary Clinton – représentent la forme extrême. Cela va avoir des effets profonds dans la durée sur l'ensemble des relations internationales.

Est-ce la fin de l'Occident comme entité unie et des relations transatlantiques ?

Il ne faut pas confondre ces deux notions. L'atlantisme au sens classique se réfère à l'alignement obligé de l'Europe sur les États-Unis qui s'est imposé après la Seconde Guerre mondiale, du fait de la menace soviétique. C'est cela qui a unifié les deux rives de l'Atlantique, alors que ce n'était pas le cas avant. Longtemps, en effet, les États-Unis n'avaient montré qu'un intérêt très relatif vis-à-vis de l'Europe. Cet atlantisme a perdu en partie sa raison d'être après l'effondrement de l'URSS, même si certains prétendent aujourd'hui que la menace russe est presque équivalente, ce qui est pour le moins exagéré.

L'Occident est une notion plus vague et vaste, portée notamment par les néo-conservateurs américains. Après 1992, les États-Unis ont considéré que la démocratie, l'économie de marché et les valeurs occidentales devaient s'appliquer partout. Hyperpuissance triomphale. Avec George W. Bush, surtout après le 11-Septembre, les États-Unis sont devenus plus inquiets face à un monde jugé trop hostile (Russes, Chinois, islam), et plus agressifs (Irak). Là, on peut parler « d'occidentalisme ». Obama a été élu en réaction à cela et a essayé de calmer l'Amérique. Mais le débat n'est pas clos. En tout cas, l'occidentalisme, mélange de supériorité, d'arrogance et de paranoïa, a échoué et inquiète... en Occident. Les Américains, mais pas seulement eux, sont lassés des interventions militaires extérieures, même s'il y a eu parfois des raisons justifiées pour intervenir au Kosovo ou, au début, en Libye. L'Occident doit admettre qu'il ne peut plus régenter le monde, il va être moins missionnaire. Donal Trump est une traduction brutale de ce fait.

À la question historique : peut-il y avoir un Occident sans ingérence ? La réponse n'est pas évidente. Cette vocation prosélyte semble lui être consubstantielle, depuis saint Paul qui appelait à évangéliser toutes les nations (les peuples). Cela ne veut pas dire pour autant que l'Occident va couler. Mais l'heure est venue d'un inventaire sérieux sur nous-mêmes, sans repentance inutile.

Mais l'intervention russe en Syrie n'est-elle pas une ingérence aussi ?

Oui, d'un autre type. Elle ne nous est pas réservée. L'ingérence, ce n'est pas nécessairement l'intervention pour défendre les droits de l'homme, comme on le croit volontiers en France. Il faut assumer qu'il y a des cas où l'intervention est justifiée par les intérêts vitaux du pays. L'intérêt national, ce n'est pas seulement l'indice du commerce extérieur. Ne justifier notre intervention au Mali que par la défense de « valeurs » était partiel. Nous y sommes intervenus, à juste titre, et avec succès, pour défendre notre sécurité et celle des Africains, et nos intérêts, ce qui garantit nos valeurs.

Retourne-t-on à un monde dominé par des zones d'influence ?

Il y aura des tentatives en ce sens puisqu'il n'y a pas de communauté internationale ni d'ordre international et que le gendarme du monde est moins omniprésent. Les hégémonistes américains s'en indignent. Pour eux, il doit y avoir une seule zone d'influence mondiale : la leur ! Mais voilà, il y a la Chine qui ne cesse de se renforcer et la Russie qui s'est réveillée, même si ses faiblesses sont évidentes. Quelques pays raisonnent en ces termes aussi bien au Moyen-Orient, en Asie du Nord-Est, en Afrique. C'était d'ailleurs l'objectif de l'Allemagne en matière économique lors de l'élargissement européen à l'Est. La Francophonie ou l'Hispanidad sont des ensembles qui, en se fondant sur une langue partagée, visent aussi à conserver des zones d'influence.

Mais il n'y aura pas de zones d'influence hermétiques. Voyez le Moyen-Orient qui se déstructure sous nos yeux. Aucune des puissances régionales ne peut y imposer complètement sa volonté. Ni le régime iranien avec sa stratégie irano-chiite, ni l'Arabie saoudite avec la sienne, fondée sur un saoudo-sunnisme wahhabite, ni la Turquie et son néo-ottomanisme. L'Égypte ne peut guère gérer que ses propres intérêts. Israël, qui a tort dans sa politique palestinienne, mais ne cherche pour le reste qu'à garantir sa sécurité. Ajouter à cela qu'aucune puissance extérieure n'a les moyens d'imposer sa solution au travers de nouveaux accords de partage du type Sykes-Picot ou San Remo.

Va-t-on vers un monde à trois, dominé par les États-Unis, la Chine et la Russie, avec une Europe condamnée à jouer les utilités ?

Une Europe spectatrice, peut-être, hélas. Mais, à part cela, sur quoi ces trois puissances dont le poids est

énorme pourraient-elles réellement se mettre d'accord ?
Donald Trump passera peut-être tel ou tel *deal* réaliste
avec Vladimir Poutine, mais je ne vois pas sur quelles
bases il pourrait y avoir un accord global entre Moscou
et Washington. Ni entre la Russie et la Chine, en dépit
de leur rhétorique anti-occidentale commune. Ni entre
la Chine et les États-Unis. Le jeu international est devenu
beaucoup plus diversifié et mouvant, notamment en raison de la multiplicité des acteurs et des sujets. Il y a désormais presque 200 pays au sein des Nations unies. Même
si les trois quarts d'entre eux n'ont guère d'influence, il y
a quand même ceux qui contrôlent certaines ressources
énergétiques, ceux qui occupent des positions géostra-
tégiques importantes ou des « niches », etc. À ceux-ci
s'ajoutent les entreprises, les institutions financières, les
ONG, les médias, les Églises, ce qui complexifie encore
un peu plus les processus de décision, y compris dans les
cadres multilatéraux, sans oublier les mafias ! C'est plus
facile pour les systèmes autoritaires comme la Chine, la
Russie ou l'Iran d'avoir une politique étrangère suivie
– bonne ou mauvaise – que pour les démocraties contem-
poraines. Donc je m'attends plutôt à de la confusion qu'à
de la restructuration.

La prise d'Alep et la prise en charge du règlement du conflit
syrien par le trio Russie-Turquie-Iran ne sont-elles pas le
symbole d'un nouvel ordre mondial ?

L'idée de l'ordre mondial que nous nous faisions avant
était illusoire. Mais la tragédie d'Alep est le symbole cruel
de l'erreur complète des Occidentaux dès le début dans
l'affaire syrienne. C'est presque comparable au fiasco de
Suez, même si comparaison n'est pas raison. Il symbolise
l'effondrement des politiques occidentales guidées avant
tout par des critères moraux et des postures éthiques,

sans doute honorables, mais qui, en pratique, n'ont pas marché. Finalement, c'est la Russie qui a les cartes en main, avec l'Iran. Même si elle échoue, cela ne nous remettra pas dans le jeu. Tirons-en les leçons.

Qu'auraient dû faire les Occidentaux en Syrie ?

Choisir dès le début. Face à l'épouvantable guerre civile qui se profilait, soit les Américains et les Français se disaient : nous n'avons pas les moyens nécessaires ni la légitimité pour intervenir, alors faisons de l'humanitaire massif pour atténuer les souffrances des Syriens en aidant davantage la Turquie, la Jordanie et le Liban, et en acceptant d'accueillir plus de réfugiés, tout en essayant de nous concerter avec les Russes. Soit nous jugions fondamental d'imposer la démocratie en Syrie. Et alors, nous nous donnions les moyens militaires, financiers et politiques de réussir, ce qui voulait dire intervenir massivement à l'appui de nos amis démocrates, malgré leurs faiblesses, et donc envoyer s'il le fallait 100 000 hommes pour des années tout en nous assurant du soutien de nos opinions publiques. Mais nous n'avons choisi clairement ni l'un ni l'autre tout en faisant croire aux opposants à Assad que nous les aiderions vraiment... parfois moralisme et cynisme se rejoignent.

Deux autres erreurs ont été commises. D'abord de ne pas écouter les chrétiens de Syrie et du Liban, qui avertissaient que, si le régime de Bachar était cruel, le suivant serait pire. Deuxièmement, en croyant que la Russie allait laisser tomber la seule implantation extérieure qu'elle avait gardée. Ce concentré d'erreurs est l'aboutissement d'une série de croyances et de réflexes chimériques qui se sont accumulés depuis vingt à trente ans. Je suis attaché aux droits de l'homme autant que tout le monde, mais je craignais depuis longtemps que le droit-de-l'hommisme comme seul critère de choix en politique étrangère nous mène dans une impasse. Nous y sommes. Nous n'avons plus les moyens de nos émotions et il ne peut être question de recommencer la colonisation. Il faut repenser tout cela : bilan des interventions et fixation de critères plus rationnels et rigoureux pour l'avenir.

La France a été, dans l'affaire syrienne, la plus interventionniste. Pourquoi ?

On peut reprocher son incohérence à Obama : édicter une « ligne rouge » [sur l'usage d'armes chimiques par le régime syrien, comme ce fut le cas en août 2013] et ne pas réagir quand elle a été violée fut une erreur grave. Mais conceptuellement l'erreur française fut plus profonde et continue. Ainsi, après avoir raté les événements de Tunisie et d'Égypte en 2011, elle s'est engouffrée à fond en Syrie, pour des raisons idéologiques, une sorte de néo-conservatisme à la française, à la fois grave et futile. Conviction que c'était sa « mission », surévaluation de ses forces, hésitations, etc. Il faudrait passer en revue tout ce qui a été fait depuis la fin de Jacques Chirac. Tout n'est pas négatif : Jacques Chirac a été remarquable sur l'Irak ; Nicolas Sarkozy a eu des réussites sur la Géorgie, la crise financière, le G20 ; et François Hollande est courageusement et efficacement intervenu au Mali. Il a bien géré la RCA et lancé le processus de Minsk sur l'Ukraine. Il n'empêche qu'on a l'impression de ne plus bien savoir qui nous sommes et où nous sommes.

Dans ce nouveau paysage mondial, l'Europe est hors jeu.

Il y a des puissances européennes, mais « l'Europe » n'est pas à l'origine un projet de puissance. Au départ, elle est un mode d'organisation du plan Marshall, quand les Américains nous ont imposé de coopérer avec les

Allemands. Puis c'est un marché. L'idée d'Europe puissance est apparue beaucoup plus tard : quand Mitterrand et Kohl, puis Delors, ont relancé le projet européen en 1984, et qu'il y a eu une décennie extraordinaire (jusqu'en 1992) où l'on voulait faire l'Europe politique, sociale, économique, des citoyens, etc., et, les Français, l'Europe de la défense. Mais déjà, à l'époque, les autres Européens n'étaient pas très convaincus sur ce point.

Aujourd'hui, les Européens, qui croyaient vivre dans le monde idéal de la communauté internationale et du droit, se réveillent dans *Jurassic Park* : Donald Trump inquiète tout le monde, Poutine nous provoque, l'islam se convulse. Cela pourrait provoquer un électrochoc créateur, mais, pour le moment, rien ne se passe. J'ai relu récemment les conclusions du Conseil européen de Laeken (Belgique) en 2001[1] : sur le nécessaire sursaut européen, elles sont beaucoup plus ambitieuses qu'aujourd'hui.

Comment relancer l'Europe ?

Pas en ajoutant des promesses aux promesses, sans rien changer au système ! De plus en plus de gens décrochent : les anti-européens bien sûr, mais aussi des sceptiques, des gens déçus, et beaucoup de gens allergiques à la règlementation à outrance, en fait une majorité. Donc on annonce une pause pour écouter les peuples, on admet qu'ils veuillent conserver un peu d'identité, de souveraineté et avoir plus de sécurité. Dans une conférence refondatrice, les gouvernements volontaires décident une opération d'une subsidiarité massive, aux termes de laquelle la Commission arrête de réglementer tout en détail à outrance et est remissionnée sur des éléments-clefs et d'avenir, à commencer par un Schengen fiable, avec un

---

1. *Sauver l'Europe !*, Liana Levi, novembre 2016.

contrôle effectif des frontières extérieures. Si on y parvient, alors on pourra présenter aux peuples une idée de l'Europe à nouveau convaincante. En tout cas, je ne crois pas qu'on puisse avancer sans avoir réentraîné les peuples au préalable. Même Wolfgang Schäuble [le ministre allemand des Finances] le dit. Si on arrive à convaincre les peuples, on pourra recommencer à bâtir l'Europe de demain, celle qui défendra notre mode de vie dans un monde troublé.

Qu'est-ce que l'arrivée de Trump va changer pour l'Europe ?

Sur Donald Trump, on a entendu en Europe beaucoup de gémissements et de cris d'orfraie. Il faut dépasser cette sidération. Les Européens, du moins les trois ou quatre dirigeants qui pèsent, devraient dire : « Vous voulez sortir de l'accord sur le climat ? C'est une erreur. Nous continuons à l'appliquer y compris avec la société civile et des entreprises de votre pays. » C'est ce que les Chinois ont annoncé. Donald Trump veut casser l'accord sur le nucléaire iranien ? Les Européens n'ont qu'à répondre : « C'est un accord international que nous continuerons à appliquer. Si vous voulez nous empêcher de le faire par des sanctions extraterritoriales et judiciaires, nous créerons un système d'échange avec les émergents, la Russie et la Chine pour travailler malgré tout avec l'Iran. » Si nous sommes capables de prendre ce genre de position, le grand business américain fera pression sur Donald Trump. Donald Trump veut faire un *deal* avec Poutine ? Eh bien, définissons sans attendre notre conception de relations réalistes avec la Russie : cela suppose de prendre notre part sur certains dossiers comme la Crimée ou la Syrie, proposer de coopérer avec la Russie sur d'autres plans, tout en restant fermes et dissuasifs. Quant aux accords commerciaux, cela va dépendre de l'escalade entre Pékin et Washington. De toute façon, avec quelqu'un comme Donald Trump, cela ne sert à rien de parler de valeurs universelles, il vaut mieux afficher à l'avance nos positions, fondées sur nos intérêts. Dans ce cas-là, elles compteront.

Tour d'horizon de la situation mondiale

Pour la revue *Conflits*, Hubert Védrine fait un tour d'horizon de la situation mondiale au printemps 2017[1].

Vous êtes né dans la Creuse. Cet ancrage provincial vous permet-il de mieux comprendre les sentiments de ce que l'on appelle la France profonde ou la France périphérique ?

Je suis né en Creuse, dans la maison de vacances de mon grand-père Chigot, maître verrier à Limoges. J'y ai passé, enfant, d'inoubliables vacances (c'est ainsi que je sais traire les vaches !). J'y ai gardé des liens. Cela m'a immunisé contre le mépris imbécile des élites urbaines pour la France dite « profonde ». Quelle qu'ait été ma vie ensuite, j'ai gardé une empathie spontanée pour cette France-là. Cela m'a sans doute aidé à comprendre plus tard, plus tôt que d'autres, les réactions d'une partie des Français à la mondialisation et à l'européisme exagérés.

Et si je vous dis que vous avez une autre facette, celle d'un intellectuel diplomate à la Kissinger...

La comparaison intellectuelle avec Kissinger est forcément flatteuse, même si on peut ne pas être d'accord avec tout ce qu'il a fait au pouvoir. Cela dit, le rapprochement des États-Unis avec la Chine, quelle opération époustouflante ! Et l'aller-retour entre la responsabilité, la

---

1. Article paru dans *Conflits*, avril-mai-juin 2017.

réflexion, l'écriture, la transmission, est un modèle. On le trouve aussi chez Zbigniew Brzezinski, ou chez Jo Nye. Cela est typiquement américain. J'ai essayé de m'en inspirer.

Vous ne récusez pas le terme de géopolitique.

Pas du tout. J'ai été porté vers la géopolitique depuis mon enfance sans connaître le mot, ni la controverse qui s'y attachait. Il se trouve que mon père avait joué un rôle discret mais très important dans l'indépendance du Maroc entre 1949 et 1955. Des dirigeants politiques, des futurs *leaders*, des ministres, des ambassadeurs, venaient dîner chez nous. J'écoutais, fasciné. Cela m'a formé. Venaient aussi des journalistes, Jean Lacouture, Claude Julien ou Tibor Mende, un grand journaliste « global » avant la lettre, hongrois, qui écrivait sur ses conversations avec Nehru, Zhou Enlai, etc. Quel oxygène ! J'ai baigné dans cette ambiance stimulante toute ma jeunesse.

Quelle définition donneriez-vous de la géopolitique ?

C'est une discipline qui étudie la relation et les rapports de force entre les puissances dans le monde.

Vous réservez le terme « puissance » aux États-nations ?

Non, j'inclus tout, les flux financiers, les entreprises, les ONG, les Églises, les médias, les mafias, des entités comme le prix Nobel ou le Comité olympique, etc. Ceux qui critiquent la *realpolitik* en l'accusant de ne prendre en compte que les États-nations, comme à l'époque de Westphalie, retardent. Les vrais réalistes tiennent compte depuis longtemps de tous les acteurs et de toutes les forces, y compris bien sûr les opinions (*les* opinions, pas l'opinion).

Aujourd'hui, beaucoup affirment que ces autres puissances sont devenues l'essentiel et que les États ne jouent plus de rôle.

C'est aller trop loin. Vous pouvez rassembler toutes les ONG, tous les médias du monde et même les grandes entreprises dans des négociations : au moment de conclure, il faut quelqu'un qui puisse « délivrer » (en franglais), dire oui ou non, et engager son pays. Et le seul qui puisse, c'est un gouvernement, c'est l'État. Il n'empêche que la situation mondiale actuelle est une foire d'empoigne. On m'avait demandé un jour : « Qui gouverne le monde ? » J'avais répondu : d'abord personne ; ensuite, malgré tout, les États-Unis ; puis dix ou quinze puissances, puis un méli-mélo d'organisations internationales et nationales. Et les opinions de plus en plus influentes, mais dans des sens contraires. Cela n'a fait qu'empirer.

L'opinion est-elle un acteur ou un enjeu ?

Les deux. Elle joue d'ailleurs un rôle depuis très longtemps. À l'époque de Richelieu et de Mazarin, il existait une opinion dominante à la Cour et chez les grands seigneurs (frondeurs), qui exigeait une alliance idéologique, donc catholique, avec l'Espagne, contre les protestants. Elle s'opposait donc à la politique de Richelieu et de Mazarin, qui jouaient l'alliance avec des puissances protestantes contre les Habsbourg. Cette opposition était violente. Elle s'exprimait par des libelles – les « mazarinades » – et des complots. Mais bien sûr, depuis plus d'un siècle, et plus encore depuis quelques décennies, l'opinion a acquis une force cyclonique. Regardez le rôle des réseaux sociaux dans le déclenchement des printemps arabes.

273

Cela dit, l'opinion est un pouvoir à la fois omniprésent, fragile, versatile et sans tête. C'est un pouvoir qui ne peut pas conclure un accord, c'est un pouvoir changeant et volatil. Les dirigeants contemporains doivent donc constamment déterminer les domaines où ils peuvent se permettre d'aller contre l'opinion, ceux dans lesquels c'est impossible, tout se permettre, ou très brièvement, savoir éviter que les oppositions se coalisent, comment les neutraliser, les faire évoluer, etc. Cela dévore une grande part de leur énergie !

Quand j'étais ministre déjà, j'étais amené à distinguer deux choses. D'abord, pour tenir compte au jour le jour des clapotis de l'opinion et l'apaiser, donner des réponses aux médias. Cela explique l'inflation verbale du genre : « Le ministère est très préoccupé, il s'inquiète, il condamne, une réunion de crise est convoquée, etc. » Sans parler, maintenant, de la maladie des *tweets*. Aucun gouvernement ne peut échapper à cette pression des médias, sauf dans des pays comme la Chine ou la Russie, et encore. Mais, indépendamment de cette contrainte et malgré les vents contraires, il faut garder son cap sur les dossiers essentiels et suivre une vraie ligne de fond.

Le poids de l'opinion donne hélas raison à Tocqueville. Pour lui – déjà il y a deux siècles ! – le risque pour les démocraties était de subordonner leur politique *extérieure* à des considérations *intérieures*. Vous voyez la situation aujourd'hui !

Comment gouverner alors ?

C'est de plus en plus difficile et c'est pourquoi il faut être indulgent avec les dirigeants. Cela suppose un savoir-faire à la fois ancien et nouveau. En tout cas, la *realpolitik* consiste à prendre en compte toutes les facettes de la réalité. Il faut pour cela s'abstraire de ce que j'ai appelé l'*irrealpolitik*. Ce sont toutes les croyances, les convictions, les postures, réactions instantanées de l'Occident bavard et imbu de sa supériorité, dans lesquelles nous baignons. Vous savez, les formules du genre « les-valeurs-qui-sont-les-nôtres ». Une sorte de diplomatiquement correct. Ces postures se sont beaucoup répandues après la chute de l'URSS, quand nous avons cru que nous allions vivre dans une « communauté internationale » selon nos conceptions. Mais cela ne marche pas, ou pas encore, parce que le monde n'est pas peuplé que de gentils Européens. Cette *irrealpolitik* a échoué.

En évoquant la France et plus généralement l'Europe, vous avez écrit : « Nous n'avons plus les moyens de nos émotions. » Que voulez-vous dire ?

Que nous ne sommes pas, ou plus, les maîtres du monde, que nous n'avons plus le monopole du pouvoir et de l'influence, et que nous ne pouvons plus intervenir utilement et légitimement chaque fois que nous sommes bouleversés. J'adore la France. J'ai avec elle une relation presque mitterrandienne à la terre, aux racines, à l'Histoire. Mais elle souffre de quelques pathologies qu'il faudrait corriger.

Lesquelles ?

La plus handicapante est le goût des chimères et de la grandiloquence. Nous adorons les grandes formules abstraites sans prise avec le réel, nous préférons les théories aux faits. En même temps, nous avons longtemps été un pays un peu vantard qui passait son temps à donner des leçons aux autres, et à rêver un peu. Moins maintenant, où nous sommes dans un état semi-dépressif, ce qui n'est guère mieux.

Le discours de Dominique de Villepin tenu en 2003 à l'ONU contre la guerre en Irak en est-il une illustration ?

Oui et non. J'ai trouvé courageuse la position de Chirac, et remarquable le discours de Villepin, mais je suis obligé de constater à regret qu'il n'a rien empêché. Et cela me frustre de penser que la France ne pourrait plus jouer un rôle majeur que par de beaux discours, émouvants, mémorables et vains... Il ne faudrait pas que cela soit notre dernière façon de rayonner.

D'autres pathologies françaises ?

Le symétrique de notre grandiloquence est la repentance. Comme si nous étions les seuls à avoir colonisé, à avoir pratiqué l'esclavage, à avoir mené des guerres injustes ! Comme si l'effondrement de 1940 n'avait pas précédé la Collaboration. Comme si notre histoire ne se ramenait qu'à cela ! Ce masochisme est de la prétention inversée.

Toutes ces pathologies combinées se retrouvent dans un goût immodéré pour les mots creux – « communauté internationale », « Europe » même, car on ne sait pas ce que l'on met dedans. Regardez la formule dont nous nous gargarisons : « France, pays des droits de l'homme ». Robert Badinter corrige à juste titre « *pays de la Déclaration des droits de l'homme et du citoyen* » – ce n'est pas la même chose. Nous voudrions que les pays arabo-musulmans, la Chine, la Russie, deviennent de gros Danemark, pacifiques et démocratiques. Mais nous n'avons pas de baguette magique pour les transformer ! Et nous n'allons pas recommencer la colonisation pour les changer.

Il serait temps de trouver un point d'équilibre entre la grandiloquence et la dépression qui nous frappe quand nous constatons que nous ne sommes plus ce que nous avons été. C'est urgent.

Pensez-vous que la France décline ?

Nous perdons du terrain. Mais n'exagérons pas : la France se porte mieux qu'en 1871 ou en 1940 quand même ! Par ailleurs, tous les pays européens connaissent un recul relatif. Même les États-Unis, dont on voit qu'ils ne peuvent plus modeler le monde, de même le Moyen-Orient, selon leurs vues.

Mais, au sein de ce déclin occidental, je crains que la France ne connaisse un déclin relatif supérieur à celui des autres. Elle n'a pas réussi, même d'une façon modérée, à se réformer, à assouplir son marché du travail ni à réduire la dépense publique. La plupart de nos voisins l'ont fait, à commencer par l'Allemagne de Schröder, mais les Français sont trop attachés à ce qu'ils croient être un modèle. Vue du reste du monde, la France est le pays qui ne réussit pas à se réformer, à part la réforme des retraites de Fillon, et Hollande, en 2014, avec le CICE. Et cela commence à peser sur notre crédibilité internationale.

C'est net en Europe. Il y a un décrochage avec l'Allemagne. Ce décrochage s'explique par la réunification allemande (due à Gorbatchev), et par les réformes de Schröder, dont nous n'avons pas fait l'équivalent. L'Allemagne nous énerve en réclamant que nous tenions *nos* promesses et que nous nous réformions. Et nous n'y arrivons pas. Vraiment. L'issue des élections présidentielle et législatives nous dira où nous en sommes.

Que devient le couple franco-allemand ?

Il a disparu avec la réunification et avec le départ de Mitterrand et Kohl. Il y a eu des moments de convergence entre Schröder et Chirac, lors de leurs seconds mandats, entre Merkel et Sarkozy face à George W. Bush, entre Merkel et Hollande face à Poutine ou à Trump. Mais il ne s'agit pas d'une entente globale, simplement d'accords ponctuels. Ce n'est pas un drame, on peut travailler avec cela.

Nous avons voulu une monnaie unique pour ne pas rester dans une zone mark. Ce n'était pas l'Allemagne qui était demandeur. Kohl a accepté, malgré son opinion publique, très attachée au deutsche mark. Il était normal qu'il demande que cette zone réponde à certains critères essentiels pour l'Allemagne, comme la stabilité monétaire et le respect des grands équilibres. C'est d'ailleurs nous qui avons formulé ces critères ! Mais nous n'avons pas effectué ensuite les réformes que supposait notre entrée dans cette zone pour maîtriser nos finances publiques et nos déséquilibres. Il ne faut pas s'étonner des conséquences...

Et les États-Unis ?

Les relations sont toujours un peu frictionnelles, car les deux pays se prennent pour des modèles. C'est pourquoi j'utilisais à l'époque de Mitterrand la formule « amis, alliés, *mais pas alignés* ». Mais pour les Américains un allié doit être aligné ! Nos rapports ont donc parfois été difficiles.

Cela va-t-il continuer avec Trump ?

Aujourd'hui à Washington, c'est n'importe quoi. C'est gravissime pour eux. Cela dit, déjà Obama n'avait pas d'intérêt majeur pour l'Europe, il regardait surtout en direction de l'Asie. Et c'était logique. L'Europe était-elle un problème pour lui ? L'Europe avait-elle la solution à ses problèmes ? Non. Alors pourquoi se focaliser sur elle ? Et puis, il était plus simple de passer par l'Allemagne, même si l'Allemagne ne tient pas vraiment à gérer l'ensemble des problèmes européens.

Le paradoxe tient à ce que l'influence de la pensée des néo-conservateurs en France (des *occidentalistes* en fait) s'est accrue sur notre diplomatie au moment même où, avec l'arrivée d'Obama, ils perdaient le pouvoir politique à Washington. L'influence de ces néo-conservateurs occidentalistes résiduels a progressé chez nous sous Sarkozy, puis, sous Hollande, elle est restée forte, ainsi que dans les médias.

Plus sous Hollande ?

Peut-être un peu plus, mais il s'agissait d'une version de gauche du néo-conservatisme, différente de la version de droite sarkozienne. Cela rejoignait une tradition interventionniste de gauche, l'ingérence, qui s'indignait de la volonté de retenue d'Obama.

L'affaire syrienne a révélé cruellement nos contradictions. Nous aurions dû, au début de la guerre civile, faire un choix : soit ne pas s'en mêler, et faire de l'humanitaire à grande échelle ; soit intervenir pour faire triompher les démocrates à Damas. Ce qui supposait d'envoyer 100 000 hommes, français et autres, durablement.

À voir l'alternative telle que vous la posez, on devine votre préférence.

Ce n'est pas une question de préférence personnelle, c'est un fait. C'était très difficile, mais on aurait dû choisir. On n'a pas posé le problème clairement, on a navigué à vue. Les États-Unis *idem* : Obama avait été élu pour désengager son pays des guerres où Bush s'était enlisé, la France aurait voulu imposer les droits de l'homme et la démocratie en Syrie. Finalement, on est hors jeu. Le désaccord franco-américain a été moindre sur l'accord sur le nucléaire iranien. En revanche, l'impulsion d'Obama (et l'engagement chinois) a été décisive pour l'accord sur le climat, où Laurent Fabius a orchestré un travail remarquable.

Et aujourd'hui ?

Il va falloir analyser froidement ce qui sort, au jour le jour, de la pétaudière de Washington. *Wait and see !* Complété par : observation et vigilance. Il est difficile de distinguer les sujets sur lesquels Trump va s'entêter, car c'est ce que réclame son électorat (et que de dégâts en vue !), de ceux où la réalité le recadrera brutalement. Ainsi, je suis persuadé qu'il ne « sortira » pas les États-Unis de l'OTAN. Ses généraux l'en empêcheront.

Peut-être obtenir que les Européens paient plus ?

Certes, mais c'est une revendication américaine depuis longtemps, au moins depuis Nixon, et à nouveau depuis quinze ans.

Est-il isolationniste ?

Non, pas vraiment, et il sera certainement capable d'intervenir brutalement s'il le croit nécessaire. En fait, nous n'avons pas encore assez de recul depuis son entrée en fonction. Comment savoir jusqu'où ira son rapprochement avec la Russie ? Poutine a l'esprit froid, calculateur ; il n'est pas sur la même longueur d'onde que Trump, qui a déjà changé de pied. Les intérêts avec les États-Unis peuvent converger en ce qui concerne la lutte contre Daesh, mais beaucoup plus difficilement sur l'Ukraine. Et jusqu'où ira l'escalade commerciale et stratégique déclenchée avec la Chine et contre le libre-échange ? Qui peut le dire ? Quelques pays ou forces dans le monde espèrent tirer parti de Trump : Mme May ; Netanyahou et le Likoud (ce qui accroît le risque d'une nouvelle Afrique du Sud !) ; quelques partisans de la restauration de la monarchie en Iran ; la Chine, servie par les bévues de la nouvelle administration. Tous les autres gèrent cela comme un risque et cherchent à se protéger et à s'organiser en attendant.

L'élection de Trump va-t-elle fragiliser les néo-conservateurs français ?

En fait, nos néo-conservateurs avaient déjà pris une certaine distance avec les États-Unis depuis l'élection d'Obama. Ils ont trouvé ce dernier trop mou, pas assez interventionniste. Ils se sont alors auto-proclamés comme les vrais défenseurs de l'Occident, occidentalistes orphelins de Washington, mais pas atlantistes. Mais, à terme, la nouvelle situation leur posera un problème encore plus grave. En fait, l'élection de Trump désoriente tous ceux qui avaient fait depuis 1945 des États-Unis leur point de repère ultime, en dépit des désaccords.

Dans ce monde incertain, pensez-vous qu'il faut renforcer la France ou l'Europe ?

Ah, bien sûr ! Il faudrait une France forte dans une Europe forte. Alors qu'on subit l'inverse. Une Europe vraiment forte. Voyez Schengen. La libre circulation : très bonne idée... Mais on a supprimé les contrôles intérieurs sans établir de contrôles suffisants aux frontières de Schengen. D'où la catastrophe de 2015, où tout a disjoncté. Ce qu'il faut c'est d'abord refaire un Schengen fiable avec des gardes-frontières, ensuite établir des *hot spots* chez nos voisins proches pour vérifier qui relève du droit d'asile (et doit être accueilli) et qui n'en relève pas, ensuite enclencher une cogestion sur une base économique des flux migratoires avec les pays de départ et de transit. Et bien sûr soutenir le développement des pays de départ, mais pas que par « l'aide » à l'ancienne.

Sur tous les sujets, il faut une France forte pour qu'elle puisse influer sur les décisions européennes, ou éventuellement agir elle-même quand il n'y en a pas. Mais pour cela elle doit se réformer.

Que pensez-vous de ce qu'il est convenu d'appeler le populisme ?

C'est un sous-produit, pas une cause. C'est un phénomène « d'insurrection électorale » de peuples abandonnés et méprisé par les élites trop mondialisatrices et européistes et qui du coup sont prêts à croire n'importe quoi, et à voter pour n'importe qui.

Il ne faut pas confondre en effet les *mondialisateurs*, ceux qui ont imposé la mondialisation (qui n'est pas que technologique) et qui en profitent, et les *mondialisés*, qui en assument les conséquences. Les mondialisateurs n'ont pas voulu tenir compte depuis trente ans des réactions des mondialisés. Ils ont dit : « Ce sont des idiots archaïques, on s'en moque, on sait ce qu'il faut faire pour eux. » Le même phénomène vaut pour l'Europe. Je suis très européen. Mais l'européisme excessif a été allergisant. Depuis l'Acte unique, Bruxelles (et les États-membres) ont été pris d'une frénésie réglementatrice qui a provoqué rébellion, sentiment anti-européen, scepticisme, déception, allergie.

Les élites mondialisatrices et européistes ont cru que la condamnation du populisme suffirait à le désintégrer, comme l'eau bénite sur les vampires. Mais cela marche d'autant moins que cette condamnation vient d'élites elles-mêmes rejetées par les peuples. D'où ces événements possibles, mais que les élites jugeaient impensables : Brexit, élection de Trump. Et après ? Comme l'a dit le ministre allemand des Finances, Wolfgang Schäuble, il n'est plus possible de ne pas tenir compte des peuples. Il faut les réconcilier avec l'Europe. C'est le thème de mon essai *Sauver l'Europe !*. Or les peuples veulent garder une certaine identité, un peu de souveraineté, et avoir une meilleure sécurité. Soit on répond raisonnablement à ces demandes en les modérant, soit les peuples deviendront enragés !

Le Club et la réforme en France

De 2014 à 2017, Hubert Védrine a créé et animé un « Club » sur la base des idées de son essai paru en 2014 *La France au défi* : une entente ponctuelle droite/gauche pour dépasser les blocages et réussir les réformes-clefs. Il résume pour *Le Monde* les conclusions de ces travaux, quelques semaines avant le premier tour de la présidentielle[1].

Au terme de cette campagne insensée, nous allons quand même élire un président puis une Assemblée pour gouverner et réformer. Car, comme en 1958, la France ne restera maîtresse de son destin et ne retrouvera une cohésion sociale et mentale que grâce à quelques réformes-clefs. La France doit réformer sa cohésion sociale, non pas par plus d'assistance et de dette, mais en redonnant à chacun, par le travail, le mérite (et non les rentes), mais aussi par l'éducation, profondément transformée dans ses méthodes, et une mise en œuvre intelligente de la laïcité, une place dans la société et une espérance dans l'avenir.

Cela passe par la correction des règles qui maintiennent le chômage de masse à environ 10 %, par un big bang de la formation, mais aussi par la reprise de contrôle de la dépense publique. Elle est tellement excessive qu'elle

---

1. Article paru dans *Le Monde*, 21 mars 2017.

nous oblige à des prélèvements obligatoires parmi les plus élevés au monde et à une pression fiscale asphyxiante, tout en alimentant une dette qui pèse injustement sur les générations futures.

Les Français savent tout cela. Mais s'ils sont inquiets de voir notre modèle républicain et social au bord de la rupture, ils craignent que des réformes mal conçues par des élites en qui ils ont perdu toute confiance ne finissent par l'achever plutôt que de le sauver. Un candidat, un président, qui voudra réformer (et même transformer), devra surmonter d'abord cette méfiance viscérale, en trouvant, avant l'élection, les mots et le ton pour convaincre qu'il ne s'agit pas d'obéir à des diktats extérieurs, mais de préserver ce qui fait le ciment de la France, de recoudre un pays en voie d'implosion, de mobiliser son potentiel. Bien sûr, cela suppose de rompre avec la complaisance clientéliste des dernières décennies, l'accumulation de micro-engagements catégoriels, la surenchère électorale derrière les minorités de toute sorte, pour reparler à tous du pays en tant que pays, de la France en tant que nation qui doit pouvoir toujours décider de son avenir, de l'intérêt général. Ce sera très difficile d'inverser la vapeur, surtout dans un contexte électoral, mais c'est la condition du sursaut.

À supposer (et en espérant) qu'un tel candidat soit élu président, pour obtenir une majorité claire aux législatives de juin, il devra expliquer comment il rendra plus efficaces les politiques publiques, indiquer dans quels domaines et pour quelles réformes il procédera par ordonnances, ou autrement, préciser son calendrier (quoi dans les 100 jours, puis quoi dans la première année, la deuxième) en écartant dans un premier temps tout recours au référendum (même si celui-ci reste bien sûr une possibilité constitutionnelle). La réfutation des contre-vérités démagogiques devra réussir à toucher le grand public, pour prévenir la formation de la coalition du statu quo et la paralysie générale. Convaincre chaque jour, encore, et toujours.

Le nouveau président devra ensuite passer à la mise en œuvre dès la constitution du gouvernement issu des élections législatives. Décrets, ordonnances, lois. La pédagogie, là, devra alors être plus concrète. Rappeler aussi les réformes utiles pour tous accomplies par presque tous les pays développés, handicapés par un État-providence devenu infinançable et sauvés par des décisions courageuses ; mais le faire sans jamais copier un modèle unique, fût-ce l'Allemagne ou la Suède. Chaque réforme doit être adaptée au contexte français.

Par exemple, se référer sans explication à la « flexisécurité », d'origine danoise, inquiète. Pas de malentendu : la réussite de cette politique est évidente. Mais la France étant ce qu'elle est, la « flexibilité » est comprise comme le droit de licencier sans limite, même dans les professions archi-protégées, comme sous l'Ancien Régime ! Il faut donc commencer par convaincre de la réalité de la sécurité/sécurisation du parcours professionnel de chacun (la gauche a fait pas mal dans ce sens et n'a pas été assez créditée de ses efforts), avant d'expliquer le paradoxe selon lequel les entreprises n'embauchent pas si elles ne peuvent pas débaucher.

La loi El Khomri est un contre-exemple méthodologique à méditer. Très bonne loi, au début, elle n'est pas comprise parce que pas expliquée, ou trop tard, par un exécutif déjà inaudible, qui commet en plus l'erreur initiale de s'aliéner la CFDT. Au final, réduite à peu de chose, elle est rejetée par une majorité de Français non concernés, ou dont le sort ne pourrait être qu'amélioré par sa mise en œuvre !

Même si les réformes sont bien présentées par un exécutif encore écouté, et la pédagogie bien faite, il y aura quand même un moment de vérité parlementaire (habilitation des ordonnances) et, peut-être, une épreuve de force dans la rue avec des groupuscules ou certains syndicats déterminés à empêcher tout changement pour préserver leur pouvoir de blocage ou pour ne pas être mis en minorité au Congrès suivant. C'est une dramaturgie nationale connue, assez différente de ce qui se passe dans les autres pays développés : celle du déclin.

Dans le premier cas, tout dépend des rapports de force ou de confiance au sein de la majorité parlementaire, ou de la coalition, puisque la vraie base solide d'un président, même une fois élu, n'est guère supérieure à 20-25 %. Dans l'hypothèse, possible, d'une Assemblée sans majorité claire, il faudrait alors bâtir une coalition momentanée, pour améliorer l'efficacité du marché du travail et celle de la formation, et réduire les dépenses publiques et donc le déficit et la dette, ce qui permettra de retrouver notre crédibilité en Europe.

Il ne s'agit pas d'union nationale, ni même d'un accord global bipartisan à l'allemande, mais d'une façon de surmonter les blocages croisés dont les modalités de dénouement seraient prévues dès le départ : chaque camp doit pouvoir retrouver son identité à la fin. Si cela s'avère impossible, il faudrait *a minima* obtenir de l'opposition qu'elle définisse ses lignes rouges, et que le gouvernement s'engage en retour à ne pas les franchir, à condition, dans l'intérêt du pays, que l'opposition battue aux élections s'engage à ne pas jouer l'obstruction sur le reste. C'est à l'avance, avant même l'élection, que des gestes, un ton, des engagements appropriés, de la part des candidats non extrémistes, permettront à l'opposition de demain de se comporter de façon responsable.

L'épreuve de la rue est-elle évitable si les réformes sont bien préparées, présentées et négociées ? A fortiori si elles sont assumées de façon bipartisane ? Peut-être, mais le pouvoir de blocage ou d'obstruction par des minorités, pas toujours infimes, ne disparaîtra pas par miracle.

L'histoire de la France depuis 1945 pèse. Pour que les opposants irréductibles ne soient pas vus par l'opinion comme une minorité courageuse qui se bat dans l'intérêt général des salariés, mais comme des corporatismes paralysant de façon illégitime le fonctionnement de la démocratie, il faut que le sens de la politique mise en œuvre soit clairement perçu et dépasse pour chacun les considérations catégorielles. Pour cela, les explications et la pédagogie sont inopérantes si elles arrivent au dernier moment. La bataille d'opinion doit être préparée de longue date, pour la gagner à chaque étape, spécialement la dernière, et pas seulement au moment de l'annonce ou des débuts, car l'opinion peut se rétracter à tout moment. Une fois la première réforme importante engagée, une pédagogie plus ambitieuse pourra être déployée pour enclencher un cercle vertueux qui pourrait dénouer le nœud de défiance, de manque de confiance en eux des Français des dernières décennies, et libérer ainsi le formidable potentiel créateur et le dynamisme de notre pays.

Sur la bande-dessinée

Dans le cadre d'un numéro du *Débat* consacré à la bande-dessinée, Hubert Védrine évoque la place de l'Histoire dans la BD classique (ligne claire)[1].

Longtemps tenue en lisière de la « vraie » culture, en butte à la suspicion des enseignants, qui voulaient que leurs élèves lisent de « vrais » livres, quand aujourd'hui plus personne n'oppose les deux, la bande dessinée, la « BD », belge puis belgo-française, s'est échappée des limites étroites dans lesquelles elle était circonscrite. Au fur et à mesure qu'avançait le XXᵉ siècle, elle a connu un épanouissement extraordinaire avec des scénaristes et graphistes de génie, comme Hergé, EP Jacobs et leur école, inspirateurs par la suite de bien d'autres. Elle a conquis, depuis maintenant trois générations au moins, et dans tous les milieux, des passionnés. Elle est accordée à un siècle qui vit le triomphe et l'omniprésence de l'image sous toutes ses formes, la photo, le cinéma – « l'usine à rêves » de Malraux –, comme jamais depuis le vitrail du haut Moyen Âge, ancêtre de la ligne claire, qui édifiait les fidèles. Elle fait maintenant partie intégrante de notre culture, de notre représentation du monde. Elle est un langage, une référence, un lien, elle est devenue un code, une connivence d'une génération à l'autre.

---

1. Article paru dans *Le Débat*, mai-août 2017.

Comptes à rebours

Si les premiers grands maîtres créateurs du genre ont exploré toutes les ressources de l'aventure, sous toutes ses formes, qui avait fait avec Jules Vernes et tant d'autres la fortune de la littérature pour la jeunesse et pour le grand public au XIXᵉ siècle et au début du XXᵉ, ils ne pouvaient pas, ni Hergé né en 1907, ni Jacobs né en 1904, rester imperméables à leur époque. Époque inquiétante, époque tragique, qui va de la Première Guerre mondiale à la guerre froide en passant par l'entre-deux-guerres et la Seconde Guerre mondiale. Les vibrations inquiétantes du monde sont bien présentes chez Hergé, surtout avant et pendant la Seconde Guerre mondiale, mais comme filtrées, désamorcées, épurées, ce qui confère à son œuvre, plus de quatre-vingts ans après ses premières planches, une force intemporelle et universelle à la Chaplin. Chez Hergé, l'Histoire reste un cadre, pas un matériau, comme chez Jacobs et d'autres, plus proches de l'esprit d'Alexandre Dumas, ce géant, dans *Les Trois Mousquetaires*.

Le monde extérieur est plus sombre chez Jacobs, dont les héros, Blake et Mortimer, sont confrontés à un vrai génie du mal, Olrik, phœnix malfaisant, alors que Tintin ne trouve pour l'essentiel, sur sa route, outre Al Capone, au début, que des bandits ou des trafiquants internationaux, dont la figure emblématique est Rastapopoulos. Mais ce n'est pas comparable. Ce n'est pas l'incarnation du mal.

L'Histoire contemporaine, et la politique elle-même, est très présente chez Hergé dès son premier album, *Tintin au pays des Soviets*, paru en 1929, soit douze ans seulement après la révolution d'Octobre. Tintin y déclare déjà, devant les décors d'usines dressés pour abuser de naïfs communistes anglais : « Voilà comment les Soviets roulent ces malheureux qui croient encore au paradis rouge ! » C'est Potemkine, pas encore Soljenitsyne, mais ce n'est pas mal vu.

Sur la bande-dessinée

Bien avant notre mondialisation débridée, Hergé a une conscience aiguë de la criminalité internationale, qu'il dénonce. Dans *Au Congo* (1930), ouvrage bêtement décrié, Tintin lutte contre Gibbson, un gangster américain envoyé par Al Capone qui veut mettre la main sur la production de diamants en attisant les conflits entre tribus locales. Dans *Les Cigares du Pharaon* (1934), *Le Lotus bleu* (1936), *Le Crabe aux pinces d'or* (1941), il s'agit de trafic d'opium ou de trafics en tous genres. Dans *L'Oreille cassée* (1937), de ventes d'armes parallèles aux deux belligérants, la République de San Theodoros et celle du Nuevo Rico. Dans *L'Île noire* (1955), de faux-monnayeurs. Dans *Coke en stock* (1958), de trafic d'esclaves. Il est à noter qu'Hergé, altermondialiste avant l'heure, s'il ne parle jamais de « capitalisme » et ne baragouine pas le jargon marxisant – sa langue est aussi claire que sa ligne –, met souvent en scène, outre les habituels bandits, les sombres desseins de grandes banques : la banque Bohlwinkel qui, dans *L'Étoile mystérieuse*, veut s'approprier le précieux minerai contenu dans l'aérolithe, le clystère ; de cyniques marchands d'armes tel Bazil Bazaroff (inspiré du vrai Bazil Zaharoff), ou de Dawson, l'ancien chef de la police de la concession internationale de Shanghai dans *Le Lotus bleu*, qui réapparaît dans *L'Affaire Tournesol* où il vend des avions de guerre au général Alcazar renversé à son tour, pour la énième fois, par le général Tapioca. Plus souvent encore, Hergé nous montre la voracité des grandes compagnies pétrolières, en général américaines : dans *L'Oreille cassée*, c'est l'agent de la General American Oil, RW Chicklett, qui veut convaincre le général Alcazar, président à ce moment-là, entre deux putschs, de la République de San Theodoros, d'envahir et d'annexer une région pétrolière de la république voisine de Nuevo Rico, tenue par la Compagnie anglaise des pétroles sud-américaines, en lui promettant 10 % des royalties à venir. Dans *Au pays de l'or noir* (1950), plusieurs fois remanié pour ne pas trop heurter un politiquement correct changeant, c'est la Skoi Petroleum qui finance le cheik Babel Ehr pour qu'il renverse l'émir Ben Kalish Ezab, l'ami de Tintin, le père de l'infernal petit Abdallah, qui règne sur l'Arabie khemedite, dans le but d'évincer l'Arabex.

Avec *Le Lotus bleu* de 1936, qui a pour cadre explicite l'invasion japonaise en Chine (si l'on simplifie, Hergé est pro-Chinois, Jacobs, fasciné par les Japonais), c'est *Le Sceptre d'Ottokar*, publié en 1939, qui reflète au plus près les événements tragiques des années 1930. Musstler (*Mussolini/Hitler)*, le chef du parti de la Garde d'acier, vendu à la Bordurie, veut renverser le roi de Syldavie Muskar XII pour permettre au dictateur bordure Plekzsy-Galdz d'imposer l'Anschluss de la Syldavie à la Bordurie. Alors que la Syldavie est une synthèse aimable de divers pays des Balkans (Serbie, Albanie, Montenegro), la Bordurie a, entre autres, des traits de l'Allemagne nazie. On retrouvera la Bordurie quand elle essaiera dans *On a marché sur la Lune* (1954) de mettre la main, avec l'aide de l'ancien colonel Boris, l'aide de camp traître du roi de Syldavie, mêlé au complot bordure dans l'affaire du sceptre, devenu colonel Jorgen, de détourner la fusée syldave vers la Bordurie. Hergé s'était inspiré pour sa fusée lunaire XFLR 6, propulsée au plutonium, des travaux de Verner von Braun pour le V6. Rappelons qu'on a bien « marché sur la Lune », mais quinze ans plus tard, en 1969 ! C'est avec *Objectif Lune* puis *On a marché sur la Lune* que j'ai découvert Tintin avec émerveillement et ai été captivé par le monde d'Hergé.

Dans *L'Affaire Tournesol*, épisode publié en 1956, typique de la guerre froide, c'est encore la Bordurie (décidément « État voyou » avant la date !) qui essaie de mettre la main sur l'appareil à ultrasons inventé par Tournesol, capable de briser à distance du verre et de la porcelaine, un jour du béton et du ciment, et donc des villes, pour satisfaire la furie dominatrice de l'indéboulonnable dictateur bordure, toujours bien en place, même s'il n'est pas représenté. Mais chez Hergé l'histoire, la géopolitique, restent des cadres qui n'écrasent jamais le récit, qui se poursuit avec une aisance aérienne, un dynamisme cinématographique, une fluidité parfaite rythmée de facéties (Milou, Haddock, Tournesol, les Dupond/t, la Castafiore, Lampion, etc.) et de jeux de mots. Hergé ne reviendra pas à l'Histoire dans ses derniers albums, sauf, sur un mode exotiquement parodique, dans *Tintin et les Picaros* (1976).

L'Histoire est également présente, mais moins stylisée, et plus tragique, chez Jacobs. Certes beaucoup d'épisodes relèvent chez lui de l'aventure classique, de la science, voire de la science-fiction la plus invraisemblable, de l'histoire des premières civilisations (*Le Mystère de la grande pyramide*), des mythes (*L'Atlantide*), du fantastique. Mais tout commence quand même, si on ne tient pas compte du rayon U (créé pour remplacer l'excellent *Flash Gordon*, interdit en Europe occupée par les nazis), avec *Le Secret de l'Espadon*, et une troisième guerre mondiale nucléaire déclenchée en 1946 par un nouvel Hitler, « l'usurpateur Basam Damdu », empereur du Tibet, puis du monde ! Pour lui, « les peuples de la puissante Asie ont pour mission de vaincre et d'asservir ce troupeau de peuples décadents et corrompus » (c'est-à-dire tous les autres !).

Notons que la base principale de la résistance à « l'empire », longtemps avant les Jedi de George Lucas, est une base secrète britannique dans le détroit d'Ormuz, creusée sous le Ras Musendam dirigée par l'amiral Sir William Gray qui a les traits et le cigare de Churchill. Pas plus que chez Hergé d'ailleurs, sauf dans *Coke en stock* quand c'est un croiseur de la VIe flotte américaine en Méditerranée qui met fin aux méfaits de Rastapopoulos et l'oblige à s'enfuir dans un sous-marin de poche, les États-Unis n'apparaissent chez Jacobs pour ce qu'ils sont à partir de 1945, la première puissance mondiale, avec l'URSS, puis seuls. Tout cela se termine par l'anéantissement nucléaire de Lhassa et de « l'empire jaune » par une escadrille d'Espadons. Comme pour les inquiétants stratèges d'alors, la bombe nucléaire est encore pour Jacobs, en 1946, une arme d'emploi, pas de dissuasion ! Et Blake et Mortimer de conclure devant le spectacle de Londres dévasté dont la reconstruction commence : « Une fois encore, la civilisation aura eu le dernier mot. » Chez Jacobs, la guerre des civilisations n'est pas une formule rhétorique.

Cette première aventure, une guerre mondiale gagnée par l'anéantissement nucléaire de l'adversaire, aurait pu être une référence traumatisante et obsédante pour toute la suite des aventures de ses héros. Il n'en est rien. Jacobs s'en libérera dans la suite, à deux exceptions près, et si ses continuateurs reviendront quelques fois au cadre de la guerre mondiale et à la guerre froide, ils privilégieront l'aventure.

Une angoisse tardive de Jacobs devant le nucléaire apparaît d'abord dans *L'Énigme de l'Atlantide*. Quand les chefs atlantes, après avoir raconté à Blake et Mortimer la catastrophe survenue il y a 12 000 ans du fait d'une comète, qui a provoqué des catastrophes qui ont obligé leurs peuples à migrer sous terre et qu'ils leur révèlent avoir continué à observer de là ce que devenait l'humanité en surface, l'image qui apparaît sous le crayon de Jacobs pour illustrer notre histoire est celle d'un champignon atomique ! Il est vrai qu'on est alors en 1956, en pleine guerre froide, avec la bombe H, quand les théoriciens débattent encore du mode d'emploi, et que la « coexistence pacifique » n'a pas encore été inventée.

Enfin dans *Le Piège diabolique*, sorti en 1962, Mortimer, projeté en 5060 (!) par le diabolique professeur Miloch qui a déréglé le chronoscaphe – pour se venger de son échec dans *SOS Météores* –, visionne l'enregistrement, rétrospectivement terrifiant, de la bataille nucléaire qui a ravagé La Roche-Guyon au XXIe siècle.

Mais c'est *SOS Météores*, publié en 1959, épisode le plus français, le plus parisien même de Jacobs (Paris et sa banlieue merveilleusement rendus), *L'Affaire du collier* étant spécifiquement parisienne, qui est le plus connoté guerre froide. Le bloc soviétique – non nommé, mais c'est explicite – a projeté de paralyser l'Europe de l'Ouest, et d'abord la région parisienne, où est encore installé à l'époque le SHAPE (Strategic Headquarter Supreme Allied Power in Europe), quartier général de l'OTAN, en répandant depuis d'immenses installations souterraines secrètes un brouillard impénétrable qui rend fou pour permettre la réussite d'une attaque surprise. Échec. « Vos amis peuvent repartir chez eux ! » lance Mortimer à Olrik, enrôlé par un mystérieux général à l'évidence russe, ou en tout cas soviétique. *Marseillaise* et réception des héros à l'Élysée (par le général de Gaulle, on imagine).

Quand l'Histoire est là chez Jacobs, elle est lourde, avec ses menaces et ses anticipations les plus graves. Ses héros sont sentencieux, ils luttent contre le mal. Personne n'est là pour en rire, et aucune dérision n'est de mise.

Mais c'est toute l'Histoire, grande ou petite, en tout cas certaines périodes, qui a servi de source d'inspiration et de cadre inépuisable à de très nombreux talents. Impossible d'être exhaustif, mais si l'on évoque les périodes qui fascinent le plus, c'est chronologiquement bien sûr par l'Égypte pharaonique, vieille passion française, qui vient en premier. La révolution d'Akhenaton en 1370 avant J-C contre le culte d'Amon est au cœur du *Mystère de la grande pyramide*. Citons aussi la longue série des 13 tomes des *Héritiers du soleil*, de Convard et Didier pour les premiers (Glénat), de 1986 à 2002. Ensuite, il y a la Gaule d'Astérix (créé en 1959 par Goscinny et Uderzo) et son village qui résiste seul à l'Empire romain et à Jules César ! Gigantesque et inépuisable succès mondial. On est là dans l'archétype du roman national et même dans la réinvention complète et le mythe rétroactif, dont les déconstructeurs pédagogistes et les embrouilleurs chronologiques de la rue de Grenelle n'ont pas eu la peau, tant est forte l'attraction de l'image et du texte combinés dans la BD et appliqués à cette folle passion nationale : l'Histoire ! Pour beaucoup, le Gaulois Astérix, c'est la France. La grande fresque romaine de Jacques Martin (à partir de 1965) est plus classiquement historique et pédagogique. César y est présent, bien sûr, mais elle n'est pas autocentrée sur la Gaule, même si son héros Alix est un Gaulois, devenu par adoption citoyen romain, il y tient. On y parcourt inlassablement toutes les provinces de l'Empire et les territoires de ses quelques ennemis périphériques, parthes ou barbares. Les farouches ennemis intérieurs ou extérieurs de Rome sont défaits tour à tour. La série *Murena* (Dufaux, Delaby, Petiqueux), au début des années 2000, propose une version plus « hard » de la Rome antique, avec intrigues impériales, boulimie de sexe, violences, horreurs variées et histoires de légionnaires. Mais ce sont surtout Patrick Cothias pour le scénario, André Juillard à nouveau pour l'illustration, qui ont donné leurs lettres de noblesse à la BD historique avec la série *Les Sept Vies de l'épervier* (dans les années 1980-1990), suivie quelques années plus tard d'un rebondissement inattendu, *Plume au vent*, qui se passe au Canada français. Magistrale série d'histoire et de magie, envoûtante épopée dans la France d'Henri IV (qui comme César ne tient pas assez compte des mises en garde et des présages avant son assassinat, dans lequel les auteurs n'hésitent pas à voir la main de Marie de Médicis) et de Louis XIII. Réussite inégalée, récit qui transcende les controverses politiques entre roman national et roman anti-national. On voit Henri IV, Sully, Catherine de Médicis, Concini, Richelieu, Louis XIV enfant. Le même A. Juillard, toujours inspiré, avec J. Martin, avait illustré un Arno qui dans *Le Pique rouge* déjouait un complot vénitien contre Bonaparte (Glénat, 1984). Venise qui avait servi bien sûr de cadre à de belles séries, *Giacomo C.* et un *Vasco* (scénario de Chaillet, éditions Le Lombard). Dans *Borgia* (d'après un scénario de Jodorowsky), Manara met son immense talent de peintre et d'illustrateur au service d'une série où le pape César Borgia reçoit le roi de France, le disgracieux et bossu Charles VII qui mène sa guerre d'Italie (la « furia francese »). Duplicité croisée.

En BD, le XIXᵉ siècle commence avec *La Campagne d'Égypte*, série sur Bonaparte, par J. Martin et J. Mondoloni, mais pour l'essentiel il est américain. Le western esquissé en France, en Camargue au tout début du siècle, devient ensuite aux États-Unis le genre américain par excellence pendant quelques décennies. L'épopée de la conquête de l'Ouest y est réinventée à partir des enchaînements de la tragédie antique. Pétri de westerns et de grands espaces, Morris invente le « *poor lonesome cowboy* » Lucky Luke. Mais chez Morris le manichéisme propre au genre est allégé par l'ironie (Jack Palance, le tueur glacial de *L'Homme des vallées perdues*, face à Alan Ladd, devient Phil Defer). Sa série relate parfois de vrais événements, comme *Ruée sur l'Oklahoma*. Elle se poursuit aujourd'hui encore avec *Blueberry*, série franco-belge créée par J.-M. Charlier en 1963, qui fait revivre les guerres indiennes. Herman Huppen, Belge lui aussi, né en 1938, illustre la face violente de ce monde de l'Ouest américain avec de nombreuses séries dont *Duke*, prix d'Angoulême 2017.

La Première Guerre mondiale, sujet rarement traité comme la Seconde, a quand même inspiré Carin, Borile et Rivière (*Victor Sackville*). Toujours au début du xxe siècle, Y. Sente et A. Julliard, brillants successeurs de Jacobs, imaginent la jeunesse de Mortimer dans une Inde anglo-indienne encore proche de celle de Kipling, mais travaillée par le nationalisme hindou. Mortimer y croise Gandhi, qui lui dit : « Je vous souhaite un bon séjour, comme visiteur, pas comme conquérant. » Cette Inde des années 1920-1930 est aussi le décor magnifique du *Indian Dreams* de Maryse et M.F. Charles. À la même époque, en Chine, c'est la guerre civile avec *Tigresse blanche* de Condrad et Wilbur (Dargaud, 2007). Et au Tibet, la série *Le Lama blanc*, par Jorodowsky et Georges Bess. La longue chronique de Jacques Ferrandy sur l'Algérie (*Carnets d'Orient*) est à cheval sur les xixe et xxe, de la conquête à l'indépendance.

Avec *Jungle Jim* et *Flash Gordon*, Alex Raymond a exploré, dans les années 1930, un terrain d'aventure laissé vacant après les décès de Jack London, Joseph Conrad, J.O. Curwood et R. Kipling. C'est l'époque du *Mask of Fu Manchu* (1932), de *Shanghai Express* (J. von Sternberg) avec Marlène Dietrich, dont Alex Raymond tirera *Shanghai Lily*. Sous la plume d'Hugo Pratt (arrivé en 1936, à 14 ans, en Abyssinie avec son père), Corto Maltese, marin et aventurier cosmopolite, créé en 1967, connaît de mystérieuses aventures dans la première partie du xxe siècle, marquée par les combats confus en Russie et en Asie après la révolution bolchévique.

Puis l'avant-guerre est déjà là, on l'a rappelé, dans Hergé. La guerre mondiale (trop écrasante ? trop atroce ? trop vue au cinéma ?) est assez absente. Quand même : *Sir Arthur Benton*, par Tarek et Perger. Et l'expérience douloureuse de la captivité de son père, retracée par Tardi.

La Résistance et la vie sous l'Occupation en France sont inscrites de façon émouvante dans la belle série de Gibrat (*Le Sursis*, *Le Vol du corbeau*). Et la Shoah ? Comme l'explique une exposition au Mémorial de la Shoah, avec des dizaines d'auteurs, associer celle-ci et la BD était un tabou. C'est aujourd'hui devenu un « totem », l'œuvre marquante étant *Maus* d'Art Spiegelman.

Puis vient l'après-guerre, et cette longue moitié du xxᵉ siècle, 1945-1991. Outre chez Hergé et Jacobs, la guerre froide est constamment présente chez Jacques Martin dans sa série *Guy Lefranc*, journaliste détective confronté à une sorte d'ersatz d'Olrik, Axel Borg. À partir de 1947, *Buck Danny* est une illustration de l'armée de l'air américaine de la guerre et de l'après-guerre dans l'esprit de « la défense du monde libre » des films hollywoodiens de l'époque, Tanguy et Laverdure en étant une déclinaison française sur *Mirage III* (1961). À la même époque, qui est aussi celle de la décolonisation, peu mise en scène sauf dans *Histoire de l'Algérie*, Cosey a réalisé un prenant *Saigon/Hanoi*.

Les continuateurs de Jacobs ne se sont pas beaucoup aventurés dans ce domaine historique, sauf *Le Sarcophage du 5ᵉ continent* (Y. Sente, A. Juillard) qui se passe en 1959, au moment de l'Exposition universelle de Bruxelles, *L'Affaire Francis Blake* (Van Hamme, Ted Benoit, 1996) et *La Machination Voronov* (Y. Sente, A.Julliard, 2000), qui relèvent de la guerre froide entre l'Ouest et l'Est. L'épisode le plus inventif, *Le Bâton de Plutarque*, publié en 2014 (Sente, Juillard), est ingénieusement daté en 1946, juste après la fin de la Seconde Guerre mondiale, et juste avant le déclenchement de la Troisième Guerre mondiale dans *Le Secret de l'Espadon* auquel il se raccorde rétroactivement selon le procédé utilisé par George Lucas pour les trois épisodes antérieurs de la trilogie de *La Guerre des étoiles*, la « prélogie ».

Les États-Unis des années 1950-1960, les années Kennedy, revivent dans *La Malédiction d'Edgar* (Edgar Hoover) grâce à Chardy et Dugain (Casterman, 2007). Du côté soviétique, dans l'extraordinaire *Partie de chasse*, Christin et Bilal ont décrit, en 1983, les rapports glaciaux et mensongers entre dirigeants des « pays frères » d'un bloc de l'Est déjà très fissuré. Deux ans seulement avant que Gorbatchev n'arrive au pouvoir ! Ce n'est pas tout. La France contemporaine est retracée sous un angle dramatique dans *Les Mystères de la (Troisième), (Quatrième), (Cinquième) République* (Richelle, Wachs, éditions Glénat, années 2000). Mais aussi par Fabien Nury dans *Il était une fois en France*.

L'époque du monde « global », de son économie dérégulée et financiarisée, de cette compétition non-stop des dernières décennies, quand certains croyaient que l'économie avait définitivement supplanté la géopolitique et dissous l'histoire, la géographie, la géopolitique, les identités et les États-nations, a moins inspiré. Peut-être est-elle moins visuelle, moins représentable, moins épique, trop évidente (jusqu'aux insurrections électorales occidentales de 2016-2017). Néanmoins, Jean Van Hamme, scénariste prolixe et inventif, Belge lui aussi, sorte de Goscinny contemporain en moins facétieux mais aussi puissamment créatif (*XIII*, suite de *Blake et Mortimer*, *Lady S.*, etc.), tire brillamment son épingle du jeu avec *Largo Winch*, magnifiquement dessiné et colorisé par Philippe Franck. Largo hérite de son père d'un empire multinational, l'empire Winch, il a à déjouer constamment des manœuvres typiques de la grande époque de l'économie casino dérégulée, légale ou illégale, avec *OPA* (1992), *Business Club* (1993), *Le Flux de l'argent* (2004), *La Loi du dollar* (2005), et on voit bien que pour Van Hamme, qui a été un cadre important dans une entreprise multinationale, ces affrontements l'emportent sur les conflits classiques qu'il évoque aussi (Birmanie, Turquie, Proche-Orient). C'est aussi dans ce monde « global » que se déploient les séries belges *I.R.$* et *I.R.$ See Watcher* de Vrancken et Desberg. Dans un autre genre, très français, on n'aurait garde d'oublier la jubilante et célèbre BD

Sur la bande-dessinée

Quai d'Orsay de Blain et Lanzac (en vrai Antonin Baudry, le conseiller pour les discours) qui relate la genèse du célèbre discours à l'ONU de Dominique de Villepin contre la guerre en Irak en 2003. On a rarement mieux décrit le mécanisme de travail et la pression autour d'un ministre des Affaires étrangères. Enfin, quelques érudits, nostalgiques, ou sa famille, seront heureux de lire que tout le monde n'a pas oublié que dans les années 1970 l'ambassadeur Guy Georgy, conteur hors du commun aux multiples talents, avait dessiné un Pompidou chez *Gadafix*, resté inédit.

Depuis l'âge classique de la BD « ligne claire » des fondateurs, il n'y a plus eu aucune expression ni aucun terrain interdits à la BD.

Il faut distinguer l'histoire retranscrite en BD, qui ne comporte pas seulement des textes illustrés comme autrefois, les BD proprement dites qui s'inspirent librement de l'Histoire, et depuis peu les livres en BD, les « romans graphiques », genre nouveau qui se développe très rapidement. Exemples de livres récents en BD : *Un jeune homme de droite* par Richelle et Rébéna, sur la jeunesse de François Mitterrand ; *Les Meilleurs Ennemis*, une histoire des relations entre les États-Unis et le Moyen-Orient, de Jean-Pierre Filiu et David B. ; le récit d'une enfance en Syrie, *L'Arabe du futur*, par Riad Sattouf ; ou encore l'ouvrage de Sébastien Vassant et Benjamin Stora sur la guerre d'Algérie. Entre autres.

L'Histoire en BD, ce fut autrefois *Les Belles Histoires de l'oncle Paul*, lancées en 1951 par J.-M. Charlier et dessinées par Jean Graton. Tranches d'histoires, hommes célèbres, grands événements, etc. L'Histoire de France issue des manuels conçus sous la IIIᵉ République, le Malet et Isaac dans toute son innocence, mêlée à du Decaux, égayée par l'image. C'est aussi l'Histoire de France en BD, en seize volumes, de Clovis à Mai 68, publiée en 1978 par

Larousse et republiée en 2008 par *Le Monde*. Aujourd'hui, chez Glénat, les grandes batailles navales : Jutland, Trafalgar, Chesapeake, genre inépuisable.

Dans le monde de la BD actuelle, branche bouillonnante de la culture contemporaine de l'ère numérique et/ou graphique, qui s'empare de tous les domaines et de tous les sujets, l'Histoire est moins présente, en tout cas l'Histoire contemporaine, l'« Histoire immédiate » selon la formule célèbre de Jean Lacouture. Illusion de la fin de l'Histoire ? Civilisation plus individualiste que collective ? Épuisement des épopées ? Pourtant d'autres forces sont en marche qui remodèlent en profondeur notre monde. La fin des illusions triomphalistes des Occidentaux qui avaient prospéré après la fin de l'URSS en 1991, la prise de conscience douloureuse et toujours mal acceptée de la fin du monopole occidental de la puissance (sera-ce le cas dans la BD ?), les convulsions apparemment immaîtrisables au sein de l'islam, la menace terroriste, la montée des émergents, les provocations de Poutine, les extravagances funestes de Trump, etc., vont-elles faire fleurir de nouveaux talents narratifs, qui mûrissent aujourd'hui, dans l'observation et la discrétion ? Des auteurs qui voudraient se frotter aux réalités du monde et pas seulement – avec talent – à l'aventure, au passé reconstitué, à la magie, à l'intime, à la vie quotidienne, comme à l'érotisme ou à la science-fiction ?

Peut-être. À ceci près que longtemps, même miroir d'une époque troublée, la BD a permis un minimum de prise de distance, de légèreté, et autorisé des *happy ends*, dans un siècle où l'Occident, même tourmenté et lucide, avait encore confiance en lui. BD de nostalgie et d'évasion, BD refuge. Alors qu'aujourd'hui domine en tout ce que Nietzsche appelait « l'esprit de lourdeur ». Mais *wait and see*.

La nouvelle « guerre froide »

Pour la *Revue des deux mondes*, Hubert Védrine réagit sur le thème de la nouvelle « guerre froide » et commente les débuts de Donald Trump[1].

Assiste-t-on à un retour de la guerre froide ?

Il peut y avoir ponctuellement un parfum de guerre froide, mais ce n'est pas « la » guerre froide. La guerre froide était un affrontement *mondial* entre deux systèmes idéologiques incompatibles, qui prétendaient venir à bout l'un de l'autre. Aujourd'hui, avec la Russie, nous assistons au retour d'une puissance classique. Poutine n'a pas de prétention globale, ni d'ambition mondiale. La situation actuelle n'est donc pas comparable à la guerre froide, ni en rapports de force, ni en perspective, et je ne crois pas que cela se terminera par la victoire de l'un sur l'autre. Si les Américains croient toujours, Trump ou pas, que leur rôle est de conduire le monde, ils oscillent : faut-il, pour être en sécurité, tout contrôler ? Intervenir partout ? Ou, au contraire, faut-il se replier et protéger, pour ne pas trop dépendre du « *rest of the world* » ?

Après l'après-guerre et la guerre froide, le vrai tournant dans les relations internationales ne date pas de la « chute » du mur de Berlin en 1989, présentée comme un

---

1. Article paru dans la *Revue des deux mondes*, 1ᵉʳ septembre 2017.

déclencheur alors que c'était une conséquence, mais de la fin de l'URSS, en 1991. À partir de 1992, nous sommes dans le fameux « monde global » et il n'y a pas consensus pour le définir. Qu'entend-on par monde global ? La fin de l'Histoire ? L'avènement de la « communauté internationale » ? Le clash des civilisations ? Ou maintenant la domination chinoise ? Les débats se poursuivent.

Il est inutile de se demander tous les six mois si « l'ordre mondial » est bouleversé. Il n'y a pas d'ordre mondial, il y a des rapports de force qui produisent aujourd'hui un système semi-chaotique. Les États-Unis ne sont plus l'hyperpuissance de la décennie 1990, mais restent la puissance n° 1 ; la Chine a bondi, mais ne veut pas diriger le monde, encore que... Il ne faut pas être soumis à l'émotion et à l'instantané : le clapotis permanent ne signifie pas des changements permanents.

Habitués depuis quatre siècles à contrôler le monde, les Occidentaux pensaient avoir gagné définitivement la bataille après la fin de l'URSS, mais ce ne fut pas le cas. L'Histoire s'est remise en marche. Nous sommes challengés et nous sommes obligés de fournir un effort supplémentaire pour comprendre de quoi est fait notre monde actuel.

Comment déchiffrer la personnalité de Donald Trump ? Est-il une source de danger supplémentaire ?

C'est un Ubu potentiellement dangereux. Le système américain ne pourra pas le transformer, ni même le professionnaliser. Espérons qu'il pourra l'encadrer. Les électeurs américains nous ont fait passer de Bill Clinton à George W. Bush, puis à Barack Obama et à Donald Trump ! Que d'embardées ! Et chacun a représenté une part de l'Amérique...

La nouvelle « guerre froide »

Les politique de Trump et d'Obama sont-elles si différentes ?

Trump est tellement agressif et aberrant et Obama si distingué, rationnel, cérébral, qu'on a du mal à admettre des continuités entre les deux personnages. Et pourtant il en existe sur quelques points. Obama s'est distancié de l'Amérique missionnaire de Wilson : il avait été élu pour extirper les États-Unis des impasses guerrières dans lesquelles Bush les avait conduits. N'en faisons toutefois pas un pacifiste : il a pensé le pivot stratégique vers l'Asie, signé des accords militaires avec les pays d'Asie qui ont peur de la Chine, a ouvert une base en Australie, n'a pas beaucoup baissé le budget de la Défense… mais il ne se sentait pas obligé d'intervenir à tout prix. Trump arrive, parle de façon brutale, il y a un changement radical de style. Mais, en matière stratégique, Trump n'est pas le contraire d'Obama.

Si on regarde froidement la façon dont Trump opère, qu'est-ce que cela augure ?

On a traité Trump d'« isolationniste », ce n'est pas tout à fait exact. Il donne l'impression d'être capable, avec n'importe quel interlocuteur, de négocier… ou de frapper. Il a bombardé la Syrie, surprenant ceux qui avaient sur-théorisé ses propos antérieurs. Vu son tempérament sanguin, il est inutile de chercher des explications trop compliquées. À mon avis, ses agissements ne s'inscrivent pas dans un vaste plan caché. Il est réellement incontrôlable. Il avait prévenu : « Je serai imprévisible », c'est sa seule promesse convaincante !

Obama a été cohérent, sauf sur un point de la question syrienne : ayant fixé une « ligne rouge », il aurait dû frapper, non pour renverser le régime – Obama était convaincu (à la différence des Français) que, si on renversait le régime, les islamistes prendraient le pouvoir. Mais il aurait dû détruire un site militaire, pour marquer le coup après l'usage de l'arme chimique. Paradoxalement, c'est Trump qui l'a fait !

Cessons d'être tétanisés devant le phénomène Trump. La bonne réaction sur le climat consistait à dire aux Américains : nous prenons note de votre retrait de l'accord, c'est désolant, mais c'est votre problème, le monde continuera. Cela a été la réaction d'Emmanuel Macron, justifiée. La déclaration de Merkel après la rencontre à l'OTAN est aussi d'une importance capitale : il faut désormais compter sur nous-mêmes, et nous organiser mieux entre Européens. Quand Trump a déclaré qu'il voulait établir des relations réalistes avec le président russe, au lieu de nous angoisser, nous aurions dû définir notre propre conception des relations réalistes avec Poutine pour prendre un nouveau départ tout en étant prudents, dissuasifs, sans ambiguïté. C'est ce que veut tenter Emmanuel Macron. Mais aux États-Unis c'est ce que veulent empêcher les républicains et une partie de l'administration, et ils se servent des imprudences de Trump pour tuer dans l'œuf son pragmatisme.

Le face-à-face entre Trump et Poutine, deux individus égocentriques, peut-il représenter une menace particulière ? Comment se considèrent-ils l'un et l'autre ?

Trump est incontrôlable et impulsif, ce qui n'est pas le cas de Poutine, un calculateur froid, un stratège qui n'est pas empoisonné par les réseaux sociaux, etc., et sa popularité le met à l'abri des inquiétudes électorales. Dans le cas de Trump, la question est de savoir si l'administration serait capable de le réfréner et d'empêcher une éventuelle décision aberrante de sa part. Les secrétaires d'État et les généraux (changeants !) qui l'entourent sont des durs, des professionnels, donc *a priori* des hommes réalistes, et ils ne pensent pas que leur mission prioritaire est de répandre la démocratie dans le monde.

Poutine sait se saisir d'erreurs faites en face. Parfois il teste l'OTAN, mais il n'est pas vraiment menaçant. C'est Trump qui accumule les extravagances. Se retirer de l'accord climatique est une erreur monumentale, car *l'écologisation* est vitale, y compris économiquement. Autre absurdité : Donald Trump a mis à terre l'accord commerce Asie/Pacifique, l'une des plus grandes réussites d'Obama. Résultat, ce sont les Chinois qui reprennent ce ballon, mais sans l'Amérique ! Il y a de la part de Trump un acharnement contre les accords multilatéraux, comme si des accords séparés pouvaient profiter plus à l'Amérique. Ce ne sera pas le cas.

D'après lui, le protectionnisme serait utile à l'industrie américaine. Est-ce un leurre ?

Oui, largement. Certes quelques protections peuvent être ponctuellement efficaces. Il y en aura d'ailleurs encore pas mal, directes ou indirectes, dans tous les pays. La guerre de religion entre le libéralisme absolu et le protectionnisme total est absurde ! La politique d'ouverture totale serait parfaite si tous les agents économiques étaient comparables, loyaux et de bonne foi. Donc l'ouverture avec règles est la meilleure solution. C'est le « *fair trade* », si ce n'est pas qu'un slogan.

Serait-ce un transfert de la lutte idéologique des années de la guerre froide sur un terrain économique ?

Non, car cette lutte oppose en fait les Occidentaux entre eux, ou plutôt les *mondialisateurs* et les *mondialisés*. De toute façon, il faut être pragmatique sur la mondialisation : le bon sens indique que la France doit globalement s'adapter et se transformer, comme elle l'a toujours fait, mais pas passivement, résister en même temps sur certains points, préserver l'exception culturelle française et agir pour corriger certaines règles. Tout accepter, comme tout rejeter, n'a pas de sens. C'est d'ailleurs ce que j'avais écrit en 2007, dans un rapport remis au président Sarkozy. Le bon équilibre fait défaut aujourd'hui chez nous, comme aux États-Unis. De ce point de vue, Trump est irrationnel, mais rien n'indique que son échec sera total et qu'il n'aura aucun résultat, même si son démarrage est ahurissant. Là où je le trouve potentiellement dangereux, c'est dans la gestion des grandes crises.

Comment évaluez-vous la menace nord-coréenne ?

À long terme, si elles ne sont pas contenues, les tensions entre la Chine et les États-Unis en Asie du Nord-Est vont croître. La Chine veut reconquérir le contrôle de l'ensemble des mers de Chine, et l'Amérique refusera de renoncer à la libre circulation qu'elle garantit, depuis 1945, dans le monde entier. Cependant, dans un futur immédiat, le risque que représente la Corée du Nord peut amener les États-Unis, la Russie, la Corée du Sud et le Japon à coopérer. Un rapprochement momentané entre les États-Unis et la Chine, par rapport à cette question, sur une base réaliste, est possible.

Que pensez-vous du durcissement de la position de Trump sur l'Iran ?

Je pense qu'aux États-Unis ce que j'appellerai « l'État profond », c'est-à-dire les services, l'administration, l'armée, et j'ajoute le Parti républicain, n'a jamais pardonné aux Iraniens d'avoir renversé le shah d'Iran et pris en otage les diplomates de l'ambassade. Une certaine Amérique veut sa vengeance, ce durcissement en est l'expression. Rappelez-vous que, quand Gorbatchev espérait encore pouvoir réformer l'URSS, Mitterrand, Kohl et Delors étaient enclins à l'aider. Le G8 avait été créé dans ce but. Mais l'Amérique voulait que l'URSS coule. Avec l'Iran, c'est pareil. La rancune anti-iranienne est profondément implantée dans le système et Trump ne voudra pas ou ne pourra pas les remettre en cause, au contraire. Cette alliance affichée entre Trump, les wahhabites d'Arabie et le Likoud, c'est l'inverse de ce que devraient faire les Occidentaux, c'est-à-dire se positionner de façon à pouvoir dialoguer avec tous les sunnites et tous les chiites, faire un pont entre l'Arabie et l'Iran. Se ranger d'un côté ou de l'autre, c'est alimenter une guerre perpétuelle. C'est ce qu'il y a de pire dans la politique américaine actuelle, une erreur aussi néfaste que l'invasion de l'Irak en 2003.

Quelles seront les répercussions de cette alliance avec l'Iran ?

Premièrement, les Saoudiens en déduisent qu'il n'y a plus à se retenir envers l'Iran et ses alliés régionaux (« l'arc chiite ») ; ensuite, les « durs » en Iran se disent que la politique de Hassan Rohani, même réélu, ne marchera pas, puisqu'un bloc américano-saoudien inébranlable torpillera ses efforts. Cela favorise donc les plus inflexibles en Arabie et les plus durs en Iran, même s'ils ont été largement battus aux élections par Rohani. C'est une orientation grave. Les Européens doivent éviter à tout prix d'être entraînés dans cet engrenage et suivre une autre approche.

Que pensez-vous de la mise à l'index du Qatar par l'Arabie saoudite et la majeure partie des États de la péninsule Arabique. Quelles peuvent en être les conséquences ?

La volonté saoudienne de museler le Qatar découle d'une exaspération ancienne (le Qatar est trop indépendant) et d'une volonté plus récente d'enrôler tous les sunnites du monde arabe pour affronter l'Iran et les chiites. Les conséquences peuvent être graves si l'Arabie ne peut pas être freinée et si aucune médiation n'aboutit.

Après la reconquête des quartiers orientaux d'Alep par les Russes et les forces du régime syrien, vous aviez souligné que, pour la première fois, les Occidentaux étaient totalement absents dans une crise politique majeure au Moyen-Orient.

En France (les médias, les ONG, une partie de la classe politique), on continue à croire que notre pays a un rôle spécial, missionnaire, à jouer. Cela part de bonnes intentions, mais c'est prétentieux, et en pratique cela ne fonctionne pas, ou plus. Le régime de Damas a été sauvé in extremis par la Russie et l'Iran, et ne s'effondrera pas. Mais Poutine ne contrôle pas entièrement le régime de Bachar el-Assad, qui se méfie de son protecteur. Poutine n'est maître du jeu que jusqu'à un certain point, mais nous, nous sommes hors jeu ! Ce qui va se passer en Syrie à l'avenir dépend donc d'abord du rapport de force Russie-Iran, la question étant de déterminer lequel aura le plus d'influence sur le régime d'Assad. Notre intervention à Mossoul et à Raqqa est justifiée pour contribuer à éradiquer les bases arrière des terroristes islamistes.

Comment sortir de l'impasse du conflit syrien ?

Nous n'avons plus de cartes en main. C'est le rapport de force entre le régime et ce qu'il reste de rebelles, les islamistes, les Russes, les Iraniens, et quand même les Américains, qui sera déterminant. Nous ne pouvons revenir dans le jeu que si nous apportons des idées, si nous travaillons en intelligence avec la Russie, sans être en mauvais termes avec les Iraniens, c'est-à-dire sans nous laisser entraîner par les États-Unis. La France a gardé une créativité, une capacité d'ingénierie diploma-tique. Construisons une vision d'avenir cohérente et fonc-tionnelle pour la Syrie. Emmanuel Macron a d'ailleurs déjà montré qu'il voulait évoluer par rapport à l'époque Sarkozy-Hollande-Fabius, et définir une politique exté-rieure de mouvement, différente.

Voyez-vous d'autres menaces potentielles dans le monde ?

J'ai parlé des tensions entre la Chine et les États-Unis en Asie du Nord-Est.

Le Moyen-Orient, quant à lui, est en déstructuration : aucune des puissances locales ne peut imposer complète-ment son pouvoir, Turquie, Iran, Arabie... Les Israéliens, eux, œuvrent à escamoter la question palestinienne, mais sans intervenir à échelle régionale. Enfin, l'Égypte demeure concentrée sur ses problèmes. Aucun de ces acteurs-là, ni aucun acteur extérieur, ne peut imposer sa loi. Le plus probable est que cette situation se perpé-tue ; jusqu'à ce que les sunnites et les chiites se lassent de s'entretuer par Syriens ou Yéménites interposés. Nous devrions être disponibles pour aider à un tel accord, si nous évitons d'être embringués dans la guerre de Trump et dialoguons avec l'Iran.

En Afrique, il y a la bombe démographique du Sa-hel, qu'on ne peut dissocier entièrement de la question de l'immigration et de celle de l'islamisme. En France, nous abordons cette question de façon trop nombriliste – la colonisation, notre guerre d'Algérie, nos banlieues, comme si nos problèmes et notre passé expliquaient les talibans, Boko Haram ou les attentats aux Philippines ! L'islamisme et le terrorisme se nourrissent des frustra-tions locales, mais ils sont globaux.

Vous êtes sévère envers le camp du messianisme et du « droit-de-l'hommisme », qui a d'après vous une grande part de responsabilité dans les convulsions actuelles.

En matière des droits de l'homme et de démocratie – j'y suis attaché comme tout un chacun –, je crois surtout à la dynamique interne des sociétés : les peuples du monde entier sont mieux formés, mieux informés, plus exigeants, leur pression interne oblige les régimes à évoluer partout. En revanche, c'est vrai, je crois de moins en moins à l'ingérence et à l'intervention extérieures, surtout de la part des anciens colonisateurs dans les pays anciennement colonisés, qui sont nombreux ! C'est bien d'aider les démocrates locaux, les ONG, mais il faut le faire sans les gêner, et sans tomber dans le néo-colonialisme. Plusieurs formes d'interventions sont possibles, une phrase utile, une intervention pour faire libérer des prisonniers, etc., c'est très bien. En faire le seul fil conducteur de la politique étrangère de notre pays relève du mensonge.

Au fond, vous préconisez le retour du cynisme...

Non, de l'honnêteté. Que l'on cesse les promesses mensongères. Je critique ceux qui veulent imposer les droits de l'homme à d'autres (c'est là où on parle de « droits-de-l'hommisme ») et qui d'ailleurs ont un grand écho : en France, les trois quarts des médias sont sur cette position – sans prendre en compte les effets sur place et les risques. Je suis un réaliste, car l'irréalisme (*l'irrealpolitik*) est un mensonge et un risque. Moralement, l'irréalisme est d'ailleurs pire que le cynisme dont on pourrait me taxer (de la part de ceux qui ignorent tout de la définition philosophique du cynisme). Rappelez-vous, exemple parmi d'autres, dans l'affaire syrienne, nous avons promis aux rebelles que nous allions leur envoyer des armes, les aider ; c'était une promesse que nous n'avons pas tenue, car elle était intenable. En quoi était-ce moral ? Cela ressemble aux États-Unis qui, pendant la guerre froide, incitaient les populations à se révolter à Prague ou à Budapest, puis laissaient tomber les insurgés, qui étaient massacrés.

Les démocraties sont tributaires de l'opinion publique. Tocqueville y voyait une cause de leur fragilité.

Absolument. Tocqueville a été souvent génial et en avance. La démocratie représentative est de plus en plus contestée dans son principe même. On n'accepte plus de donner sa confiance à une personne pour cinq ans, on voudrait intervenir tous les matins. Puisque c'est technologiquement possible, la demande de démocratie directe s'est accrue. Certes, la démocratie représentative est usée ; et d'ailleurs le niveau de la classe politique en général a baissé. Mais que mettrons-nous à la place de la démocratie représentative ? Le débat permanent ? Sans conclusion ? La démocratie *directe* peut conduire à la paralysie et à la dictature de tous sur chacun. Beaucoup plus de démocratie *participative* serait une solution. Je me demande s'il ne faudrait pas adapter, même dans les grands pays, des systèmes de votation à la suisse, avec des référendums réguliers, non liés au sort du président, sur des sujets importants, à partir d'un certain niveau de pétitions, de demandes ou de votes.

En tout cas, réagir par une surenchère moralisatrice ne me semble pas être la solution, car le moralisme est un Moloch jamais rassasié.

Quelle est la vision d'Emmanuel Macron à l'international ?

Il me semble qu'il est arrivé avec une vision déjà acérée – il avait déjà vu fonctionner de près les rapports entre les grands dirigeants – et une aura considérable ; il suscite une grande curiosité, il dispose d'un crédit, qu'il peut utiliser pour sortir de l'héritage Sarkozy-Hollande-Fabius. Son début avec Trump est très direct. En mai-juin, à la réunion de l'OTAN et au sommet du G7, il a très bien géré son entrée sur le terrain du « grand jeu ». Il a invité Poutine, il n'était pas obligé. Il a avancé un pion. Macron réveille l'idée d'une politique étrangère française, comme l'illustre aussi sa façon de parler à Erdogan ou à Modi. Il prend des initiatives, veut une diplomatie de mouvement, en rupture avec la politique menée ces dernières années, où nous étions devenus des machines à prendre des positions statiques, à usage interne.

Emmanuel Macron est un Européen convaincu, mais avec quelle vision ?

On sait déjà qu'il voudrait relancer la relation franco-allemande et la zone euro. On verra si, avec Angela Merkel, il convainc les autres Européens à s'organiser mieux face à Donald Trump.

Les anti-européens systématiques énoncent des absurdités et n'ont aucun projet viable, on l'a constaté ; mais les européistes maximalistes ont une lourde responsabilité dans le désamour pour l'Europe : ils ont négligé le fait que la moitié de la population ne suivait pas (49 % à Maastricht, une majorité en 2005, etc.). Les peuples veulent tout simplement garder une identité, de la souveraineté, et avoir de la sécurité. Or les élites n'ont jamais répondu raisonnablement à ces demandes. Elles les ont méprisées. Du coup, les gens ont ressassé leurs rancœurs et se sont portés vers des votes extrêmes, de gauche ou de droite.

Il faut écouter ces frustrations. Le désamour n'est pas seulement lié à la (pseudo-) austérité de la zone euro, mais aussi au fait que l'Europe s'occupe de trop de choses, qu'elle cannibalise la démocratie, comme le dit si bien Jean-Claude Juncker qui regrette la réglementation « à outrance » et « intrusive ». Beaucoup de personnes pro-européennes ne deviennent anti-européennes qu'à cause de directives particulières allergisantes (concombres, tomates, pommeaux de douche, etc.). C'est absurde ! Il faut moins d'Europe sur certains points et plus dans d'autres, Schengen en premier. D'où mon idée d'une pause dans l'intégration. Mais, pour certains européistes convaincus, si l'on fait une pause, on ne pourra jamais redémarrer ! D'autres partagent mon point de vue et il y a un courant pro-européen et non européiste qui s'affirme. Sans doute, Emmanuel Macron a entrepris de synthétiser tout cela avec son objectif d'une « Europe qui protège ».

Emmanuel Macron ne considère-t-il pas plutôt que l'économie est la solution, dans sa vision européenne et dans sa conception de la géopolitique ?

C'est sans doute son point de départ, mais il ne va pas en rester là. Il a déjà bien compris que gérer le rapport avec Trump, s'imposer comme interlocuteur, nouer un fil avec Poutine tout en restant prudent, revenir dans le jeu sur la Syrie, etc., ne relèvent pas de questions économiques. Son approche deviendra de plus en plus politique au fil des contacts qu'il aura. À mon avis, elle l'est déjà.

Est-il gaullo-mitterrandien ?

Il le dit. Même si ce concept est difficile à définir aujourd'hui, on voit bien ce qu'est l'inverse ! Emmanuel Macron a une haute idée de son rôle, de ses responsabilités et de son pouvoir, et on peut le comprendre. Il a réfléchi à l'avance à ce que doit être un chef d'État. À la séquence du Louvre, on l'a vu se transformer instantanément. Sarkozy, trop instable et fébrile, n'est jamais parvenu à donner cette impression, même s'il a été inventif à certains moments, ni Hollande non plus, même s'il a été très digne lors des attentats, qu'il est parvenu à améliorer les relations bilatérales avec tous les pays émergents où il s'est rendu et qu'il avait fait le bon choix au Mali. Mais, sur les enjeux importants, le fil conducteur de la politique étrangère française indépendante gaullo-mitterrandienne a été perdu depuis la rupture de Sarkozy et la montée en puissance de « l'occidentalisme ». Macron semble vouloir renouer avec ce fil. Je m'en réjouis. La conjonction astrale politique est propice ; la France peut jouer un rôle.

À condition, selon vous, de mettre fin et à l'« occidentalisme » et aux « pathologies françaises » ?

Oui, les pathologies dont je parle sont, outre cet occidentalisme (pas « atlantisme »), la prétention, la grandiloquence, l'idée française d'avoir une sorte de mission spéciale. Le « BHLo-kouchnerisme » a exprimé cette pensée avec panache et conviction – qui n'aimerait pouvoir mettre fin à toutes les horreurs dans le monde ? –, mais cela ne marche pas, ou plus dans le monde tel qu'il est. Ce qui ne va pas dans notre universalisme, c'est qu'il est à sens unique, nous vers l'univers... Le monde apprécierait que la France soit à nouveau ambitieuse si en même temps, si je puis dire, elle est réaliste. Enfin, notre myopie face à l'islamisme est grave et la peur de l'« islamophobie », terme inventé pour étouffer dans l'œuf la moindre critique raisonnable de l'islam, est chez nous paralysante. Les musulmans en lutte chez eux contre l'islamisme – intellectuels, artistes, romanciers, politiques – ne s'en servent pas ! Là aussi, il faut que nous devenions plus lucides et que les démocrates et les musulmans normaux ou modérés s'unissent.

Le macronisme est-il un européisme ?

Le 29 décembre 2017, Hubert Védrine répond à L'Opinion, qui consacre une série aux idées du président Macron[1].

Le macronisme est-il un européisme ?

Pas seulement. Aux convictions personnelles d'Emmanuel Macron, exprimées dans différents textes ou discours, avant ou après son élection, s'ajoute maintenant son action en tant que président. Son inspiration est « européiste », assez proche, sur certains points, de la pensée du philosophe allemand Jürgen Habermas. Par exemple, il ne parle pas des États-nations. Mais le macronisme présidentiel est plus vaste que cela, synthèse prometteuse entre une affirmation « européiste » de principe, enrichie d'un thème d'une autre nature, l'« Europe qui protège », et de la relance, à la fois pragmatique et ambitieuse, de dizaines d'idées, de projets, de propositions : il me semble que le macronisme présidentiel en action ambitionne de combiner tout cela.

L'Europe qui protège, n'est-ce pas un thème assez « védrinien » ?

Certes, mais, avant moi, l'« Europe qui protège » est surtout la formule à laquelle François Mitterrand avait

---

1. Article paru dans *L'Opinion*, le 29 décembre 2017.

eu recours face à Philippe Séguin lors du débat sur le traité de Maastricht en 1992, après avoir constaté que les slogans classiques et un peu angéliques (« L'Europe, c'est la paix, l'avenir, la jeunesse, etc. ») ne portaient plus et même énervaient : « Une Europe forte nous protégera mieux. » Et pourtant l'intégration européenne et la mondialisation perturbatrice étaient moins avancées ! En affichant cet objectif, je ne pense pas qu'Emmanuel Macron espère convaincre les vrais anti-européens, qui ne changeront pas, mais plutôt parler à tous les autres : les simples sceptiques, les déçus, les blasés, les allergiques à la « réglementation à outrance », très nombreux, et qui eux peuvent bouger à condition que l'on tienne un peu mieux compte de leur disponibilité à ce que l'Europe progresse si elle ne menace pas leur identité, ne confisque pas la souveraineté restante et assure plus de sécurité. Concernant les projets, certains seront le fait des 27, d'autres de l'espace Schengen – ou de la zone euro. Sur le renforcement de cette dernière, le nécessaire débat relancé par les propositions du président sera tout sauf simple, et pas uniquement du fait de l'Allemagne. Quant à la coopération militaire intensifiée (évitons de parler trop vite d'« Europe de la défense », pour ne pas faire renaître d'illusions, suivies d'inévitables désillusions), elle s'inscrira dans une « coopération structurée permanente », prévue par les traités. C'est positif, mais on ne pourra pas faire avancer d'un même pas tous les États-membres qui y ont souscrit. Voilà comment je résumerais l'ambition politique et l'orientation de ce qui démarre sous nos yeux : un mélange d'européisme, d'ambition et de tactique réaliste.

La suite dépendra de beaucoup de choses, et notamment du prochain gouvernement allemand, mais pas uniquement. Emmanuel Macron a plus d'une carte dans son jeu, entre autres le levier des élections européennes de 2019. Et il ne va pas relâcher la pression.

Emmanuel Macron parle de souveraineté européenne. Qu'en pensez-vous ?

Qu'elle est à bâtir, à concrétiser, à démontrer pour rattraper les opinions qui ont fui. Certains y verront un oxymore, ou diront que cela n'a pas de sens parce que la construction européenne avait été conçue à l'origine par les fédéralistes comme périmant la souveraineté *nationale*, sans la remplacer par une autre (ils étaient atlantistes). Mais ce n'est pas ce que dit Emmanuel Macron. Le fait qu'il parle de souveraineté, fût-elle européenne, est une heureuse réhabilitation sémantique. La mise à l'index de ce concept n'avait pas peu contribué au réveil du populisme. Mais, par « souveraineté européenne », entend-il une souveraineté qui se *substituerait* aux souverainetés nationales ? Une approche aussi radicale ne rassemblerait pas une majorité en Europe et ne serait pas ratifiée. Notre Conseil constitutionnel, et plus encore la Cour de Karlsruhe en Allemagne, ne l'accepteraient pas, ni les peuples. En revanche, si c'est une façon de dire que, pour relever les grands défis globaux, comme le dérèglement écologique, ou pour peser face à Donald Trump, à Poutine ou à la Chine, l'union fait la force, que l'on retrouve de la souveraineté en agissant ensemble au niveau européen qui a apporté une valeur ajoutée, c'est une façon moderne de dire que nous allons, nous Européens, exercer notre souveraineté en commun, et c'est convaincant. Cette ambivalence est aussi vieille que la construction européenne, mais on peut penser que, avec ce président-là, ça peut marcher, que l'on peut trouver une synthèse par le haut.

Comment la décliner en pratique ?

Je placerais au premier plan la mise sur pied d'un Schengen visiblement efficace. C'est ce qu'attendent en priorité les opinions. Pas pour que l'Europe se ferme (le lamento sur le « repli sur soi » est fatigant), mais pour qu'on parvienne à gérer humainement *et* efficacement, *d'une part* les demandeurs d'asile et *d'autre part* les flux migratoires, avec des réfugiés admis en plus grand nombre, mieux accueillis, aidés et intégrés, et d'autre part des immigrants légaux, pour casser l'économie et le drame des flux illégaux. Cela suppose un Schengen avec plus de moyens, une harmonisation entre États-membres sur beaucoup de points, à commencer par l'asile (un Office européen de l'asile), mais aussi une *cogestion* des flux migratoires qui implique les pays de départ et de transit. Il y a eu des tentatives, avec le processus de Rabat et une récente réunion à Malte, mais il faut aller beaucoup plus loin. « Pour ceux qui sont en Europe, de façon devenue irrégulière (environ 200 000 en France ?), il faudra dans certains cas justifiés des régularisations, et dans d'autres, des retours dans leur pays (pays sûrs) dans le cadre d'accords de réadmission. Mais en tout cas il faut arrêter la pompe aspirante, ingérable pour nous, et hémorragie désastreuse pour les pays de départ.

Autres manifestations d'une « Europe qui protège » : la France a obtenu ces derniers mois une petite amélioration des règles sur les travailleurs détachés et aussi le début d'une prise de conscience de la nécessité d'une vigilance accrue vis-à-vis des investissements chinois dans les domaines stratégiques. Et n'oublions pas les exigences fiscales justifiées de la commissaire européenne à la Concurrence, Margrethe Vestager, envers les GAFA. Il faut persévérer.

Le macronisme est-il un européisme ?

Emmanuel Macron est très pro-européen, mais, en même temps, enraciné dans une tradition monarchique très française...

Et alors ? Emmanuel Macron est un président cultivé, et cela fait du bien, pénétré à ce titre d'histoire de France. Il a conscience de ce lien, de ce cheminement séculaire profond dans lequel il s'inscrit, avec ses ombres et ses lumières. De là à dire monarchique... Parlons plutôt d'autorité, nécessaire. Concernant la relation France/Europe, il me semble que sa synthèse est à venir, à la fois de façon conceptuelle, et dans le mouvement. C'est le Macron président qui harmonisera et articulera, dans l'action et au vu des réalités européennes, les différentes facettes de sa pensée sur la France et l'Europe.

Emmanuel Macron n'a cessé d'expliquer que nous ne pèserons en Europe, et notamment face à l'Allemagne, qu'à condition de nous réformer. Qu'en pensez-vous ?

Il a raison ! J'avais d'ailleurs écrit, il y a quatre ans, un livre sur ce sujet, *La France au défi* (Fayard). On en a eu la démonstration par l'inverse : quand la France était perçue, ces dernières années, comme un pays qui avait perdu le fil, qui ne parvenait plus à se ressaisir, à retrouver confiance en lui, ni à se réformer, c'était un handicap sérieux sur beaucoup de plans. Il me semble que, avec Emmanuel Macron, on emprunte un autre chemin. Le regard sur nous a changé. Du coup, les attentes sont plus élevées.

Que pensez-vous de l'approche macronienne de la politique étrangère ?

J'approuve que le président veuille s'affranchir d'une approche déclaratoire et à usage interne de la politique

étrangère. Depuis vingt ou trente ans, on a vu progresser, sous l'influence des grands médias audiovisuels et
de quelques *leaders* d'opinion, le poids des réactions instantanées et émotionnelles aux événements. La France
était censée avoir comme mission principale, voire exclusive, de se spécialiser dans l'ingérence, l'action humanitaire ou le militantisme pour les droits de l'homme, le
« droit-de-l'hommisme ». Cela partait de bons sentiments, mais une politique étrangère ne peut se réduire à
cela, d'autant que, le plus souvent, cela ne marche pas !
Tocqueville s'inquiétait déjà de ce que les démocraties ris-
quaient de mener leur politique *extérieure* sur la base de
considérations *intérieures*. Ce risque s'aggrave. C'est un
préalable de se libérer de cela. Pas pour faire n'importe
quoi, mais pour retrouver une liberté d'agir et une ambition fondée sur les réalités. Ce réalisme préalable est
une forme d'honnêteté et nécessite du courage. Reste à
voir comment cette politique va être menée dans la durée
dans un monde chaotique où les grands acteurs ne poursuivent strictement que leur intérêt. Je pense à Trump,
à Poutine, à Xi Jinping, à Israël, à l'Iran, à l'Arabie, à la
Turquie, à l'Inde, au Japon, etc. Mais, en tout cas, on est
revenus dans le jeu.

2018

Le *gaullo-mitterrandisme*

Hubert Védrine réagit à l'article de Justin Vaïsse publié dans le numéro de novembre 2017 de la revue Esprit, « Le passé d'un oxymore. Le débat français de politique étrangère », qui a provoqué de nombreuses réactions, favorables ou critiques[1].

Ruptures et continuités

Justin Vaïsse énonce une évidence, les différences profondes entre le gaullisme et le mitterrandisme, et que les autres présidents, même après la « rupture » proclamée en 2007 par Nicolas Sarkozy, ont parfois inscrit leurs pas dans celui de leurs prédécesseurs et dans la tradition diplomatique française de la Vᵉ République.

Mais quand j'ai employé cette formule, dans les années 1980, je ne prétendais pas que les politiques étrangères des deux présidents étaient les mêmes. Je soulignais que François Mitterrand avait repris et assumait les fondamentaux de la dissuasion, alors que beaucoup s'attendaient à ce qu'il les rejette. Ce n'est que plus tard que cet oxymore, ce mot-valise, en est venu peu à peu à désigner plus largement une certaine politique étrangère française « indépendante » et autonome, autant que possible, par rapport à Washington. Or c'est bien de cette tradition que Nicolas Sarkozy a entendu se libérer en 2007

---

1. Article paru dans la revue *Esprit*, mars 2018.

329

en annonçant rompre avec l'héritage de Jacques Chirac. Il a été suivi en cela, ou plutôt précédé et encouragé, par un certain nombre de responsables de notre diplomatie et des *think tanks* hostiles à la condamnation par Jacques Chirac de la guerre américaine en Irak en 2003. Des décisions de politique étrangère se rattachant à la ligne antérieure ont certes été prises ensuite, sous Nicolas Sarkozy ou sous François Hollande, ce qui permet à certains de leurs anciens conseillers de prétendre avoir poursuivi la même politique. Cela ne peut pas tromper les professionnels de la diplomatie ou de la géopolitique qui ont vécu ce conflit à la fois intellectuel et de pouvoir, à travers la lutte pour les nominations dans les postes-clefs, et le positionnement vis-à-vis de Washington, de la Russie, du Proche-Orient ; à propos des interventions extérieures, ou encore dans la compétition pour se faire entendre du chef de l'État. Au début du mandat de Nicolas Sarkozy, certains néo-conservateurs se vantaient d'éliminer « les séquelles du gaullisme et du mitterrandisme » et de neutraliser la direction Afrique du Nord/Moyen-Orient du Quai d'Orsay, qualifiée de « secte ».

Ce serait une erreur d'analyser le néo-conservatisme à la française comme un « atlantisme » à l'ancienne.

À l'origine, le « néo-conservatisme » (qui n'a rien à voir avec les questions sociales) est le fait d'intellectuels situés à la gauche du Parti démocrate américain qui dénonçaient le réalisme de Kissinger lorsqu'il négociait avec la Chine ou la Russie, réclamaient une défense plus agressive de nos « valeurs » et qui, en trente ans, ont migré jusqu'à la droite du Parti républicain. Justin Vaïsse a très bien décrit, avec Pierre Hassner, ce courant.

À la fin de la présidence Chirac, des diplomates ou des analystes français, qui avaient été souvent en poste à Washington ou à Tel-Aviv, se sont dits favorables à la guerre en Irak au nom de la solidarité transatlantique, de la sécurité occidentale, des droits de l'homme ou du droit d'ingérence. Par la suite, les mêmes personnalités ont été, pour la plupart, favorables à des frappes contre l'Iran, hostiles au projet d'accord d'Obama sur l'Iran, proches du Likoud sur le conflit israélo-palestinien et le Moyen-Orient en général, pour une attitude anti-Poutine très dure, et favorables aux interventions militaires extérieures pour imposer la démocratie, même sans caution des Nations unies.

Mais ce serait une erreur d'analyser le néo-conservatisme à la française comme un « atlantisme » à l'ancienne. Ces néo-conservateurs français se sont méfiés d'Obama, trop timoré selon eux, en dépit de ses propres engagements (ligne rouge), en oubliant qu'il avait été élu pour dégager les États-Unis des ornières où les avait entraînés l'interventionnisme de George W. Bush, et n'aiment pas Trump, trop égoïste pour être prosélyte. Il s'agit plutôt d'un *occidentalisme*. Selon eux, l'Occident croit avoir gagné, mais il est en fait encerclé par *the rest* : les Russes, les Chinois, les Arabes, les autres musulmans, etc. Face à eux, l'Occident ne doit pas hésiter à intervenir pour imposer, par la force s'il le faut, ses valeurs démocratiques universelles. Ajoutons qu'une politique étrangère française trop autonome est un facteur de désordre et de faiblesse et qu'il faut traiter Israël, qui est en première ligne, avec compréhension, et même s'en inspirer en ce qui concerne la sécurité régionale. Chacun connaît quelques brillants représentants de ce courant : diplomates, experts, analystes.

Justin Vaïsse entend achever de démontrer l'inutilité du concept de gaullo-mitterrandisme en énumérant huit autres questions, étrangères à ce clivage, qui, hors questions européennes, « comptent vraiment » et sur lesquelles peuvent s'opposer de façon non archaïque des visions distinctes de l'intérêt national.

Mais curieusement l'attitude envers les États-Unis n'en fait pas partie. Pourtant, ce n'est pas en escamotant ce sujet central, éléphant dans la pièce, ni en parlant d'« obsession américaine » chez tous les présidents avant Nicolas Sarkozy (il y aurait beaucoup à dire sur l'obsession anti-française de la diplomatie américaine) qu'on le fera disparaître. Les États-Unis ont été la puissance dominante depuis 1945 et notre allié. En fait, à l'exception d'Obama, les Américains n'admettent pas ma formule, devenue classique : « Amis, alliés, mais pas alignés. » Pour eux, un allié doit être aligné, c'est d'ailleurs son utilité. Mais du Vietnam à l'Irak en 2003, en passant par leur paralysie envers l'ultra-nationalisme israélien et leur balourdise au Moyen-Orient, ou l'enlisement des relations avec la Russie, leur capacité à faire des erreurs catastrophiques justifie que la France maintienne sa capacité de penser sa propre politique étrangère et de résister, sans esprit de système et quand il le faut, aux errements américains, surtout quand ils ont un président pyromane.

La brutalité et l'unilatéralisme de Trump ne font pas du multilatéralisme une panacée.

Pourquoi omettre aussi dans cette liste la question israélienne et celle de l'Iran, à propos de laquelle les désaccords au sein du Quai d'Orsay ont été virulents, certains « *neocons* » favorables à une action militaire contre l'Iran ayant lutté contre l'accord d'Obama, au-delà même des exigences portées par Laurent Fabius ? Autre priorité non mentionnée : comment lutter contre l'islamisme ? En revanche, Justin Vaïsse a raison d'évoquer les relations avec les monarchies sunnites du Golfe, vraie question, en train d'être repensée. Et sur les interventions militaires, il est vrai que les positions ne sont pas binaires. On rencontre de vraies divergences dans chaque camp sur la question de leur fréquence, de leurs justifications et de leurs objectifs. Justin Vaïsse observe d'ailleurs que les non-interventionnistes ont de solides arguments à faire valoir.

Justin Vaïsse mentionne aussi l'attitude envers la Chine (comment obtenir une meilleure symétrie et être plus vigilant, tout en coopérant), qui ne relève pas en effet des clivages anciens. Quant au « multilatéralisme », ce n'est pas un critère vraiment déterminant. Aucune puissance ne peut être exclusivement multilatéraliste, même si, comme la France, elle en parle beaucoup, le favorise et cherche à le renforcer. Dans certains cas, il n'est pas praticable, même pour la France. La brutalité et l'unilatéralisme de Trump ne font pas du multilatéralisme une panacée.

Au registre de la caducité des clivages, il est vrai que les décideurs ont plus souvent le choix entre des inconvénients, qu'entre une bonne et une mauvaise solution. Il est vrai aussi que les clivages diplomatiques ne correspondent pas ou plus à « la gauche » et à « la droite ». Et que certaines controverses n'ont plus de sens.

Le sens de cette controverse

Mais si tout cela est à la fois évident et dépassé, pourquoi cette critique ? Quelle urgence y a-t-il à déconstruire maintenant le gaullo-mitterrandisme ? D'autant que cet article n'est pas isolé. Sur son blog, Michel Duclos a estimé le 3 août que l'opposition gaullo-mitterrandisme contre néo-conservatisme à la française était un « faux débat ». Frédéric Encel en traite dans des termes proches dans son *Dictionnaire de la géopolitique*[1]. Une tribune

---

1. Frédéric Encel, *Mon dictionnaire de la géopolitique*, Paris, PUF, 2017.

signée par des membres reconnus de ce courant de pensée, dont Bruno Tertrais, était titrée : « Notre politique étrangère n'est pas néo-conservatrice[1]. » Jacques Audibert, qui a été le conseiller diplomatique de François Hollande, défend l'idée d'une continuité[2]. François Heisbourg est sur une ligne proche. Pourquoi tant de plaidoiries de responsables associés à la diplomatie française de la dernière décennie qui ont d'ailleurs suscité beaucoup de réactions en sens inverse[3] ? Est-ce pour détourner l'attention du nécessaire bilan diplomatique des années Sarkozy/Hollande/Fabius, qui est aussi le leur ? Est-ce parce que le président Macron les a inquiétés en se référant au « gaullo-mitterrandisme » et en rejetant expressément le néo-conservatisme ?

Le président Macron a en effet entrepris, avec l'assistance de Jean-Yves Le Drian, de rebâtir et de mener une politique étrangère réaliste et ambitieuse, sans dogmatisme, en ne s'interdisant de parler à personne dès lors que cela peut être utile pour la France. Il a raison. Mais il faut que cette politique soit suivie et mise en œuvre.

On voudrait être sûr que les forces qui prétendent à la fois que le gaullo-mitterrandisme est dépassé, ou n'a pas existé, ou qu'il équivaut à la ligne française de toujours (on s'y perd), et qu'il n'y a donc pas de néo-conservatisme en France, ne chercheront pas à miner l'élaboration d'un nouveau cours envers l'Iran, la Russie, la Turquie ou la Chine, à même de refaire de la France un acteur majeur, sans la couper d'aucun de ses partenaires fondamentaux.

---

1. *Le Monde*, 4 juillet 2017.
2. *Le Monde*, 28 mai 2017.
3. *Le Monde*, 4 juillet 2017. Voir aussi les articles et ouvrages de Pascal Boniface, ainsi que « L'avenir d'un oxymore » texte de Denis Bauchard, Christian Connan, Jean-Claude Cousseran et Bernard Miyet (*Boulevard extérieur*, 7 janvier 2018).

Le gaullo-mitterrandisme

Étant donné qu'il n'y a pas encore de « communauté » internationale et que le rapport de force intelligent pour la créer est à bâtir, les Occidentaux, qui n'ont plus le monopole de la puissance, devront de plus en plus, même s'ils ont du mal à s'y faire, traiter avec les autres puissances, qu'elles soient installées, résurgentes ou émergentes. Un exemple parmi d'autres : réussira-t-on à établir (avec prudence et vigilance) une nouvelle relation avec la Russie, ou poussera-t-on celle-ci vers la Chine, par suivisme américain et sanctionnisme réflexe ? On ne peut pas décréter la fin des controverses rabâchées dans le seul but de jeter un écran de fumée sur le bilan des dix dernières années et embrouiller les choix d'aujourd'hui.

Plutôt que de déconstruire rétrospectivement le gaullo-mitterrandisme français et de se fondre à quelques détails près dans un occidentalisme européen, on serait mieux inspiré de réfléchir à un gaullo-mitterrandisme européen.

Francis Fukuyama

À *l'occasion de la republication par* Flammarion *de* La Fin de l'histoire et le Dernier Homme *de Francis Fukuyama au printemps* 2018, *Hubert* Védrine *resitue cette pensée dans le contexte de l'après guerre froide*[1].

Comment avez-vous découvert La Fin de l'histoire et le Dernier Homme ? *Vous souvenez-vous de votre première lecture ?*

J'avais entendu parler de Francis Fukuyama depuis son article paru en 1989 dans *Foreign Affairs*, « La fin de l'histoire et le dernier homme ». C'était intrigant. J'étais alors porte-parole de François Mitterrand. Lycéen puis étudiant, déjà, j'étais passionné par l'histoire, la géographie, la politique, et donc par la géopolitique qui les combine. J'avais quelques notions de Platon, Socrate, Thucydide et Machiavel, mais aussi de Tocqueville ou de Raymond Aron. J'avais lu René Grousset, un peu Toynbee. Par la suite, à l'Élysée, à partir de 1981, j'avais dévoré, à des fins pratiques, Kissinger et Brzezinski, mais aussi *Rise and Fall of the Great Powers*, de Paul Kennedy, paru en 1987. C'est donc tout naturellement que j'ai lu Fukuyama dès que son livre est paru, en 1992, alors que nous venions juste, dans les années 1989-1991, de sortir

---

1. *La Fin de l'histoire et le Dernier Homme*, Francis Fukuyama, réédition avec un entretien inédit d'Hubert Védrine, Flammarion, 2018.

de la guerre froide et du monde bipolaire. De quoi notre monde allait-il être fait ? C'était intellectuellement très excitant.

Dès sa parution en 1992, ce livre a connu un retentissement mondial : comment l'expliquez-vous ?

Ce n'est pas étonnant : il répondait parfaitement à l'explosion d'optimisme et d'espérance, voire d'*ubris*, qui a saisi l'Occident, si ce n'est le monde, après la chute de l'URSS, à la fin de 1991, date plus importante historiquement que celle de la spectaculaire, émouvante et très médiatique « chute » du Mur, qui n'était ni le début ni la fin du processus. « On avait gagné ! » L'Histoire était finie, faute de combattants, car tout le monde était censé s'être rallié sans esprit de retour à la démocratie de marché. C'était cela, le climat général, et Fukuyama semblait le traduire, mais au prix d'un malentendu qui a un peu biaisé la compréhension des pensées. Il est apparu comme le théoricien d'une irréversible victoire idéologique, géopolitique et historique de l'Occident, alors qu'il incarnait plutôt la renaissance d'un optimisme libéral après le siècle et la chute des totalitarismes. Ce n'est pas la même chose. En réalité, Fukuyama est beaucoup plus subtil, argumenté et profond que l'image schématique que le succès de son livre a imposée de lui et de sa pensée. C'est un vrai philosophe de l'Histoire. Il ne réfléchit pas au rythme débilitant de l'information continue ni de l'actualité immédiate et des « réactions ». Il se situe plutôt dans le monde d'Hérodote, de Hegel ou de Nietzsche ; il dialogue à distance avec Kant et Marx, qui avaient tous les deux leur propre définition – incompatibles – de la fin de l'histoire, ou Tocqueville. Mais le monde occidental, et ses annexes, élites et grande opinion confondues, a reconnu en lui son désir profond. Il a été un peu victime de son succès.

Francis Fukuyama

En 2007, vous écriviez, à rebours de Fukuyama, que l'Occident devait se mobiliser pour « continuer l'Histoire ». Qu'entendiez-vous par là ?

Je m'adressais dans ce petit essai aux Européens, *fukuyamesques* avant Fukuyama, version ingénue. Leur naïveté m'inquiétait. Et je voulais leur dire : en fait, l'Histoire continue, elle reprend même plus que jamais. La Russie ne va pas disparaître, les émergents émergent, l'islam est déchiré par des convulsions et est prosélyte. Ne croyez pas que vous vivez dans un monde post-tragique, post-historique, le monde idéal de la bienveillante « communauté internationale », de la société civile et des ONG. Je leur disais : sortez du coma stratégique, réveillez-vous, faites ce qu'il faut pour continuer à être dans l'Histoire, sinon elle va continuer sans nous. C'était le sens de mon appel.

Dix ans plus tard, l'évolution géopolitique mondiale a-t-elle changé votre regard ?

Justement non, au contraire. Il est possible que Fukuyama ait raison sur le long terme et que la démocratie libérale finisse par triompher dans un monde homogénéisé par la technologie, l'interdépendance économique et des valeurs devenues vraiment universelles autour d'une écologie maîtrisée (c'est moi qui l'ajoute, Fukuyama ne prenait pas en compte cette dimension). Espérons-le. Mais, pour le moment, le monde dans lequel nous vivons ressemble plutôt à celui annoncé par Samuel Huntington, qui craignait entre autres, en 1996, dans *The Clash of Civilizations and the Remaking of World Order*, le risque de clash entre les civilisations (Chine/Islam/Occident). Alors que Fukuyama, universaliste, ne retient pas le concept de « civilisations » issu des grandes religions et n'envisage pas leur « clash ». La controverse à distance entre ces deux penseurs qui ont marqué ou symbolisé, plus que d'autres, l'histoire des idées des vingt-cinq dernières années est fascinante. « Le paradigme reposant sur l'idée que le monde est harmonieux jure trop avec la réalité pour nous servir de repère », écrivait Huntington. Sans dire que le monde était déjà harmonieux, Fukuyama restait, lui, optimiste sur la convergence historique autour des valeurs de la démocratie libérale. Rappelons que, dans les années 1960, Raymond Aron avait déjà imaginé une convergence, mais sur d'autres bases, entre les sociétés industrielles.

Qui sont aujourd'hui, selon vous, les héritiers de Francis Fukuyama ?

Héritiers, intellectuels, je ne sais pas. Mais n'oublions pas que Fukuyama a beaucoup nuancé sa réflexion historique et continue lui-même à réfléchir et à écrire sur le pouvoir. Héritiers de la version simplifiée des années 1990 ? Beaucoup de gens aimeraient qu'il eût raison, ou qu'il ait raison un jour. Citons en désordre : les Européens dans leur majorité. D'une certaine façon, dans des genres proches, Obama ou Bill Gates. Les prophètes du paradis technologique californien. L'Union européenne, de par son logiciel d'origine. Le philosophe allemand Habermas. Les secrétaires généraux de l'ONU par fonction. La plupart des juristes de droit international. Le jury du prix Nobel. Pas mal d'adeptes de l'économie globale de marché, dérégulée. Tous ceux qui vivent dans le système multilatéral. Mais nous sommes dans le monde de Trump, de Poutine, de Xi Jinping, de Netanyahou, de Khamenei, d'Al-Qaïda et de Daesh, etc., et les Européens y sont sur la défensive. Donc rien n'est joué.

Francis Fukuyama

Qu'aimeriez-vous dire à un lecteur qui découvrirait aujourd'hui ce livre pour la première fois ?

Profitez de la chance que vous avez de le découvrir maintenant ! Et pour les autres : relisez-le ! Mais en le remettant dans son contexte : le début de la décennie de *l'hyperpuissance*, alors aimable, retenue l'expression de sa puissance, l'année de l'élection de Bill Clinton. Lisez aussi ses contradicteurs, américains et autres. Confrontez-le à quelques autres penseurs ou écrivains *globaux*, américains, européens, russes, asiatiques, musulmans, africains, etc. C'est sans doute la dernière époque où la grande réflexion stratégique a été presque exclusivement le fait de penseurs américains, en désaccord entre eux, tous aiguillonnés par les défis nouveaux de ce monde américano-globalisé, mais où, en fait, déjà les Occidentaux commençaient à perdre le monopole de la puissance. Et alors que ces controverses ont été ravivées et portées à l'incandescence par l'élection de Trump, n'oubliez pas en lisant aujourd'hui Fukuyama qu'il raisonne en philosophe et travaille sur la question : y a-t-il une histoire universelle de l'humanité dotée d'une réorientation et d'une cohérence ? Une histoire téléologique ?

Certitudes et incertitudes

À *l'occasion du* 40ᵉ *anniversaire de la revue* Commentaires, *Hubert* Védrine *traite du sujet « certitudes et incertitudes géopolitiques*[1] *».*

1– Si Raymond Aron titrait en 1978 « Incertitudes » son premier article pour *Commentaires*, alors même qu'il nous semble, avec le recul, que le monde bipolaire de la guerre froide était dur, mais plus simple et plus prévisible, quelles certitudes pourrions-nous éprouver dans le nôtre, que le secrétaire général de l'ONU, Antonio Gutteres, n'hésite pas à qualifier de chaotique ?

Presque toutes les certitudes qui animaient les Occidentaux, les Européens et donc les Français, quelles que soient leurs spécificités, ont disparu, ont vacillé ou se sont métamorphosées. Je ne remonterai pas aux Lumières qui ont bouleversé une chrétienté séculaire, car celle-ci s'est d'une certaine façon perpétuée à travers la sécularisation des valeurs chrétiennes en droits de l'homme, et la permanence d'une attitude missionnaire et prosélyte. Mais, même, qu'est-il resté, après le funeste premier XXᵉ siècle, de notre vision téléologique de l'histoire incarnée dans le Progrès ? Plus proche de nous, l'Occident avait cru, après la disparition de l'URSS en 1991, avoir gagné la bataille de l'Histoire faute de combattants, le monde entier étant

---

1. Article à paraître dans *Commentaires*, printemps 2018.

rallié à la démocratie libérale et au marché – la démocratie de marché, disait Bill Clinton –, les derniers récalcitrants devant être aisément remis dans le droit chemin. Et voilà qu'au contraire l'Histoire s'est remise en marche avec les émergents, la Chine et les autres, que l'Islam est déchiré par d'immenses convulsions, que la version postnationale et post-tragique de l'idée européenne s'est heurtée aux réalités et à la résilience des peuples, que les élites mondialisatrices et européistes peinent à convaincre et qu'elles pensent camoufler cet échec en condamnant le « populisme ». Les classes moyennes occidentales ne se retrouvent plus dans l'économie-casino. Des dizaines de pays anciennement colonisés ne se satisfont pas de la novlangue internationale sur le développement durable et inclusif, sommant l'Occident de se repentir ou de réparer, ou tout simplement commencent à s'organiser sans lui. Taraudés par les comptes à rebours démographique et écologique et l'appréhension du choc numérique et de l'IA, quelles certitudes peuvent ressentir des Occidentaux si ce n'est celle du déclin, relatif ou absolu, à moins de le refouler par un optimisme technologique faustien du type californien, une croyance aveugle dans « l'Europe », en fait minoritaire, à proclamation rituelle de l'universalité de nos « valeurs » ?

2– Quelles certitudes dans tout cela ? D'abord celles qui nourrissent ce constat lucide. La population mondiale va continuer à croître, et tant que la révolution écologique, l'*écologisation*, n'aura pas transformé tous les modes de vie et de production, cette explosion démographique potentialisée par la prédation moderne mettra en péril l'habitabilité de la planète à quelques générations de distance. Le poids relatif démographique des Occidentaux, en tout cas des Européens, va continuer à fondre. La juxtaposition de zones denses et vides, la facilité des déplacements, le désir de vivre mieux alimenteront des flux migratoires permanents de masse, compliqués à gérer, avec des conséquences graves : anémie dans les pays de départ, perturbation dans les pays de transit, troubles dans les pays d'arrivée. Autres certitudes : il faudra très longtemps pour que les musulmans modérés, même très majoritaires, arrivent à juguler la vague islamiste et salafiste ; la montée en puissance de la Chine va se poursuivre ; la Russie gardera un pouvoir de nuisance résiduelle sans se transformer avant longtemps en démocratie à l'occidentale et s'alliera à la Chine, sauf si les Occidentaux adoptent une politique russe plus intelligente.

Quelques certitudes plus réconfortantes ?

Les terroristes islamistes peuvent encore infliger bien des souffrances, mais ils ne gagneront pas ou jamais longtemps. La Chine aura du mal à empêcher que se développent des résistances à son hégémonie, voire une coalition défensive, ce qui sera un facteur d'équilibre mondial. Sur un autre plan, les grands entrepreneurs du Web et de la technologie finiront par provoquer des réactions pour limiter, endiguer ou tronçonner leur pouvoir colossal. Les régimes « illibéraux » ou « démocratures » devront eux aussi tenir compte des demandes de leurs peuples. Exemple : la Chine, qui va passer, sur l'écologie, du déni à l'avant-garde. Autre élément relativement rassurant : il n'y a dans le monde actuel aucun mécanisme de généralisation automatique d'éventuelles guerres, pas même en Asie ou au Moyen-Orient, même si l'antagonisme russo-américain a été réveillé par des spéculateurs géopolitiques à court terme. Tous les mécanismes d'interdépendance et de coopération n'ont pas disparu. Même Donald Trump n'a pu se débarrasser de l'OTAN, etc.

3– Il en va des incertitudes comme des certitudes : certaines sont réconfortantes, d'autres inquiétantes. Mais elles indiquent là où le destin hésite et où devraient se déployer nos stratégies et nos contre-offensives. Ainsi, l'avenir de la démocratie représentative classique n'est plus assurée, mais celui des régimes non démocratiques non plus. Leur triomphe est transitoire. La demande de démocratie directe permanente et instantanée, technologiquement possible, pèsera sur tous les régimes, mais sera corrigée d'une façon ou d'une autre tant ses conséquences seraient terribles. En revanche, un deal entre le populisme ambiant, si on sait le canaliser, et la démocratie représentative, revivifiée par plus de démocratie participative, est jouable. La stratégie à long terme des émergents, même de la Chine, est incertaine. On a tort de s'attendre à une extrapolation linéaire. Elle dépendra aussi de ce qu'il y aura en face, les autres, nous. Un jeu intelligent, ferme et ouvert, avec chacun des grands émergents, est possible de la part des Européens. Sur le terrain écologique, des batailles incessantes opposeront partout les forces qui voudront accélérer l'écologisation et celles qui voudront la ralentir ou la stopper. Le rythme est incertain, comme le résultat de ces escarmouches, pas l'aboutissement. Sur le Moyen-Orient, tout semble conduire à l'affrontement sunnite/chiite, Arabie saoudite/Iran (en plus de la croisade des salafistes contre les musulmans en général), surtout s'il est attisé par le pyromane américain. Mais la France, devenue plus réaliste, pourrait entraîner quelques pays, d'Europe et autres, pour proposer un cadre régional de sécurité et un processus de coexistence.

En Europe, tous les scénarios sont possibles, mais les élites et les peuples se retrouvent sur un point essentiel : leur attachement viscéral au mode de vie européen, le meilleur que l'on ait inventé. Il suffirait que les élites cessent leur acharnement post-national et apportent une réponse raisonnable aux demandes, banales, de préservation de la souveraineté, et des identités, et de sécurité (un Schengen opérationnel), pour qu'un consensus interne nouveau s'établisse en Europe, marginalisant les vrais anti-européens, et qu'elle puisse peser à nouveau dans les affaires du monde.

Les armes nucléaires : finalement, il y a eu très peu de prolifération par rapport à ce que l'on craignait il y a quarante ans. Le plus probable est qu'elles subsisteront encore longtemps, mais qu'une réduction progressive des arsenaux finira par s'imposer jusqu'à ce que le monde paraisse suffisamment sûr pour s'en passer.

La question du nucléaire civil est différente. Après une phase de rejet post-Fukushima (démagogique et électoraliste en Allemagne), la nécessité de sortir d'abord du charbon pour réduire les rejets de CO_2 revient en force.

Quasi-certitude, avant vingt ans, l'*écologisation* sera devenue le premier moteur de l'économie mondiale, le calcul économique l'aura intégrée et chaque microdécision sera orientée de ce fait dans le bon sens. C'est d'ailleurs sur cette base, plus encore qu'à partir des magnifiques principes du préambule de la Charte des Nations unies, que commencera à s'établir un sentiment de « communauté » internationale entre les peuples du monde.

Les certitudes positives sont aujourd'hui peu nombreuses, spécialement pour les Occidentaux. Les certitudes négatives peuvent être combattues de façon réaliste ; les incertitudes peuvent être mobilisatrices.

Table des matières

Table des matières

Composition et mise en pages
Nord Compo à Villeneuve-d'Ascq

CET OUVRAGE
A ÉTÉ ACHEVÉ D'IMPRIMER
SUR ROTO-PAGE
PAR L'IMPRIMERIE FLOCH À MAYENNE
EN JUIN 2018

Fayard s'engage pour
l'environnement en réduisant
l'empreinte carbone de ses livres.
Celle de cet exemplaire est de :
1,1 kg éq. CO₂
PAPIER À BASE DE   Rendez-vous sur
FIBRES CERTIFIÉES   www.fayard-durable.fr

Dépôt légal : avril 2018
N° d'impression : 92897
75-1676-6/04
Imprimé en France